No final daquele dia

ARLENE DINIZ

No final daquele dia

mundo**cristão**

Copyright © 2024 por Arlene Diniz

Todos os direitos reservados e protegidos pela Lei 9.610, de 19/02/1998.

É expressamente proibida a reprodução total ou parcial deste livro, por quaisquer meios (eletrônicos, mecânicos, fotográficos, gravação e outros), sem prévia autorização, por escrito, da editora.

Edição
Daniel Faria

Revisão
Ana Luiza Ferreira

Produção e diagramação
Felipe Marques

Colaboração
Raquel Carvalho Pudo
Raquel Xavier

Ilustração de capa
Camila Gray

Capa
Jonatas Belan

CIP-Brasil. Catalogação na publicação
Sindicato Nacional dos Editores de Livros, RJ

D61n

   Diniz, Arlene
     No final daquele dia / Arlene Diniz. - 1. ed. - São Paulo: Mundo Cristão, 2024.
     432 p.

     ISBN 978-65-5988-291-5

     1. Ficção cristã. 2. Literatura infantojuvenil brasileira. I.Título.

23-87544   CDD: 808.899282
                               CDU: 82-93(81)

Meri Gleice Rodrigues de Souza - Bibliotecária - CRB-7/6439

Publicado no Brasil com todos os direitos reservados por:

Editora Mundo Cristão
Rua Antônio Carlos Tacconi, 69
São Paulo, SP, Brasil
CEP 04810-020
Telefone: (11) 2127-4147
www.mundocristao.com.br

Categoria: Literatura
1ª edição: março de 2024 | 1ª reimpressão: 2025

Para Melinda, que cresceu em meu ventre ao mesmo tempo que esta história cresceu em meu coração (e na tela do computador).

E para meu pai, que foi alcançado pela graça em meio a seus vícios, o que mudou a vida de nossa família para sempre.

1

KAI MORDISCOU O CANTO do polegar ao observar o quadro de notas pendurado na parede do outro lado do pátio. Não queria ver, embora soubesse que não adiantava postergar. Puxou o ar com força e soltou aos poucos enquanto se aproximava da parede apinhada de alunos, todos desesperados para saber se tinham passado de ano ilesos.

Algumas meninas saíram dando gritinhos animados, e Kai pôde se aproximar da cortiça envelhecida coberta por infindáveis listas. Correu os olhos com certa urgência, até encontrar a folha do segundo ano.

Foi um baque, ainda que não tão inesperado.

Língua portuguesa, matemática, história, filosofia, química e, para assinar seu atestado de irresponsável, artes. A impressão na cor vermelha não disfarçava. Recuperação. A única matéria em que passou com louvor foi educação física, 98 pontos.

O aviso em letras garrafais esbravejava que o início das provas de recuperação seria na quarta-feira. Era segunda. Kai soltou um riso amargo. Estava lascado.

— Pô, Kai! Suas notas só não estão mais vermelhas do que a sua cara depois daquela briga com o Carlão — zombou Marcos, um rapazinho magricela que, na opinião de Kai, se achava mais do que devia. Os garotos ao redor começaram a rir. Kai cerrou os punhos e deu as costas, antes que acrescentasse mais uma atitude estúpida a sua lista.

— Foi a briga mais lendária que já aconteceu neste pátio! Vocês lembram? Só não sei se o Kai gosta de lembrar...

Kai contraiu o maxilar e começou a se distanciar. *Ele só está provocando porque sabe que não posso reagir... A coordenadora falou para todo mundo ouvir, da última vez, que se eu me metesse em mais uma briga levaria suspensão. E eu não posso ser suspenso na semana da recuperação... não posso...*

— Cadê o valentão, hein? Uh!

As gargalhadas o alcançaram como flechas. E, num instante, todos os pensamentos evaporaram de sua mente. *Ah, dane-se!* Kai virou-se de repente e foi até Marcos. Com a raiva pulsando nos ouvidos, enterrou um soco no rosto dele e ouviu o coro ao seu redor iniciar: *Briga! Briga! Briga!*

— Quatro dias?! — Kai abriu as mãos, incrédulo. — Eu vou perder praticamente todas as provas de recuperação!

Atrás de sua mesa cheia de pastas e documentos, Fátima, a diretora, observou o garoto de cabelos loiros desalinhados e suspirou.

— Você deveria ter pensado nisso antes de se envolver em outra confusão.

— A senhora não entende — Kai passou as mãos pelo cabelo, desarrumando-o ainda mais. — Não entende...

— O que eu não entendo, Kai? Você vem se metendo em muitas encrencas, e não é de hoje! O que esperava que eu fizesse? — A diretora lhe estendeu um pequeno papel. — Marquei uma reunião com seus pais amanhã, às dez horas. Entregue a eles o bilhete, por favor.

Kai sentiu a cor sumir do rosto.

— Eles não podem vir. Trabalham o dia inteiro, sabe?

— Na última vez seu pai disse que estaria disponível sempre que o chamássemos.

O suor brotou na testa dele junto com uma nova desculpa:

— Mas hoje é dia dois de dezembro, diretora. O ano está quase acabando. Pra que marcar reunião com pais a essa altura?

— Mas hoje é dia dois de dezembro, Kai. O ano está quase acabando. Pra que arrumar briga no pátio da escola a essa altura? — Fátima repetiu a frase em tom afetado.

Kai colocou a mão na boca, mas o som estranho de riso reprimido encheu a sala. A diretora também não conseguiu segurar uma risada e, em seguida, balançou as mãos abertas para o alto.

— O que eu faço com você, menino?!

Esquece que eu briguei no pátio?, Kai pensou em dizer, mas, sabendo que alívio cômico tinha limite, resolveu arrumar algum assunto enquanto não pensava em outra forma de tentar mudar a decisão de Fátima.

— Marcos também levou suspensão?

O garoto havia sido atendido pela diretora antes dele e saído da sala sem sequer olhar para os lados.

— Os dois receberam a mesma penalidade. A diferença é que Marcos passou direto, então hoje foi seu último dia na escola este ano. De qualquer forma, os pais dele também virão amanhã.

Kai pensou em várias palavras para descrever Marcos, nenhuma delas muito agradáveis.

— Em quais matérias você está em recuperação? — perguntou a diretora.

— Português, matemática, história, filosofia, química e artes... — Voltou o rosto para as folhas das árvores que se mexiam do lado de fora da janela, evitando o olhar de Fátima.

— Uau! — Ela mexeu em alguns papéis. — Não sei se chegou a ver o mural de horários, mas já temos datas de todas as provas. Acho que tenho uma cópia por aqui.

Kai pegou o pedaço de folha que a diretora havia encontrado e, mordendo o lábio inferior, moveu os olhos de um lado para outro da planilha. Sua apreensão logo deu lugar a uma sensação terrível na boca do estômago. Perderia três provas. E, por causa da suspensão, não teria chance de refazê-las. Quando ergueu os olhos, Fátima o observava como se ele fosse o mais digno de pena de todos os homens. No mesmo instante Kai aprumou os ombros e perguntou:

— Estou dispensado, diretora?

Ela aquiesceu e Kai se levantou. Sentindo como se um saco de cimento estivesse amarrado a suas costas, caminhou até o bicicletário. Sob protestos do porteiro, saiu da escola pedalando depressa. O último sinal havia tocado e os alunos começavam a deixar as salas. Queria estar bem longe dali antes que viessem as perguntas.

Já na rua, movendo os pedais com vigor, Kai praguejou. Sem conseguir fazer três provas de recuperação, perderia o ano. Não podia acreditar. Vinha contando os dias para terminar o ensino médio e agora estava ali, prestes a adicionar mais um ano na contagem.

Suspirou com força. Era o retrato mais óbvio de seu futuro.

2

ENQUANTO O VENTO AGITAVA seus cabelos dourados e amenizava o calor do sol do meio-dia, um rosto desgastado piscou na mente de Kai. Ele apertou o guidão até os nós dos dedos ficarem brancos. O que o pai ia dizer? Ou, mais importante, o que ia fazer?

Balançou a cabeça, como para espantar aqueles pensamentos. Mais tarde se preocuparia com isso. Agora, tudo o que precisava era chegar à casa do Arthur e seguir com o planejado para a tarde. Dobrou algumas esquinas, atravessou a pequena ponte sobre o rio que cruzava Ponte do Sol e logo as ruas cheias de comércios, edifícios de diferentes tamanhos, paredes sem reboco ou com cores de todo tipo foram ficando para trás.

Situada em algum ponto no litoral sul do Rio de Janeiro, próxima de cidades de fama internacional como Paraty e Angra dos Reis, Ponte do Sol surgia pacata, pequena e sem grandes projeções. Kai gostava disso. Era um bom lugar para viver, não que ele tivesse vivido em qualquer outro lugar na vida.

Das duas praias que faziam parte da cidade, Kai movia os pedais em direção à que ele havia crescido rolando na areia e pegando onda. *Praia da Parada*. Ficava dentro de um condomínio. No litoral sul, condomínios à beira-mar eram mais comuns do que postos de gasolina.

Já podia ver a aparência impecável das casas próximas à orla. Atravessou a estrada que sempre tinha cara de nova e com um assobio breve cumprimentou o vigilante do dia, que, como todos os outros, já o conhecia pelo nome. Então, ouviu um ruído estranho. E depois outro.

Treck. Treck.

Se não se equilibrasse a tempo, teria dado de cara no chão. Com certeza. Meio atrapalhado, conseguiu firmar os pés no asfalto e olhou para baixo. A corrente da bicicleta estava caída, presa apenas por um pedaço ao cassete da roda traseira. Controlou um xingamento e com o rosto queimando abaixou-se para colocá-la de volta no lugar. A corrente estava encharcada de graxa. Kai teve vontade de dar um tapa em si mesmo por ter jogado toda aquela graxa no dia anterior. Com as mãos pretas e grudentas, sentou-se no selim da bicicleta mais uma vez e recomeçou a pedalar sem encostar no guidão. Ao virar a rua, já pôde sentir o cheiro do mar encher seus pulmões. Era daquilo que ele precisava. Pegar umas boas ondas para esquecer tudo. Esquecer o mundo.

Desde que se entendia por gente, não havia outro lugar onde mais amasse estar. A sensação da areia sob os pés, o gosto salgado na boca, a pele ardida depois de um dia inteiro sobre a prancha... Não lembrava ao certo quando aprendera a surfar, mas sabia que tinha sido com o pai. Sua mãe guardava fotos de Kai bem pequeno com uma bodyboard maior do que ele debaixo do braço. Em várias delas o pai estava ao seu lado ou dentro da água, segurando-o enquanto batia as mãos para fora da prancha.

Kai engoliu em seco. Eram boas lembranças. Mas não gostava de pensar muito nelas. Apenas o faziam perceber como as coisas eram diferentes agora.

Entrou à direita, duas ruas antes da praia. Quase chegando à casa do Arthur, ouviu outro *treck*. Tentou colocar a corrente no lugar de novo. Dessa vez os pinos agarraram e, depois da terceira tentativa de soltá-los, chacoalhou a velha bicicleta com força.

— Problemas aí?

Arthur se aproximava pela grama, ainda vestido com o uniforme da escola particular que ficava a alguns quarteirões dali. As casas do condomínio Praia da Parada não tinham muros, no máximo uma cerca em uma ou outra. Da rua era possível avistar as portas de entrada, geralmente mais recuadas por causa do gramado da frente. Tudo muito padronizado e bem cuidado, no melhor estilo bairro-norte-americano-que-aparece-em-filmes-da-sessão-da-tarde. Em algumas residências, o jardineiro fazia um belo trabalho com canteiros bem ornamentados, e em outras, como na de Arthur, a grama parecia estar lá só por obrigação.

— O menor deles — Kai bufou, desistindo da corrente. — Levei suspensão por quatro dias.

— Brigou com quem desta vez?

— Marcos — sua voz saiu abafada, e ele sentiu as bochechas queimarem um pouco. — Aquele que anda com a galera do skate.

— Tá de brincadeira? O garoto é mais magro que um grilo!

— E ainda assim ficou de graça com a minha cara — Kai abriu as mãos manchadas e grudentas. — O que eu podia fazer?

— Não ceder à provocação? — Arthur ergueu as sobrancelhas. Kai fixou os olhos em um carro que passava pela rua quase deserta, ignorando a resposta do amigo. — Pelo menos a Gio disse ontem que vocês já vão entrar de férias.

— *Ela* já vai entrar de férias.

— Xi... Você está de recuperação? — Arthur pensou por um instante. — E foi suspenso por quatro dias?! Cara...

— Cadê a Gio? Já chegou? — Kai desviou o assunto. Sabia que estava encrencado o suficiente sem que o amigo precisasse lembrá-lo.

— Vocês não tinham combinado de vir juntos?

Kai uniu as sobrancelhas e, aos poucos, como quem é pego de supetão por uma notícia terrível, seu rosto foi se contorcendo de horror.

— Eu me esqueci dela! Estava tão transtornado depois de conversar com a diretora que simplesmente... não lembrei — Kai soltou um suspiro frustrado. — A Giovana vai falar no meu ouvido até amanhã!

— Pode se preparar — Arthur riu. — Porque, além do esquecimento, ainda tem a briga, a suspensão, a recuperação...

A repetição de ano... Por que tinha certeza de que Gio agiria como uma mãe irritada quando o encontrasse? Porque era isso que ela fazia sempre que ele saía da linha. E, bem, ele saía da linha quase sempre.

— Vamos entrar. Ervilha está lá dentro com a Naná. — Arthur atravessou o gramado, que batia nas canelas, e Kai empurrou a bicicleta com os antebraços até a entrada da garagem. Olhou para as mãos imundas e teve vontade de jogar seu principal meio de transporte na caçamba do caminhão de lixo que passava em frente à casa naquele exato momento.

Aquela bicicleta — sem para-lamas, com o freio funcionando só de um lado, a pintura vermelha descascando — acompanhava Kai em suas idas e vindas desde os doze anos. Resistindo com bravura, suas câmaras de ar já tinham sido trocadas umas dez vezes, o freio arrumado mais umas cinco e a corrente já estava mais do que na hora de receber outro trato.

Mas com que dinheiro? Kai não tinha um tostão furado e, se tivesse, certamente optaria por reparar os pedaços danificados de sua prancha tapados com fita adesiva em vez de consertar o que para ele já era um caso perdido.

Atravessou a garagem e foi lavar as mãos na varanda, na parte de trás da casa. Além do pequeno tanque, havia ali uma mesa de madeira maciça comprida, de oito lugares, que sempre recebia os amigos de Arthur para uma partida de jogo de tabuleiro ou uma refeição preparada com amor pela vó Dalva. Kai fechou os olhos e inspirou. O aroma vindo da cozinha era digno de um restaurante cinco estrelas. Não que ele já tivesse ido a algum, mas imaginava que devesse ter um cheiro mais ou menos como aquele.

A parte atrás da varanda era preenchida por uma quadra de vôlei não tão grande e um gramado descuidado como o da frente da casa. Havia ali algumas árvores que produziam um farfalhar suave, como sussurros gentis. Kai prestava atenção ao som enquanto esfregava uma escova áspera nas palmas e nos dedos cheios de sabão. Ouviu Arthur ligar para Gio. Ela já estava chegando.

— Olha, olha quem está aqui! — dona Dalva, avó de Arthur, apareceu sorrindo.

— Ei, vovó.

— Não está tendo um bom dia, hein, filho? — Ela analisou as mãos de Kai dentro do tanque.

— Vai melhorar — respondeu ele sem convicção.

A senhora miúda e roliça deu uma batida leve com sua mão gordinha nas costas de Kai e teve um sobressalto quando, com um estrondo, Ervilha surgiu correndo após colidir com a porta da cozinha. Ele estava descalço e vestia a mesma blusa de uniforme que Arthur. Naná veio atrás, jogando bolas de massinha nas costas dele. A menininha gargalhava tanto que parecia a ponto de perder o ar a qualquer instante. Vó Dalva riu também, balançando a cabeça, e voltou para finalizar o almoço.

Ervilha girou de súbito sobre si mesmo e, fazendo sua melhor cara de psicopata, passou à liderança da perseguição. Naná corria desabalada pela quadra de vôlei. Os gritos agudos da garotinha quando Ervilha a capturou e ergueu no alto fizeram Kai se encolher sobre o tanque. Os cachorros da casa ao lado começaram a latir e Arthur, que tinha ido ao banheiro, apareceu com um olhar acusatório.

— Ei, daqui a pouco a vizinha vem reclamar que vocês acordaram o bebê dela de novo!

Ervilha colocou Naná no chão, a pele negra suada e brilhante sob o sol quente. Ervilha juntou os lábios e trocou um olhar travesso com a menina, cujo rosto vermelho denunciava seu esforço para segurar o riso. Os dois voltaram à varanda como réus diante do juiz.

— Vamos lavar as mãos, o almoço está quase pronto — Arthur bagunçou o cabelo marrom escorrido da irmã mais nova.

— Oi, Kai! — Naná abriu o sorriso cheio de dentinhos tortos e seu rosto enrubesceu ainda mais. Agora ela estava da cor de uma pimenta.

— Oi, Naná — ele sorriu de volta. — Queria te dar um abraço, mas com essa graxa toda aqui vai ficar um pouco difícil.

— Tudo bem — ela pensou um pouco e sua voz saiu em um fiapo quando disse: — Depois vou te entregar um desenho que eu fiz.

Arthur revirou os olhos e colocou um braço sobre o pescoço dela, levando-a para o lavabo.

— Estou brincando com a Naná faz mais de uma hora e olha só para quem ela vai dar o desenho! Isso é tão injusto! — Ervilha cruzou os braços, forçando o tom dramático. — Tá vendo o que a Disney fez? Só por causa desse seu cabelo loiro e desses olhos cor de piscina as meninas acham que você é um príncipe.

— Um príncipe pobre, com as mãos cheias de graxa. Que beleza.

— Tá difícil aí? — Ervilha baixou os olhos para as mãos de Kai, ainda longe de estarem limpas. Pelo contrário, lambrecaram tanque, escova e sabão.

— Sujar a mão de graxa é pagar penitência — rosnou Kai.

— Eu acho é pouco!

Os dois ergueram os olhos e viram Giovana entrar pela varanda. Os cabelos castanhos e cheios jogados para trás dos ombros e o rosto, sempre pálido, agora com um tom rosado e brilhante, como se ela tivesse corrido da escola até ali. Giovana jogou a mochila pesada sobre a mesa de madeira e Kai fez cara de sofrimento.

3

— **PÔ, GIO! FOI MAL.** Eu não lembrei de você.

— Claro que não lembrou! Depois de uma briga daquelas, quem lembraria? Fala sério, Kai! De novo?! — ela colocou as mãos na cintura. Ervilha soltou um assovio.

— Mas eu nunca te esqueci antes!

— Você sabe que eu estou falando da briga — o olhar de Gio parecia convidar Kai para outro round. — Se bem me lembro, a coordenadora avisou da última vez que se você se envolvesse em outra confusão seria suspenso. Eu vi suas notas no mural. E também vi os dias das provas. Quanto tempo vai ter que ficar fora da escola?

Kai achou graça. Agora era só questão de tempo até ela começar a enumerar todas as vezes que o chamou para estudar e ele foi surfar como se os exames finais não estivessem às portas. Mas o que podia fazer? O *Sea Wave* ia acontecer no final do mês. Ele precisava estar preparado.

— Quatro dias — respondeu ele, olhando para o tanque.

— Kai! Você vai perder muitas provas! O que pretende fazer? — Gio ainda parecia zangada, mas um tom de desespero foi acrescentado à voz dela.

Kai enxugou as mãos com um pano de chão velho, deixando o trapo ainda mais sujo, e soltou uma risada.

— Pegar umas ondas!

Gio e Ervilha se entreolharam.

— Não era isso que tínhamos combinado para hoje à tarde? — Kai encarou os amigos com tranquilidade.

— Se todos nós já estivéssemos livres da escola... sim. Vocês iam surfar e eu terminaria meu último desenho na areia — lembrou ela.

— Eu estou livre! Com a diferença de que ano que vem vou voltar para o segundo ano em vez de ir para o terceiro, como vocês.

Gio abriu a boca para protestar, mas Kai foi mais rápido:

— Não tem jeito, tá bom? Já era! Vou perder três provas, reprovar nessas três matérias, o que significa que vou repetir de ano. E não há nada que eu possa fazer para mudar isso! — Ele virou o rosto para o lado, contendo a vontade de dar um soco na parede.

A única coisa que ouviram nos próximos segundos foi o barulho das panelas vindo da cozinha. Arthur surgiu à porta segurando *sousplats* e, parecendo sentir o clima, apenas passou pelos amigos indo espalhar os objetos pela mesa de madeira. Sem olhar para Kai, Gio entrou na cozinha com os lábios contraídos e um vinco na testa, que foi desfeito quando teve a bochecha brindada por um beijo da vó Dalva. Ela pegou os pratos e Ervilha, os copos e talheres. Os dois ajudaram Arthur a montar a mesa. Kai sentou na mureta que separava a varanda da quadra de vôlei e ficou mexendo nas mãos ainda mal limpas.

— Vamos sentando antes que a comida esfrie — dona Dalva disse enquanto depositava com cuidado uma panela de alumínio no centro da mesa. A mistura ensopada de frango com batatas e cenouras fez o estômago de Kai dar uma cambalhota.

Todos tomaram seus lugares à mesa e pegaram os pratos com ansiedade, contida pela pergunta de dona Dalva:

— Quem vai orar hoje?

O silêncio inundou a varanda. Esse era um daqueles clássicos momentos em que todos se olham para descobrir quem assumiria a responsabilidade — ou fugiria dela.

— Ninguém se dispõe? Que tal... — os olhos de jabuticaba da senhorinha esquadrinharam em volta. Eles já iam parando sobre Kai quando Arthur anunciou:

— Deixa comigo.

Kai fechou os olhos e por pouco não soltou um suspiro de alívio. Após a oração, parecendo perceber o clima de velório, dona Dalva iniciou mais uma de suas típicas sessões de "causos" da juventude, época de calo nas mãos e brilho no coração, dizia ela. O papo girava em torno de um ex-namorado boiadeiro que havia perdido as calças em um rodeio quando Kai percebeu o olhar preocupado-barra-magoado-barra-raivoso que Gio lhe lançava. Ele jogou um pedaço de frango na boca e fixou os olhos no prato durante todo o restante do almoço.

As folhas das árvores farfalhavam despreocupadas sobre Kai, Arthur e Ervilha enquanto passavam parafina nas pranchas no quintal dos fundos. Principalmente durante as férias, a prancha de Kai costumava ficar guardada na casa de Arthur.

— Você vai mandar consertar antes do *Sea Wave*? — Arthur perguntou. Kai passou os dedos sobre os remendos em sua prancha e suspirou.

— Vou tentar descolar uma grana. O Manauá me cobrou os olhos da cara.

— Não ter concorrência dá nisso — Ervilha abriu a mochila e guardou o que sobrou de sua parafina. — Vou beber uma água. Alguém quer?

Os outros dois negaram. Ervilha alcançou Giovana, que passava protetor solar no rosto enquanto papeava com vó Dalva na porta da cozinha, e se uniu à conversa das duas depois de pegar um copo d'água.

— Tá dando pra surfar direito? Parece estar com infiltração — Arthur apontou para a prancha, que começava a apresentar manchas escuras. Kai coçou a cabeça.

— A fita adesiva não segura muita coisa. Tem ficado cada vez mais difícil melhorar meu desempenho. A prancha tá pesada demais.

Arthur ficou uns instantes em silêncio.

— Ela não vai aguentar muito tempo sem o conserto. Quanto Manauá cobrou? Se eu falar com meu pai, com certeza ele vai ajudar.

O rubor tomou conta do rosto de Kai. Tio Lúcio já tinha pagado sua taxa de inscrição no campeonato. Não aceitaria que pagasse também o conserto da prancha. Não que isso fosse fazer mínimas cócegas no bolso dele. O pai de Arthur era um dos advogados mais renomados da região e trabalhava o tempo todo, por isso quase nunca estava em casa. Mas, quando estava, era um pai gente boa, daqueles que se vê em filmes e que Kai dificilmente acreditaria existir fora deles se não conhecesse a família de perto. E ele era muito generoso. Kai não conseguia entender por que Arthur não se aproveitava melhor disso. O amigo quase nunca pedia nada. Talvez fosse a convivência com a vó Dalva. Ela era a simplicidade em forma de gente e criava Arthur e Naná desde que a pequenina tinha poucos meses.

Tia Helena havia morrido em um acidente de carro uns seis anos antes. Kai só se lembrava de um dia ter visto a mãe do Arthur e, no outro, ela não estar mais lá. A lembrança da sala de estar a alguns metros dali era como um borrão na mente dele. Os dois jogando videogame, uma chuva torrencial batendo nos vidros das janelas, vó Dalva embalando Naná no colo, Arthur calado por longas horas. Lúcio havia pedido à mãe de Kai que o trouxesse para ficar com Arthur. Era o dia do velório.

Kai não viu o amigo chorar naquele dia. Nem depois, aliás. E também nunca havia conversado com ele sobre a perda. Mas esteve lá. Assim como tinha feito ao longo daqueles dez anos em que eram melhores amigos.

— Para com isso, cara. Vou dar meu jeito — Kai evitou olhar para ele.

— Antes do campeonato? — Arthur ergueu uma sobrancelha. — Eu sei como essa competição é importante pra você.

Sabia mesmo. Se não fosse Arthur forçar a barra e fazer Kai acabar admitindo o motivo de não ter feito a inscrição e o convencido a aceitar a ajuda de Lúcio, ele estaria até hoje chorando em posição fetal por ter perdido uma oportunidade daquelas. De novo.

Kai apertou o ombro do amigo.

— Não se preocupe comigo. Está tudo sob controle, Tutu.

Arthur soltou uma gargalhada.

— Pô, cara, fala sério!

— Até hoje não me conformo de você ter exigido que ninguém te chamasse mais de Tutu. É sua herança de infância!

— Imagina um cara de um metro e oitenta com um apelido desses?

— Você não tinha isso tudo de altura quando fez a exigência.

— Mas estava começando a surfar e ficar descolado... — Arthur debochou de si mesmo.

— Ei, vocês vão ou não surfar hoje? Estão enrolando demais! — Gio aproximou-se colocando uma canga e o caderno de desenho dentro de uma bolsa de algodão cru em que se liam a frase "É incrível como as coisas comuns se tornam adoráveis, se você souber como olhar para elas", e o nome da autora, "Louisa May Alcott". As letras eram desenhadas com traços curvilíneos e rodeadas por uma e outra firula: riscos, florezinhas, gotas.

— Você que fez? — Kai apontou para a frase. — Ficou irado.

Giovana estreitou os olhos como se dissesse eu-ainda-não-estou-feliz-com-você. Ele se levantou, colocou a prancha capenga debaixo do braço e tentou descontrair mais uma vez:

— Eu quero saber, dona Giovana, quando você vai criar coragem para pegar umas ondas?

— Quando você vai criar coragem para ler um livro? — rebateu ela.

— Uh! Podia ter ficado sem essa! — Ervilha, que chegava para também empunhar sua prancha, soltou uma risada. Kai apenas abriu um sorriso de lado. Não era um bom dia para pilhar Giovana.

4

EM POUCOS MINUTOS, os quatro batiam papo pelos caminhos estreitos entre as casas que os levavam diretamente ao mar. Kai respirou fundo quando sentiu os grãos refinados sob os pés. A areia da Praia da Parada parecia ter sido chacoalhada em uma peneira gigante. Era tão confortável! Ele sentiu a alma abraçada enquanto olhava em volta. Chegar àquele lugar era como chegar a uma parte de si mesmo.

As ilhas em torno descansavam tranquilas. Os navios cargueiros ao longe cabiam na palma da mão. Com as pranchas debaixo do braço, os três garotos entraram nas águas esverdeadas do Atlântico. Após um tempo deslizando com destreza pelas ondas geladas, como se fossem donos do mar, resolveram sair para descansar um pouco. Fincaram as pranchas na areia e Gio ofereceu alguns biscoitos.

— Ué, você não ia terminar o desenho da sua banda preferida? — Kai espiou o caderno de Gio e viu traços da paisagem à frente deles. — Estava ficando tão maneiro!

Gio fechou o caderno, deixando a capa de papel kraft à mostra sobre a canga colorida.

— Preferi começar um novo.

— Mas você já fez tantos daqui.

Ela não respondeu.

— Qual é mesmo o nome da banda que você gosta? Relient K? — Arthur jogou a metade de um biscoito *Passatempo* na boca. Gio confirmou. — O desenho estava realmente bacana.

Kai soltou uma risadinha e Giovana olhou para ele.

— O que foi?

— É que eu estava lembrando a primeira vez que peguei seu fone de ouvido. Levei o maior susto.

— Vai começar a zoar minhas preferências musicais de novo? Kai riu.

— Longe de mim — ele abriu as duas mãos. — É só que olhando pra você ninguém imagina os gritos roucos e frenéticos que você escuta no seu fone. Naquele dia eu me perguntei onde estava a música pop que você deveria estar ouvindo.

Ela revirou os olhos.

— Você é uma artista e tanto, Gio — Ervilha apontou para o caderno fechado. — Por que não faz uma conta no TikTok para divulgar seus desenhos?

— Eu apoio. Você tem potencial para viralizar — disse Arthur.

— Gente, isso é só um hobby. Vocês são tão exagerados! — Ela deitou na canga, com os joelhos dobrados e um braço sobre os olhos. — Como estão as expectativas para o campeonato? Falta menos de um mês.

— Vou treinar as férias inteiras — Ervilha esfregou as mãos. — Quatro mil pilas para o primeiro lugar!

— É um valor astronômico para um torneio amador — Arthur analisou. — Muita gente se inscreveu por causa disso. E ainda tem a *Fish Wave* do Fred Schmidt. Quem não quer ganhar uma prancha feita por ele?

— Ouvi dizer que virão surfistas até de outros estados. Pique competição profissional mesmo. — Kai percebeu seu coração acelerar um pouco. Qual seria o nível daqueles caras? Estaria muito abaixo deles?

— Não foi assim na edição anterior? — Gio perguntou. — Pelo que ouvi falar o *Sea Wave* sempre faz bastante sucesso por aqui.

— Faz sucesso porque é um campeonato clássico da Praia da Parada — Kai explicou. — Reúne geralmente só a galera do surfe amador aqui da região. A última edição foi há três anos e os prêmios não eram tão bons assim. Não sei o que pode ter mudado nesse tempo, mas agora as coisas parecem bem mais estruturadas.

— O que me leva a crer que vai estar cheio de olheiros. — Arthur passou o pacote de biscoito para Kai. Ele olhou para o mar enquanto mordia um.

Ganhar o *Sea Wave* não significava muita coisa em termos de carreira profissional, mas dava visibilidade. Esses olheiros de potenciais marcas patrocinadoras iam para observar e pescar um novo talento em que valesse investir. Quanto mais deles estivessem lá, melhor. Eram esses caras que Kai precisava impressionar.

— Se tinha algum olheiro na última edição, ele deve ter rido da nossa cara — Ervilha balançou a cabeça. — Lembra do nosso fiasco? Ficamos em último lugar. Um desastre.

— Espero não passar tanta vergonha desta vez — Arthur riu. — O terceiro lugar está de bom tamanho para mim. Até porque a gente sabe que o primeiro já é do Kai.

Kai apertou os lábios e conteve um suspiro. Não tinha uma confiança daquele tamanho.

— Eu me contento com o segundo — Ervilha quicou os ombros. — Chega de papo, molecada. Bora pra água!

Arthur seguiu Ervilha. Uma nova série de ondas se iniciava e os dois caíram no mar com suas pranchas de primeira linha. Devagar, Kai colocou a sua remendada debaixo do braço e liberou o suspiro que estava segurando.

— Você vai conseguir — a voz dela saiu baixinho. Kai olhou para trás. Gio estava sentada outra vez e tinha retomado o desenho. — Não importa quantos surfistas estejam na competição.

Ele cutucou a ponta de uma faixa da fita que estava descolando.

— Eu contei cada dia dos últimos três anos, esperando essa edição do *Sea*. Se eu ganhar o primeiro lugar minha vida vai mudar, Gio.

Ela parou de desenhar e olhou para Kai.

— Eu sei que vai.

— Os olheiros estarão aqui, com certeza — ele observou a extensão de areia à sua frente, falando mais para si mesmo do que para Giovana. Sua mente foi invadida por imagens antigas, e ele se viu anos antes saindo daquele mar com o cabelo cheio de areia e um sorriso grudado no rosto.

Foi ali, aos treze anos, que Kai havia traçado seu propósito de vida: tornar-se um atleta profissional do surfe. Só que, para um garoto nascido em uma família pobre, esse objetivo às vezes se assemelhava a uma fantasia utópica.

— É seu sonho, não é? — Giovana arrancou-o de suas lembranças. Kai franziu as sobrancelhas com dúvida. — Viver do surfe. Trabalhar com isso — explicou ela.

Kai assentiu.

— Mas é tão difícil...

— Por quê? Eu nunca entendi direito como funciona.

— Para viver do esporte, é necessário participar das competições profissionais e, para ter uma boa performance nessas competições, bons equipamentos e um treinador são essenciais. A única forma de eu conseguir isso é por meio de patrocínios, já que não tenho condições de bancar todos esses custos. A taxa de inscrição dos torneios também não é exatamente a coisa mais acessível do mundo. E ainda tem o custo de deslocamento e estadia, porque as competições acontecem em praias de todo o país.

— Por isso você precisa que uma marca olhe para você.

Ele assentiu com a cabeça.

— Se isso acontecer, finalmente vou poder participar do circuito nacional de surfe e dar o pontapé inicial na carreira profissional.

Giovana pensou por um momento.

— Você ficou em qual colocação na última edição?

— Eu não participei.

— Não? — Gio chegou o queixo para trás. — Por quê?

— Minha mãe não teve condições de pagar a inscrição. Meu pai disse que dinheiro não nascia em árvore.

Ela arregalou os olhos e apontou com o queixo para a água, onde Arthur e Ervilha estavam.

— Eles sabem disso?

Kai negou com a cabeça.

— Na época eu inventei que ia viajar. Passei o fim de semana todo trancado no quarto.

— Kai... — a boca de Gio foi se abrindo aos poucos, parecendo procurar as palavras. Ele desviou o olhar. Por que foi contar aquilo pra ela? Nunca tinha admitido sua mentira para ninguém.

— Acho que Arthur desconfia, mas nunca disse nada. Talvez por isso ele tenha feito tanta questão de que o tio Lúcio pagasse minha inscrição desta vez.

— O pai do Arthur pagou a sua inscrição?

— É, pagou.

Gio soltou um assovio.

— Um amigo verdadeiro vale mais do que ouro.

Kai olhou-a de soslaio e abriu um sorriso torto.

— Eu valho quanto pra você? Dezoito quilates?

— Está mais pra bijuteria.

Jogando a cabeça para trás, Kai deu risada. Em seguida, correu para o mar a fim de tentar, mais uma vez, fazer milagre com sua prancha capenga.

5

SUNSHINE ERA UM LUGARZINHO simpático. De frente para o mar, a pequena lanchonete de paredes amarelas carregava o título de point oficial da galera que frequentava a Praia da Parada. Apesar de a loja não ter mais que dois anos de funcionamento, tudo lá parecia ter uma história. Os quadros coloridos com fotos dos lugares visitados por Gabriel e Luara, donos do lugar, as luminárias pendentes de palha confeccionadas por artesãs de Ponte do Sol, a parede com recortes de jornais falando sobre preservação ambiental e o cuidado com a natureza. Em cima das reportagens, um trecho da Bíblia, Gênesis 2.15, se destacava: "O Senhor Deus colocou o homem no jardim do Éden para cuidar dele e cultivá-lo".

Kai se aproximou da parede e leu a última matéria que havia sido pendurada ali: "Plástico corresponde a quase 50% dos resíduos encontrados nas praias brasileiras". Então virou-se para os amigos, que ocupavam uma mesa ao lado:

— O próximo mutirão vai ser no sábado mesmo?

— Oito da manhã estarei a postos, esperando vocês — Gabriel, um cara na casa dos trinta, com uma tatuagem de leão no antebraço e pele queimada do sol, surgiu, passando o braço pelos ombros de Kai e dando uns tapinhas em seu peito. Cumprimentou os outros em seguida. — Talvez uma equipe do jornal regional dê uma passada aí para registrar o movimento.

— Você conseguiu? — Gio abriu o sorriso.

— Entrei em contato pelo Instagram e o pessoal topou vir.

— Ué, não era sua prima que ia fazer a reportagem? — Ervilha questionou Gio.

— Eu estava tentando. Mas o lance da Débora é aventura. Vive correndo atrás de furos jornalísticos bombásticos.

— Pois é — Gabriel deu um suspiro. — Ter sua prima falando em um jornal de nível nacional sobre o trabalho que fazemos aqui daria mais visibilidade para a causa, sem dúvida. Mas tudo a seu tempo.

Sunshine, além de lanchonete, fazia as vezes de uma ONG ambiental que promovia ações de conscientização ecológica e mutirões de limpeza da praia. Apesar de ficar dentro de um condomínio, a Praia da Parada era muito frequentada pelos moradores da região e, nos feriados e férias, ficava lotada de turistas. O que aumentava, de forma considerável, a quantidade de lixo por lá.

— Vão querer alguma coisa hoje? — O dono da loja tirou um bloquinho do bolso.

— Um açaí com banana e granola, por favor — Arthur pediu. Ervilha e Giovana quiseram o mesmo. O dela, com bastante leite em pó.

— E você, Kai? — Gabriel virou-se para ele.

— Não estou com fome... — Logo após responder, sentiu um tremor no estômago. Ignorou.

— Viu minha mensagem mais cedo? Preciso trocar uma palavrinha com você — Gabriel falou em tom mais baixo e fez um aceno de cabeça em direção à entrada. Passou os pedidos para o atendente atrás do balcão e foi para a parte de fora da Sunshine. Kai o seguiu até lá.

Mesas de madeira ocupavam o gramado ao redor da loja, que era tomado por fios com luminárias em forma de bola. O sol começava seu ritual de despedida, sua luz dourada banhando boa parte da praia. Logo mais as lâmpadas seriam acesas.

As mãos de Kai começaram a suar. Gabriel com certeza falaria sobre o emprego que ele havia pedido. Ser funcionário da Sunshine era tudo o que ele queria. Embora precisasse treinar mais do que nunca agora que o *Sea Wave* estava chegando, o surfe teria que dividir o tempo com um trabalho. Precisava de dinheiro. Sem um bom conserto na prancha, teria poucas chances no campeonato. Só de pensar nisso, seu estômago dava um nó. E ele não aceitaria uma segunda ajuda do pai do Arthur. De jeito nenhum.

— Quer conversar sobre o que aconteceu na escola hoje? — Gabriel sentou numa mesa distante das outras. As ondas quebravam com tranquilidade, trazendo um vento gentil sobre a orla. Kai passou os dedos abertos pelo cabelo ainda úmido da tarde no mar e arregalou os olhos. Não era bem isso que estava esperando.

— Como você soube?

— As notícias correm rápido.

— Bando de fofoqueiros — Kai puxou uma cadeira e seus lábios projetaram-se em um bico emburrado. Gabriel analisou-o por um instante.

— Essa é a quarta briga este ano?

Kai fixou os olhos na grama sob seus pés e aquiesceu.

— Vamos conseguir falar sobre isso desta vez? — Gabriel sempre tentava. E Kai sempre achava que aquilo era uma espécie de sentimento de obrigação de um líder de adolescentes: puxar orelhas e distribuir conselhos como se fossem sorvete. Ah, sim, porque, como se a agenda de Gabriel já não fosse cheia o suficiente, ele ainda tinha tempo de reunir a galera da igreja uma vez por semana e ensinar Bíblia para eles.

— Não tem nada pra falar, Gab.

Gabriel ficou em silêncio por um momento, e Kai quis sair dali o mais rápido possível.

— Como estão as coisas em casa?

— Tudo ótimo.

— A gente nunca conseguiu marcar aquela visita à sua família. Gostaria de conhecer seus pais.

— Eles são muito ocupados.

Gabriel balançou a cabeça e cruzou os dedos sobre a mesa.

— Kai, só peço que reflita sobre os caminhos que está escolhendo para sua vida.

— Eu reflito. Pedi um emprego de férias pra você porque refleti bastante. Aliás, queria saber se já tomou uma decisão. — Depois daquela conversa, era melhor jogar as expectativas para debaixo de um montinho de areia.

— Sobre isso, bem, eu recebi alguns outros currículos e queria empregar todos que pediram, mas infelizmente ainda somos pequenos — Gab suspirou. — Por isso você vai ter que provar que eu não tomei uma má decisão ao escolher você para ser o novo atendente.

Kai endireitou-se na cadeira e um sorriso de incredulidade escapou de seus lábios.

— Você tá falando sério?

— Acho que um trabalho pode ajudar você a criar mais responsabilidade. Quem sabe assim você não foge mais das minhas conversas.

Ai. Tinha isso. Mas, pelo dinheiro, valeria a pena ouvir alguns sermões de vez em quando.

— Valeu, Gab — Kai estendeu a mão para Gabriel. — Quando começo?

— No próximo final de semana. Pode ser?

— Fechado! — Ele apertou a mão de seu agora chefe e viu as luzes nos fios ao redor da Sunshine acenderem. Ainda era dia, mas o crepúsculo já se insinuava no horizonte. — Posso ir? Daqui a pouco vai anoitecer, preciso deixar a Gio em casa.

Eles se levantaram e Gabriel apertou o ombro do garoto dizendo, com a voz branda que lhe era característica:

— Você sabe que eu estou aqui por você, não sabe?

Kai assentiu, um misto de vergonha e felicidade agitando-se dentro dele.

Devagar, ele virou a esquina da casa da Giovana. Embora a escuridão ainda não tivesse tomado o céu, os postes públicos já lançavam suas luzes amareladas sobre a rua. Poucos metros antes da casa dela, alguns alunos saíam de uma escola técnica de cinco andares. Essa era uma das coisas que mostrava que Ponte do Sol era comum como qualquer outra cidade do interior em ascensão. Havia alguns prédios bonitos e bem planejados, mas também havia outros sem a menor infraestrutura.

Muitas casas por ali ficavam fechadas durante quase o ano inteiro, esperando por seus donos nas férias e nos feriados prolongados. Só naquela rua deveria haver umas quatro. A cidade era margeada em toda sua extensão pelas imensas paredes verdes da Serra da Bocaina, fazendo as construções ao longe parecerem diminutas caixinhas. E era por trás dessa exuberância natural que o sol dava seu último adeus.

Agradecendo a carona, Giovana pulou do quadro da bicicleta quando Kai freou em frente ao portão da casa dela. O cheiro de lavanda de seu cabelo ainda passeava pelo nariz de Kai quando ela chegou à calçada.

— Acho que vou começar a te carregar para todo lugar que eu for. A corrente nunca sai quando estou com você — brincou ele.

— Se não tivesse me esquecido na escola hoje e eu precisado implorar uma carona para a professora de literatura, com certeza sua corrente teria ficado no lugar.

— Ah, você não esqueceu isso ainda? — Kai fez uma careta.

— Mas é claro que esqueci! Talvez apenas mencione no discurso do seu velório.

Kai riu, dando impulso na bicicleta. Ele a ouviu chamar seu nome e olhou para trás. Giovana estava só com a cabeça para fora do portão:

— Parabéns mais uma vez pela vaga na Sunshine. Aquele lugar é a sua cara. Você vai se dar bem.

Kai sorriu e, após gritar um "obrigado", rumou para casa. Pedalou por algumas ruas desviando dos carros que enchiam a cidade aos montes naquele horário de rush. Fez a curva para a travessa em que morava e não percebeu um dos buracos cheio de lama no asfalto malfeito. Chegou em casa resmungando com pés e pernas marcados pelos respingos da terra molhada e pastosa.

— Droga! — Jogou a bicicleta em um canto da varanda bagunçada e cheia de tralhas. — Que rua nojenta!

— Então vai morar na casa daqueles bacanas onde você vive enfurnado.

Kai ouviu a voz amarga do pai.

— Seria bom mesmo — rosnou baixinho e entrou na pequena sala de estar com paredes encardidas, onde o homem estava jogado no sofá gasto. O cabelo claro de Sidney ganhava um ou outro fio esbranquiçado e, apesar das marcas vívidas da idade no rosto cansado, era fácil notar de quem Kai havia herdado a maior parte de seus traços.

— O que você disse? — Sidney questionou aumentando o tom.

— Nada — Kai entrou em seu quarto e fechou a porta. Pelo barulho do chuveiro e a luz um pouco mais fraca que o normal, sua mãe devia estar no banho. Jogou a mochila na cama desarrumada e ligou a televisão velha que ficava numa mesa, no canto. Além disso, só havia no quarto um roupeiro de três portas que a mãe tinha ganhado no condomínio e um cesto de roupa suja. E não haveria espaço para muito mais. Três paredes eram brancas, e Kai havia pintado a última de azul-caneta e colado vários pôsteres de estrelas do surfe em suas melhores ondas.

Ouviu a mãe sair do banheiro e lembrou-se do recado que precisava dar a ela. E ao pai. Seu estômago bateu no pé. Esfregou o indicador e o polegar na testa e respirou fundo. No que foi se meter? Pelo menos poderia falar sobre o trabalho que tinha conseguido. Isso traria algum tipo de alegria. Kai balançou a cabeça. *Traria?*

— Kai, já chegou? — sua mãe gritou. — Estou esquentando a comida. Vem jantar.

O senso de derrota caiu sobre ele como uma capa pesada e desconfortável. Sem opção, arrastou-se até a cozinha, deu um beijo na bochecha macia de sua mãe e percebeu que seu pai não estava mais na sala. Foi até a porta que dava para a varanda e espiou o espaço, que mais parecia o ferro-velho da esquina. Pilhas de eletrônicos escangalhados, a tampa amassada do capô de um carro, gaiolas quebradas, latinhas de cerveja amassadas. Seu pai sempre dizia que ainda ganharia dinheiro com aquelas tralhas. Sua mãe ficava uma fera e prometia jogar tudo fora. Nunca fizeram uma coisa nem outra.

Kai avistou Sidney nos fundos, que dava para o turvo rio que cortava a cidade. Seu pai mexia na pequena traineira que nunca saía dali. Na frente da embarcação havia um minitrator igualmente inerte, e os dois ocupavam boa parte do terreno aberto atrás da casa.

— Droga. Justo hoje? — Kai falou baixo, para si mesmo. Seu pai mexer naquele barco significava apenas uma coisa: ele estava chateado. E era um péssimo momento para Sidney estar chateado.

Uma cerca de arame separava o quintal das águas, e um pedaço da cerca se abria deixando espaço suficiente para o barco passar. Porém Kai não conseguia se lembrar direito da última vez que tinha visto isso acontecer. Era ainda um menino.

— Justo hoje o quê? — Eva questionou. Os ouvidos bem treinados de mãe a fizeram parar de esfregar a panela no mesmo instante.

— A diretora marcou uma reunião com vocês amanhã — quase não deu para escutar a voz dele.

— O que você aprontou desta vez? — os olhos de Eva, azuis feito piscina, pareciam querer perfurá-lo. Seu rosto redondo era o retrato da exaustão.

— Briguei com um cara.

Ela apertou os lábios com força.

— Não sei o que faço com você, Kai! Seu pai ficou uma fera da última vez que precisou sair do trabalho para ir à escola.

— Mas foi inventar de dizer para a diretora que estaria lá sempre que ela chamasse — ele respondeu entredentes. — Querendo dar uma de pai exemplar.

Eva voltou a esfregar a panela.

— Dê graças a Deus que ele não bebeu hoje.

Após alguns instantes de silêncio, Kai propôs, com esperança de livrar a pele, pelo menos por enquanto:

— Você avisa ele que a reunião será às dez?

— Aviso.

Kai deu um beijo no cabelo meio despenteado da mãe, engoliu a comida e contou sobre o emprego antes de se trancar no quarto. Eva não pareceu tão empolgada. A suspensão parecia ter tirado o brilho de qualquer notícia boa.

Uma hora mais tarde, escutou um barulho oco de algo sendo jogado no chão. Parou de digitar uma mensagem e esticou os ouvidos.

— Eu canso de dizer que esse moleque tem que estudar pra ser alguém na vida! É desse jeito que ele pensa que vai conseguir?

Kai aprumou as costas, o corpo em estado de alerta. A mãe falou alguma coisa que ele não conseguiu ouvir.

— Ele tá precisando é de uma coça pra ver se aprende a tomar vergonha na cara!

Os passos rápidos de Sidney causaram-lhe um calafrio. Ele se enrolou debaixo da coberta, sem se importar com o calor. Ouviu batidas rudes na porta, trancada.

— Abre aqui, garoto! Anda!

— Para com isso, Sidney! — Eva gritou.

Kai permaneceu quieto enquanto o pai esmurrava a porta. Kai não saberia dizer quanto tempo ficou ali, suando sob a coberta quente, ouvindo os gritos do pai. Pareceu uma eternidade. Quando Sidney cansou e o silêncio inundou a pequena casa, Kai adormeceu, tomado pela exaustão.

6

ERA COMO SE UMA DENSA NUVEM pairasse sobre a estreita recepção da diretoria. Kai mexia na bandeira do Brasil pendurada em um pequeno mastro ao lado da poltrona que ocupava, evitando olhar para o pai. Na verdade, esquivar-se de Sidney era o que ele tinha feito desde que havia acordado naquela manhã. Enrolou o máximo que pôde na cama e ficou quase meia hora no banheiro. Só foi para a cozinha tomar café quando ouviu o eco do portão batendo. Sua mãe não mencionou a noite anterior enquanto se arrumava para o trabalho.

Kai chegou ao colégio pouco antes das dez, e enquanto esperava os pais já havia roído todas as unhas. E agora, ali, sentado tão perto de Sidney, tudo que desviasse sua atenção do olhar raivoso do homem ele agarrava como a um bote salva-vidas.

— Sr. Sidney, sra. Eva e Kai, podem entrar, por favor — a diretora apareceu na porta, sorrindo. A família entrou na sala, sentando-se nas cadeiras em frente à mesa, que como no dia anterior estava coberta de papéis e documentos.

Fátima começou discursando sobre os outros três episódios de brigas ocorridos ao longo daquele ano e a importância de os pais e a escola entenderem por que Kai recorria à raiva e à violência para tentar resolver seus problemas. Para ele, era como se falassem sobre outra pessoa. Respondia às perguntas da diretora como se responde a um questionário no banco. Direto, rápido e sem emoção. Kai só queria ir embora dali o mais rápido possível.

Mas, quando ouviu a diretora aconselhar a família a buscar apoio psicológico, chegou à conclusão de que até seria engraçado ficar ali por mais um tempo. Queria ver até quando seu pai ia segurar a vontade de gritar com a mulher que sugeria que sua família era "doida" e precisava de um psicólogo.

A máscara não vai durar muito tempo, pensou, deleitando-se. Contudo, sua satisfação durou pouco. Kai afundou-se na cadeira com vontade de sumir quando Fátima informou sobre a suspensão e as recuperações que ele perderia. Sua mãe colocou a mão sobre a boca aberta e o pai fuzilou-o ainda mais com o olhar. E não haveria momento mais propício para Sidney jogar para fora o que já havia feito seu rosto ficar da cor de um tomate:

— Você vai me desculpar, senhora diretora, mas o que esse garoto precisa não é de psicólogo, é de vergonha na cara! E pode deixar que eu já sei muito bem como dar um jeito nisso.

Fátima esbugalhou os olhos.

— Não, sr. Sidney, é importante que o senhor entenda que a melhor forma... — e continuou falando por mais vinte minutos, mas Kai só conseguia pensar no "jeito" que o pai pretendia dar nele. Já estava lá pela décima alternativa imaginária de punição, quando percebeu os olhos misericordiosos da diretora fitos nele e um sorriso aliviado no rosto da mãe. Ajeitou a postura e fez cara de quem estava por dentro do assunto.

— Espero que essa oportunidade seja bem aproveitada, Kai. É um voto de confiança. Vou crer que no próximo ano encontraremos você mais maduro e colaborativo.

Ele balançou a cabeça concordando, o coração aos pulos.

— Aqui estão seus novos horários de provas. As três que aconteceriam nos dias de suspensão você poderá realizar na próxima segunda. Não posso fazer nada quanto aos trabalhos extras que os professores vão passar quando você estiver fora, por isso dedique-se ao máximo às provas. Apenas elas poderão garantir que você passe de ano.

— Obrigado, diretora — Kai pegou o papel das mãos dela com os dedos meio trêmulos.

Quando a reunião terminou, despediu-se de sua mãe e foi buscar a bicicleta. Cumprimentou o porteiro ao cruzar o portão de saída e arregalou os olhos. Seu pai estava em frente ao colégio, apoiado na lataria da velha Brasília branca. Apenas com seu olhar, Kai entendeu que não poderia fingir que não o tinha visto. Caminhou resignado até ele, empurrando a bicicleta.

— Amanhã quero você de pé às cinco e meia.

Kai ergueu uma sobrancelha.

— Tem muito trabalho te esperando na casa do sr. Mariano.

Ergueu as duas.

— A partir de agora você vai ser meu ajudante. Segunda a sábado, às vezes domingo, das seis e meia da manhã às seis e meia da tarde. Pode faltar no dia das provas de recuperação. Quando as aulas voltarem ano que vem, você fica só no período da tarde.

Kai sentiu como se um caminhão de areia fosse despejado sobre ele. O choque o deixou boquiaberto, abalado demais para falar. Sidney já ia dando a volta para entrar no carro quando Kai conseguiu formular alguma coisa:

— Eu já tenho um emprego! Vou trabalhar de atendente na Sunshine. E, além do mais, preciso estudar para as provas de recuperação e não posso...

— Não pode o quê? — Sidney voltou depressa e parou a poucos centímetros do rosto do filho. — Ficar pela praia o dia inteiro sem fazer nada que preste? Quando você era meu ajudante, não tinha tempo para arrumar problemas! Se tivesse continuado, talvez não tivesse se tornado esse imbecil — quase espumando, seu pai foi para o carro. — Pode dispensar esse empreguinho na lanchonete. Você vai trabalhar comigo — e deu partida cantando pneus, deixando Kai ali parado, encolhido feito um cachorrinho sem dono.

— Nós vamos te ajudar, cara — garantiu Arthur. Há vinte minutos Kai se movia de um lado para o outro, sentava, ficava de pé. E depois começava tudo de novo. Convidativo, o aroma da comida da vó Dalva escapulia da cozinha, mas não fazia nem cócegas no estômago dele.

— Não vai rolar. O horário na Sunshine seria de meio período. Com o meu pai vão ser doze horas de serviço! Como vou aprender tanta coisa tendo só as noites livres?

— Se não tivesse ido pegar onda todas as vezes que te chamei para estudar... — Gio torceu os lábios.

— Estava demorando — Kai enterrou os dedos entre os fios loiros e coçou a cabeça.

— E você queria o quê? Aplausos? — ela cruzou os braços, fitando-o com olhos firmes. — Quer saber de uma coisa? Acho que trabalhar com seu pai não vai ser tão ruim assim. Talvez ter que fazer coisas de que você não goste muito te ajude a criar um pouco mais de juízo.

— Você *acha* — Kai fechou ainda mais a cara. — Isso só pode ser castigo!

— Ou são apenas consequências — Arthur deu de ombros.

Kai foi até o canto da varanda, pegou sua prancha e saiu sem falar nada. Ervilha, que acabava de chegar, juntou as sobrancelhas ao vê-lo passar reto com o maxilar trincado.

— O que deu nele? — Kai o escutou perguntar, mas não se importou. Apertando os passos, seguiu pelos becos entre as casas, ladeados em sua maioria por cercas vivas carregadas de caliandras rosas. Pegou uma das florezinhas em formato de pompom na mão livre. Então, um vento soprou e ela se desfez. Observou os restos da flor entre os dedos pensando que o mesmo havia acontecido com seus planos.

Antes mesmo de sua prancha ter sido danificada, Kai já pensava em procurar um trabalho. Precisava juntar dinheiro para que, sei lá, mesmo que não conseguisse um patrocínio, pudesse dar algum primeiro passo em relação a sua carreira. Só que nem em seu pior pesadelo se imaginou trabalhando com o pai como faz-tudo. De novo. E o problema não era o trabalho. Era o chefe.

Chegando à praia, perdeu o olhar sobre a imensidão esverdeada. Ainda não podia acreditar. Quando tinha doze anos, Sidney o levara para trabalhar em uma obra num condomínio de ricaços a alguns quilômetros de Ponte do Sol. Ainda podia ouvir claramente todos os nomes pelos quais era chamado quando não conseguia realizar bem uma tarefa. Não se lembrava tanto da dor dos tapas, mas, sim, da que sentia quando seu pai o ridicularizava na frente dos outros. Isso ainda doía na memória.

Afundando os dedos dos pés na areia refinada, caminhou até o mar. Quase não havia ondas. Remou sobre a prancha até certa altura e ficou sentado nela, os pés dançando na água fria. Contemplou o céu azul singrado pelos rastros das nuvens, a revoada dos pássaros exibindo uma coreografia perfeita no horizonte, as ilhas espalhadas pelo mar... De repente, uma pergunta que Arthur fizera meses antes piscou em sua mente: *Você não vê Deus nisso tudo?*

Naquele dia, ele não respondera nada. Hoje, a pergunta continuava sem resposta.

Era tão difícil ver Deus em alguma coisa.

7

— **OLHA SÓ O QUE** você fez comigo, Kai!

Ele olhou para trás depressa e viu Giovana sentada na prancha de Ervilha, que a empurrava para dentro d'água. Arthur vinha ao lado deles.

— Me fazendo subir numa prancha... — Gio estalou os lábios, soando meio inconformada, meio brincalhona.

— Já passou da hora — ele riu, um pouco sem graça. Sentia-se um tanto imbecil por ter deixado os amigos falando sozinhos.

— Foi mal, cara. Não queria ter chateado você — Arthur comprimiu os lábios numa linha fina, e Kai se sentiu pior ainda.

— Esquece isso. Não estou em um bom dia.

Eles se entreolharam em um silêncio incômodo. Ninguém parecia saber direito o que dizer. Ervilha deu um mergulho e surgiu novamente na superfície tranquila.

— Me atualizei das últimas notícias — disse ele. — Kai, fala sério, você pensava que ia repetir de série. Só o fato de conseguir uma segunda chance já é o máximo! Se vai ter apenas as noites para estudar, agarre isso com todas as suas forças. A gente vai te ajudar.

— E, desta vez, você não vai poder me dizer não — Gio cruzou os braços.

— Você eu até entendo, Gio, já que somos da mesma escola. Mas, Ervilha e Arthur, vocês dois nem devem aprender as mesmas coisas que a gente naquele colégio de bacana onde vocês estudam.

— E você acha que a gente aprende o quê? Matérias de alienígenas? — Ervilha rolou os olhos.

— Não vou deixar vocês perderem o início das férias para estudar comigo.

— Ah, como se você tivesse muitas opções — Arthur debochou, e Kai riu. Foi até o amigo e afundou a cabeça dele na água, mergulhando junto o clima desconfortável.

— Então, por onde começamos? — Gio semicerrou os olhos como se já estivesse montando mentalmente toda a planilha de horários.

— Pelo surfe, por favor. Foi muita tensão para um dia só... preciso relaxar — Kai choramingou.

— Mas nem tem ondas aqui! — ela esticou os braços em volta.

— Momento perfeito para você aprender a se equilibrar na prancha. Bora lá!

— Eu não vou me equilibrar em nada! Ervilha, me leva de volta pra areia?

Antes que Ervilha pudesse responder, Kai começou a jogar água em Gio e foi acompanhado pelos outros. Em pouco tempo os quatro gargalhavam e gritavam como se a praia pertencesse a eles. E, de certo modo, pertencia.

À noite, os trabalhos começaram para valer. Kai apareceu na casa do Arthur segurando seu caderno com mais folhas em branco do que preenchidas e teve um mutirão de aulas com os três amigos. Arthur era muito bom em física e, enquanto tentava explicar a primeira lei da termodinâmica, Ervilha e Gio separavam os conteúdos das outras matérias.

— Recuperação em artes?! — Giovana esbugalhou os olhos ao ver a última disciplina listada. — Sem menosprezar a minha área, claro, mas a professora Sandra passa atividades que até crianças de cinco anos são capazes de fazer! Só não digo que você é um caso perdido porque sou uma garota de muita fé.

Kai sorriu. Ele *era* um caso perdido. Sem dúvida.

Quase uma hora depois, Gio foi à cozinha e voltou trazendo para a mesa da varanda uma travessa com torta de frango e alho-poró.

— Nossa, bendita seja você, vó! O cheiro disso aqui está maravilhoso! — Ervilha gritou para Dalva, que passava pela varanda para atender alguém que chamava lá fora. — Minha barriga já estava dando voltas.

— Eu nem encostei no forno hoje, querido. Foi a Gio que trouxe — Dalva desapareceu pela garagem.

— Você que fez? — Kai mordeu um pedaço da torta, deixando farelos grudados ao redor da boca. Giovana assentiu, derramando refrigerante nos copos que Arthur havia colocado na mesa. — Você ficou na praia até quase o final da tarde. Como conseguiu fazer uma torta?

— Minha mãe deixou algumas coisas já preparadas. Não teve muito mistério.

— A Gio foi ou não foi a melhor coisa que aconteceu pra gente? — Arthur sorriu e os outros concordaram, tecendo elogios sem fim à menina mais inteligente-e-prendada-e-maneira que eles conheciam.

— Parem de bobeira — Gio tentou dar um fim à conversa, o rosto ruborizando. Os meninos, de implicância, rasgaram elogios ainda maiores. — Quem continuar falando não vai ganhar mais torta, hein? — Ela colocou as mãos na cintura e os três bateram continência, silenciando de imediato. — Vocês são uns bobos — Gio riu e, enquanto voltava para pegar alguma coisa na cozinha, Kai acompanhou-a com os olhos.

Era estranho pensar nele, em Arthur e Ervilha sem pensar em Giovana. Parece que ela sempre esteve ali, fazendo seus desenhos e puxando orelhas. Mas a verdade é que uma vida inteira cabe dentro de um ano e meio. E fazia mais ou menos esse tempo que Giovana havia se mudado para Ponte do Sol. Numa noite fresca, ao final de um culto de jovens na igreja que frequentavam, Kai falou — um pouco alto demais — que não sabia como conseguiria aprender toda a matéria de química antes da prova. Logo sentiu um dedo cutucando levemente seu braço. Ele e os garotos olharam para trás e viram uma menina de cabelos longos e cheios. Ela disse:

— Eu posso ajudar.

Desde então, nunca mais se desgrudaram. Ela havia acabado de mudar de cidade e não tinha nenhum amigo. E não foi nem um pouco difícil para os três enturmarem aquela garota cheia de sorrisos e de vida, e que dava a Kai uma bela ajuda nas matérias da escola.

— Partiu Sunshine? — Ervilha esfregou as mãos ao subir em sua bicicleta na entrada da garagem, quase uma hora mais tarde. Já passava das dez da noite e os neurônios de Kai pareciam ter corrido uma maratona.

— Eu não seria louco de dizer não a um açaí agora — Arthur massageava os próprios ombros.

— E eu não seria louca de pedir um sim para meu pai a essa hora. Regras do senhor Paulo, vocês sabem. Ele já reclamou por eu estar aqui até agora — Gio ajeitou a mochila nas costas. O Palio vermelho do pai dela virou a esquina e em poucos segundos encostou em frente à casa do Arthur.

— Oi, tio! — os meninos cumprimentaram, e Giovana entrou no carro, dando um aceno geral com o braço erguido.

— Então vamos? — Ervilha começou a sair da garagem pedalando devagar. Kai já abria a boca para lançar um "é claro", quando lembrou que não tinha sequer cinquenta centavos no bolso.

— Acho melhor ir pra casa. Amanhã começa a minha vida de trabalhador — riu, tentando soar descontraído.

— Deus te abençoe nessa nova etapa, meu irmão — Arthur deu alguns tapinhas nas costas de Kai, que correspondeu abraçando-o de lado.

— Obrigado por tudo — disse Kai enquanto abraçava Ervilha. Em seguida se despediram, Arthur e Ervilha rumo à Sunshine, Kai para casa.

Talvez esse trabalho não seja de todo ruim, afinal. Pelo menos um trocado para tomar açaí eu vou ter, pensou, enquanto pedalava cortando a noite fresca e agradável.

8

O DIA MAL HAVIA COMEÇADO e Kai já lutava contra a sensação de derrota. Parecia que quanto mais se empenhava em fazer as coisas do jeito certo, mais elas saíam dos trilhos. Havia meia hora tentava prender uma sequência de ripas de madeira em um jardim suspenso, mas deixava mais pregos espalhados no chão do que presos nos sarrafos.

— Tá difícil aí? — Jorge perguntou com ar risonho. Kai fechou a cara e bateu o martelo com mais força.

— Ui! Não precisa ficar bravinho. Quer ajuda?

Kai pensou rápido. Não queria receber favores do companheiro de trabalho de Sidney, mas o pai poderia aparecer a qualquer instante. E já podia imaginar as palavras amáveis que sairiam da boca dele.

Chegou para o lado, abrindo espaço para Jorge mostrar como fazer. O homem moreno e baixinho prendeu metade das madeiras em um instante e deu algumas instruções entre uma martelada e outra.

— Obrigado — Kai fez um aceno rápido com a cabeça e continuou com mais agilidade.

— O ruim desse trabalho é que sempre tem coisas novas pra fazer. O lado bom é que você aprende rápido — Jorge falou enquanto voltava ao conserto de uma das luminárias no meio do gramado.

Kai limpou as gotas de suor da testa. Seu pai era o faz-tudo mais requerido do Village. Havia anos rebocava paredes, aparava grama, consertava janelas, fazia manutenção nos barcos e o que mais precisassem dele. Já havia perdido alguns clientes e serviços por causa do álcool, mas no final sempre acabavam chamando por ele. Sidney era habilidoso em tudo que colocava as mãos, e a equipe também acabava sendo.

— Aonde meu pai foi? — Kai esticou o braço para bater um prego na parte mais alta.

— Arrumar um telhado do outro lado do condomínio.

— O Fábio está com ele?

— Aham. Geralmente nós três nos dividimos para dar conta de mais serviços. Agora que Sidney deixou você comigo vai ser melhor, estávamos precisando de ajuda urgente.

— Ah, então ele jogou o novato para ficar com você, é? — Kai tentou soar descontraído, mas o maxilar retesado mostrava outra coisa. Devia era ter ficado feliz por não ter de trabalhar com o pai, e não com aquele sentimento azedo de rejeição dentro do peito. Teve raiva de si mesmo por sentir isso.

— Não esquenta, rapaz. Amanhã todo mundo vai trabalhar junto e você vai ficar pertinho do seu papai — Jorge deu risada e indicou com a cabeça um hangar na lateral do jardim. — Precisamos de todas as mãos possíveis para a manutenção dos barcos do sr. Mariano.

Kai cerrou os lábios e segurou o martelo com mais força. Não queria ficar perto de ninguém, só precisava obedecer a uma ordem estúpida e ganhar algum dinheiro com isso. Dando a última martelada, concluiu o painel do jardim. Parou com as mãos na cintura e sentiu certa satisfação correr pelas veias. Tinha ficado perfeito.

— Mandou bem, pirralho! — elogiou Jorge. Kai assentiu, um sorriso breve desenhando-se nos lábios. Tirou o boné e se abanou. Seu cabelo estava com as pontas molhadas de suor. Fechou um pouco os olhos na tentativa de encontrar por ali alguma ducha e chegou à conclusão de que caberiam facilmente umas vinte casas do tamanho da dele no enorme gramado daquela mansão. A residência de três andares tinha tantas janelas que ele não conseguia imaginar o trabalho de limpar tudo aquilo.

Alguém recebe para fazer isso, né, seu lerdo. Alguém como sua mãe.

As casas daquele condomínio eram de fazer cair o queixo. Nada comparado às da Praia da Parada. Lá, viviam famílias como as de Arthur e de Ervilha, com boas — ou ótimas — condições financeiras. Ali no Village, eram os podres de ricos. As ruas eram ladeadas por obras-primas da arquitetura. E a avenida da praia, onde estava agora, guardava as construções mais luxuosas e requintadas que já tinha visto.

Kai foi atrás da ducha. Encontrou uma perto da piscina, que estava vazia, e enfiou a cabeça debaixo do jato refrescante de água.

— Acho que um mergulho te ajudaria mais.

Levantou a cabeça rápido e, entre os esguichos de água, teve uma visão bastante agradável. A garota juntava o cabelo loiro longo em um coque no alto da cabeça e desfilava até os degraus da piscina. Com movimentos suaves, ela apontou para o imenso ajuntamento de água.

— O gato comeu sua língua?

Fechando a ducha rapidamente, ele percebeu que precisava dizer alguma coisa.

— É... bem... eu... — de repente, foi invadido por um sentimento de perda. Aquela garota morava ali. Provavelmente era filha do tal Mariano. Quando dissesse que estava pregando ripas de madeira para o pai dela, seria jogado de imediato para escanteio.

Ou, quem sabe...

— Agora estou um pouco ocupado — deu alguns passos na direção da garota e abriu um sorriso de lado. — Mas estou liberado às seis e meia. O mar fica uma delícia no início da noite.

Ela fitou-o por alguns instantes.

— Eu sou a Chloe. E você, quem é?

— Kai, prazer — ele enfiou as mãos nos bolsos e olhou nos olhos dela.

— Kai... — Chloe repetiu, falando devagar. E, quando sorriu olhando para baixo, Kai sabia que sairia do seu primeiro dia de trabalho com uma ótima recompensa.

Sidney estendeu algumas notas que pareciam ter acabado de sair da Casa da Moeda. Kai segurou-as com cuidado entre os dedos. Era uma mixaria, mas pelo menos era dele.

— Não se acostuma, não, moleque. Seu pagamento vai ser no final de cada semana, mas o sr. Mariano acertou adiantado o serviço de hoje e de amanhã — disse Sidney com um cigarro no canto da boca. Era final do dia e ele havia acabado de chegar da outra mansão. Jorge terminou de colocar as ferramentas dentro do porta-malas da Brasília e entrou na parte de trás do automóvel. Fábio, com seu corpo esguio e cabelo ralo, ocupava o banco do carona. Sidney sentou no banco do motorista e esticou o pescoço para fora com impaciência, ao ver Kai plantado na calçada.

— Quer ir a pé?

— Eu pego um ônibus depois. Vou dar um pulo no mar.

Jorge mostrou um sorriso zombador através da janela e gesticulou sem voz:

— Pulo no mar...

Sidney, alheio aos planos do filho, bateu em retirada com Jorge rindo no banco de trás. Depois de escovar os dentes — Kai sempre andava com uma escova na mochila, caso uma urgência como aquela aparecesse — e jogar uma água no corpo no vestiário que descobriu à tarde nos limites da casa, atravessou a rua larga e enfiou os pés na areia. Não era como andar sobre uma imensa bacia de açúcar refinado, como na Praia da Parada. A areia do Village estava mais para açúcar cristal.

Deixou sua blusa e mochila no meio da praia e entrou no mar de bermuda. Nadava de costas quando ouviu uma risadinha:

— Bem melhor que uma ducha, não é?

Aprumou o corpo e passou a mão no cabelo, jogando-o para trás.

— Nem fala — escancarou o sorriso ao ver Chloe se aproximar. — Nada como um banho de mar depois de um dia intenso.

— Você surfa?

— O que você acha?

— Seu estilo e... estrutura — Chloe fitou a parte de cima do corpo de Kai, que estava para fora da água — te denunciam.

Ele soltou uma gargalhada. A garota começou a boiar graciosamente. Àquela hora, o mar capturava os últimos raios do sol sob a superfície ondulante.

— Como eu nunca vi você antes? — perguntou ela.

— É meu primeiro dia aqui.

— Você é filho daquele cara que às vezes trabalha lá em casa. O...

— Sidney — Kai completou. — Como sabe?

— Você é a cara dele.

Kai se forçou a não revirar os olhos e mudou de assunto. O tom alaranjado do fim de tarde logo deu lugar à penumbra da noite, e a única iluminação nas águas escuras vinha dos postes da praia. Um tempo depois, ele já sabia que Chloe morava no Rio de Janeiro com a mãe, mas passava praticamente todas as férias e feriados com o pai ali no Village. Chloe tinha um *chow-chow* chamado Peter e andava procurando uma boa distração para aquelas férias. Kai abriu um sorriso. Nem tudo naquela semana parecia um castigo, afinal.

Quando saíram do mar, ele não demorou muito a fazer o que realmente queria — e planejou a tarde toda. Sentaram na areia e, devagar, Kai a beijou. Poucos segundos depois, ouviu um ruído abafado e constante. Não se importou muito até perceber que aquilo não pararia tão cedo.

— Acho melhor você atender — Chloe afastou-se. Kai abriu o bolso da frente da mochila, pegou o celular e uma onda elétrica invadiu seu peito. Cinco chamadas perdidas de Giovana. Quatro mensagens de Ervilha. Três ligações de Arthur. Com as batidas do coração ressoando nos ouvidos, olhou o relógio: 20h23.

Eles haviam combinado de estudar às 19h.

— Caramba! Como fui esquecer?!
— Esquecer o quê? — Chloe franziu o cenho.

Kai levantou-se em um pulo.

— Olha, Chloe, eu preciso ir embora. Mas foi muito bom estar com você, tá? — disse enquanto vestia a blusa e batia o cabelo.
— Você vai sair assim, sem mais nem menos?
— Ai! A Gio vai me matar! Eles vão me matar! — Kai falava consigo mesmo, sem prestar atenção a Chloe, que ia atrás dele pela areia.
— Quem é Gio?
— Uma amiga muito brava.
— Amiga? Não é sua namorada não, né?
— Não — Kai voltou-se e depositou um selinho breve nos lábios crispados dela. — Depois nos falamos. Adorei passar esse tempo com você.

Ele saiu em disparada, sem esperar qualquer resposta de Chloe. Cortou ruas, fez a ira de alguns cachorros enquanto corria, chamou atenção até de alguns moradores. Quase vinte minutos depois, suado e arfando, atravessou a portaria do condomínio e foi até o ponto de ônibus, que beirava a rodovia do outro lado. Com o pé batendo frenético contra o chão, aguardou alguns minutos, que pareceram horas, até o transporte público aparecer.

Apertado como sardinha em lata, Kai fez os quase trinta minutos até a Praia da Parada com vontade de atirar-se pela janela. Como podia ter esquecido algo tão importante?

Desceu no ponto mais próximo do condomínio e correu até a casa do Arthur. Apertou a campainha várias vezes e escorou o braço no batente da porta, tentando recuperar o fôlego. Ouviu o estalar da maçaneta e Giovana apareceu, os olhos frios e a expressão impassível. Ela deixou a porta aberta e seguiu para a garagem ao lado, indo para a varanda dos fundos. Kai foi atrás. Na mesa de madeira maciça, os livros e cadernos esperavam intocados. O peito de Kai subia e descia, ainda arfante da corrida. Gio não ofereceu água.

— A praia estava boa? — a voz dela era seca.

Kai olhou para si mesmo: não tinha nem como dizer que não havia estado no mar.

— Gio, me perdoa! Pisei na bola feio, eu sei. Esqueci completamente que tínhamos marcado pra hoje — seu tom de súplica combinava com o rosto vermelho, molhado de suor escorrido.

— Nós combinamos o mesmo horário durante a semana inteira, Kai! Todo mundo desmarcou compromisso para estar aqui, sabia?

Ele se sentia péssimo. Encostou na parede e cruzou os braços. Ficaram em silêncio por um tempo.

— Cadê todo mundo? — perguntou, por fim.

— Ervilha e Arthur foram até sua casa preocupados que alguma coisa pudesse ter acontecido. Eu fiquei aqui esperando caso você aparecesse. Naná e vó Dalva estão lanchando na Sunshine.

— Gio, prometo que não vou mais fazer isso — Kai juntou as mãos debaixo do queixo imitando uma prece. — Me desculpa?

Ela fitou-o de rabo de olho.

— O dia que você criar responsabilidade, vai cair chocolate do céu.

Kai sorriu e lascou um beijo na bochecha pálida de Giovana. Ela o empurrou e, enquanto ele jurava pela vigésima vez que não faltaria a mais nenhum encontro, Arthur e Ervilha entraram pela varanda.

— Ah, olha quem está aí — Arthur disse sem emoção.

— Não é engraçado, Arthur? — Ervilha sentou numa cadeira e esticou as pernas em cima da mesa. — A mãe do Kai disse que achava que ele estava com a gente na praia, já que fazemos quase tudo juntos. Pelo visto, estudar ficou no "quase" — ele tinha um tom forçado de descontração. Arthur guardou as mãos nos bolsos e não ergueu os olhos do piso bem limpo.

— Puxa, gente, foi mal. Eu fui um vacilão — Kai esfregou as mãos no rosto. Como ninguém falava nada, pegou a mochila e, parecendo carregar o peso da vergonha de cem pecadores nas costas, deixou a varanda.

— Aonde você vai? — questionou Arthur. Kai parou de costas para eles. — Vamos repassar a matéria de física e começar matemática hoje.

Ele virou devagar e, comportado como um aluno após levar bronca, sentou à mesa e abriu o caderno.

9

O BALANÇO SUAVE DAS FOLHAS produzido pelo vento fazia os raios de sol dançarem entre a sombra da amendoeira. Sidney e sua equipe — Jorge, Fábio e Kai — trabalhavam sob a árvore no conserto de um barco em frente ao hangar de embarcações na casa de Mariano. Quatro barcos e uma lancha. Era o que tinha ali. Para uma única família. Arregalar os olhos foi a primeira coisa que Kai fez quando entrou naquele galpão.

— Terminou aí? — Sidney gritou ao desligar o motor de um dos barcos após um teste. Ele e Fábio trabalharam por duas horas no conserto da peça, enquanto Jorge passava uma demão de tinta na parte interna e Kai lixava o casco, que também precisava de uma nova pintura. O garoto suprimiu a vontade de respirar fundo. Aquela era uma tarefa chata. E estava difícil manter os olhos abertos. Tinha ido para a cama muito tarde por causa do estudo e acordado antes do sol nascer para surfar. Pegou um ônibus e aproveitou as ondas do Village. Já estava com a prancha ruim, se não treinasse naquelas semanas que antecediam o campeonato, estaria perdido.

— Quase — assim que respondeu, Kai sentiu um cheiro estranho. Continuou a segurar a lixadeira elétrica, passando-a de um lado a outro da proa em formato de V.

— Que cheiro é es... — a pergunta do pai foi interrompida pelo estalo ruidoso vindo de dentro do hangar. Ele correu até lá e parou na entrada com as mãos na cintura enquanto olhava para a tomada na parede de onde saía uma extensão.

— Que lixadeira você está usando? — Sidney estreitou os olhos.

Kai fitou a ferramenta que parou de funcionar em suas mãos e sentiu um frio na barriga.

— Me responde, idiota!

— A verde — fechou os olhos ao ouvir os passos velozes e pesados do pai vindo até ele. Era como um soldado marchando para o ataque.

— E qual eu disse para usar? — duas gotículas de saliva de Sidney atingiram o rosto de Kai e o bafo de álcool quase fez arder seus olhos.

— A preta.

— Então por que pegou a verde? Você tem alguma espécie de problema? Ou eu não fui claro o suficiente?

Kai mirou as folhas ressecadas da amendoeira espalhadas pelo chão. A lixadeira verde era mais rápida que a preta. E qual problema poderia haver se ele trocasse?

Bem, aí está o problema.

— Responde! — mais três gotículas caíram sobre ele.

— Desculpe, e-eu...

— Desculpa é o escambau! Você acabou de queimar a minha melhor lixadeira. Essa faz coisas que a outra não faz! — Sidney arrancou com brutalidade a ferramenta queimada das mãos do filho. — Você vai comprar outra.

— Mas uma dessas é quase trezentos reais!

— Pensa nisso da próxima vez que fizer serviço de porco — Sidney se afastou analisando a ferramenta. Com o maxilar contraído, Kai foi até a caixa e começou a tirar a outra lixadeira.

— Nem pensar — o pai negou com a cabeça.

— Ainda não terminei.

— Dá seus pulos.

Kai retesou os ombros, cerrou os punhos e voltou para a frente do barco com o rosto em chamas. Pegou as lixas que sobraram

— que deviam ser usadas apenas acopladas à ferramenta — e, com força, começou a esfregá-las contra o alumínio da proa. Seus dedos encostavam na estrutura e pareciam a ponto de queimar com a fricção contra a superfície áspera da lixa.

— Agora quero ver as mãozinhas de sereia continuarem macias — Sidney disse a Jorge e Fábio ao passar por Kai. Eles soltaram uma risada.

Kai apertou a campainha faltando dez para as sete. O trabalho havia terminado um pouco mais cedo naquela quinta-feira abafada e, assim que saltou da Brasília branca do pai, Kai tomou um banho apressado e voou de bicicleta para a casa de Arthur, que abriu a porta e checou o relógio de pulso.

— Acho que tem alguém querendo se redimir.

Kai empurrou a bicicleta até a garagem e encostou-a em um canto.

— Pô, Arthur, eu fiquei muito mal por ter pisado na bola com vocês ontem. Me perdoa, cara.

— Fica tranquilo. Ainda falta um pouco para chegar no setenta vezes sete.

Kai riu e passou o braço pelo pescoço do amigo.

— Chegou cedo hoje? — Giovana desceu do carro e a buzina soou quando o pai dela foi embora. — Será que finalmente teremos chuva de chocolate?

— É uma possibilidade — Kai puxou Gio e depositou um beijo breve no topo da cabeça dela. O cabelo tinha cheiro de chiclete.

— Trocou de xampu?

Ela fez uma careta.

— Como você sabe?

— Na segunda tinha cheiro de lavanda.

Gio ia dizendo algo, mas resolveu ficar calada. Baixou os olhos e juntou levemente as sobrancelhas.

— O que aconteceu com seus dedos?

— Machuquei no trabalho — ele tentou soar como se não fosse grande coisa.

— Minha nossa, Kai! Como foi isso? — Gio pegou uma de suas mãos, alisando-a com cuidado. Os esparadrapos que havia colocado deixaram de fora algumas leves escoriações. — Você lavou bem e passou antisséptico?

— Sim. Foi de manhã. Já está bem melhor.

— Nem pôde continuar trabalhando desse jeito, né?

— Quem dera.

Gio olhou para ele.

— Como conseguiu trabalhar o restante do dia assim? Seu pai não te liberou?

— O que aconteceu com seus dedos? — perguntou Ervilha, que havia acabado de chegar. Kai puxou a mão e, guardando as duas nos bolsos, deu uma resposta rápida num tom que fez encerrar as perguntas.

Ele passou quase toda a aula mordendo o lábio inferior. Era como se o lugar em que segurava a caneta ardesse em chamas.

— Está tudo bem? — Gio perguntou num tom baixo depois de quase uma hora de estudos.

— Tá, sim — ele virou o caderno na direção dela. — Essa resposta aqui está certa?

Giovana assentiu com a cabeça e passaram para o próximo conteúdo. A ardência nos machucados deixou Kai chateado. E os olhares de pena de Giovana também.

10

KAI TINHA IMAGINADO QUE os reparos na casa de Mariano estavam concluídos, até a empregada avisar no dia anterior que algumas lâmpadas externas que Jorge havia trocado na terça-feira não estavam acendendo. E lá estavam os dois, desde as sete da manhã daquele sábado ensolarado, tentando pôr um fim àquela dor de cabeça.

— Funcionou? — Jorge gritou mexendo no quadro de energia preso a uma parede nos fundos. Kai, na varanda da entrada da casa, berrou de volta:

— Continuam apagadas!

Jorge soltou um palavrão e chegou subindo novamente na escada para mexer nos fios escondidos nas madeiras do teto colonial. Kai jogou uma ferramenta nas mãos dele e fitou a praia logo ali em frente. Àquela hora, seus amigos, junto com Gabriel e outros voluntários, deviam estar cruzando a areia da Praia da Parada com sacos pretos nas mãos, jogando tudo quanto era coisa lá dentro.

Seus ombros caíram. Nunca tinha faltado a um mutirão. E sempre era um dos que mais conseguia juntar sacos de lixo. Amava aquela praia. Amava preservá-la. E detestava a irresponsabilidade das pessoas. Ter de passar o dia consertando lâmpadas em vez de estar lá o corroía por dentro.

Uma BMW prata cruzou a entrada da casa e os raios de sol brilhando sobre ela fizeram Kai semicerrar os olhos, arrancando-o de seus devaneios. O carro parou na garagem ao lado e um homem desceu do veículo. Jorge e Kai, que tinham parado tudo para olhar o carro, voltaram ao serviço no mesmo instante.

— Essas lâmpadas estão dando trabalho — a fragrância amadeirada de perfume caro chegou antes do homem. — Conseguiram encontrar o problema?

A porta do carona abriu e Kai não prestou atenção à resposta de Jorge. Chloe sorria para ele.

— Oi, Kai — ela saiu do carro e fez uma bola com o chiclete que mascava.

— Vocês dois se conhecem? — o recém-chegado virou-se, olhando para ambos.

Kai já ia abrir a boca, quando Chloe respondeu:

— Sim, pai. Eu já o vi aqui, pela casa.

Sustentando o olhar do homem, Kai concordou com a cabeça.

— Você não é o filho do Sidney? Ele disse que você estava na equipe agora. E sua cara não te deixaria negar. Você é a xerox dele — Mariano soltou uma risada. Kai apertou os lábios tentando forçar um sorriso. — Seu pai é um dos melhores que temos por aqui. Não abro mão dele por nada.

Mariano entrou em casa, seguido por Chloe, que deixou uma piscadela e sussurrou, antes de passar pela porta:

— Meio-dia no quiosque quatro.

Kai ouviu a risadinha de Jorge atrás dele.

— Como foi hoje? — Kai puxou uma cadeira e sentou-se à mesa dos amigos. A Sunshine estava lotada. Um grupo jogava vôlei na areia em frente à loja, e durante as pausas corriam para garantir açaís, sorvetes e sucos naturais. Gabriel estava atrás do balcão ao lado do garoto contratado no lugar dele, instruindo-o a anotar pedidos. Kai desviou o olhar.

— Muito trabalhoso — Gio respondeu. Ela, Arthur e Ervilha estavam vestidos com as camisetas do mutirão. — Como que em apenas um mês as pessoas conseguem sujar tanto a praia? Que raiva!

— Queria muito ter ajudado vocês.

— A gente sabe — Arthur apertou o ombro dele.

Quando fizeram os pedidos, Kai não pôde escolher o maior combo de hambúrguer artesanal *mais* batata frita rústica *mais* suco de seriguela com hortelã, que era o que realmente queria. Acabou optando por um simples. Ainda bem que, depois de ter mandado consertar a corrente da bicicleta, tinham sobrado uns trocados do pagamento adiantado do primeiro dia.

Era para ter recebido o salário da semana naquele sábado, mas continuava tão liso quanto uma tábua de passar. Teve de ver suas preciosas notas serem contadas diante dele e depois guardadas de volta na carteira do pai. Foi o pagamento pela lixadeira.

Tirou o celular do bolso ao senti-lo vibrar. Era uma mensagem da Chloe.

Tô contando os minutos pra segunda. Se eu não tivesse que sair com meu pai e minha madrasta amanhã, iria aí te ver. ♥

Kai digitava a resposta quando ergueu os olhos e viu Arthur mirando a tela. Ele desviou o olhar, mas já tinha sido pego.

— Dando uma de fofoqueiro agora?

— Você está mesmo encontrando essa garota durante o horário de trabalho? — Arthur perguntou.

Kai ficou em silêncio por um tempo. Gio e Ervilha estavam no meio de uma discussão muito séria e importante sobre qual gosto de açaí era melhor: puro ou com guaraná.

— É ela quem arruma os lugares pra gente se ver — Kai enfim respondeu, abrindo um sorriso de lado. — Geralmente é no horário de almoço ou quando eu consigo dar uma escapada.

— Cuidado para não perder seu emprego. Vai que o pai dela descobre que a filhinha anda se atracando com o faz-tudo. — Arthur levantou uma sobrancelha.

— E o que é a vida sem aventura? — Kai sorriu, e Arthur balançou a cabeça. — Fica tranquilo, cara. Só estamos curtindo. Nada mais. Daqui a pouco acaba.

— Ela sabe disso? Essa mensagem me pareceu mais que uma curtição.

— Acho que você deveria parar de se preocupar tanto comigo — cutucando o braço dele, Kai apontou com a cabeça para um grupo de meninas numa mesa próxima dali. — Você precisa tirar essa boca da miséria, hein, Tutu. Não beija ninguém há quanto tempo?

— Lá vem você — Arthur girou os olhos.

— A Samanta é bonitinha — Kai passava a mão no queixo, ainda de olho nas meninas. — Mas é chata. A Dani é engraçada... e depois que parou de alisar o cabelo ficou mais gata.

— Tô tranquilo.

— Sem pegar ninguém há séculos? Duvido!

— Eu já te disse que a vida não se resume a desejos, Kai. Você sabe das minhas escolhas.

Foi a vez de Kai revirar os olhos. Arthur não costumava ser assim. Até poucos meses antes de Giovana encontrá-los na calçada da igreja, os dois sequer pisavam lá. Na verdade, Arthur até frequentava de vez em quando. Levado à congregação desde pequeno pela vó Dalva, não costumava se importar em colocar qualquer outro compromisso no horário do culto — o que sempre causava atritos com a vó. Um dia, porém, algo mudou.

Kai não saberia dizer bem o quê, mas Arthur já não aceitava mais as fotos de garotas de biquíni que ele enviava e passou a participar de todos os cultos e encontros da igreja que podia. E ele podia quase sempre. Quando Kai menos esperava, viu o amigo sobre o altar da igreja tocando guitarra de olhos fechados com outros adolescentes em um encontro de sábado à noite.

Era estranho. Kai se lembrava de sentir como se uma parte do amigo estivesse indo embora. Uma parte de que ele gostava.

Certa noite, bem antes de tudo isso acontecer, quando eles tinham uns treze, catorze anos, vó Dalva obrigou Arthur a ir a um culto, e Kai foi obrigado por Arthur a ir também. Era verão e os dois riam de uma besteira qualquer durante os longos minutos de sermão cansativo; parecia haver no templo uma massa de ar quente pairando quando Ervilha se sentou ao lado deles e ofereceu chiclete.

— Seu nome é Ervilha, Ervilha mesmo? — Kai franziu a testa. — Igual àquelas bolinhas verdinhas que vendem enlatadas?

— Não é meu nome, né — Ervilha pendeu a cabeça e curvou os cantos da boca para baixo. — Eu me chamo Vinicius. Meu irmão mais velho me deu esse apelido quando eu tinha cinco anos porque enfiei uma ervilha no nariz. Fiquei com ela lá por dias até minha mãe perceber e tirar. Tinha ficado agarrada.

— Argh! — Arthur e Kai expressaram seu nojo alto demais, e dona Dalva mandou que ficassem quietos. No final de semana seguinte, Ervilha convidou os dois para sua festa de aniversário. O tema era surfe.

E assim ele se tornou o terceiro membro oficial do time.

Os pais de Ervilha eram líderes na congregação, e ele era obrigado a estar presente em quase todos os eventos. Quando Arthur começou a levar tudo aquilo a sério, Kai se deparou com os dois melhores amigos fazendo viagens para acampamentos e participando de eventos da igreja juntos. Não viu opção melhor senão acompanhá-los.

— E aí, preparado para segunda? — Gio voltou-se para Kai após ter aparentemente vencido a discussão sobre o melhor gosto de açaí.

— Depois dos professores feras que eu tive? Claro! — Kai riu transparecendo tranquilidade, mas a verdade é que estava evitando pensar nas três provas que faria dali a dois dias. E nas outras três que faria na terça-feira. Tinha estudado, naqueles dias, mais do que no ano inteiro. Em breve descobriria se havia sido o suficiente.

— Amanhã vamos fazer a revisão geral — disse ela. — Você vai se dar bem.

Quarenta minutos mais tarde, Kai despediu-se dos amigos e se levantou.

— Já vai? Você é sempre o último a ir embora! — Ervilha estranhou.

— Preciso refazer aquelas questões de física, cara. Se me livrar delas hoje, vai ser menos uma coisa para a revisão de amanhã.

— Quem te viu, quem te vê — Ervilha deu um empurrão de leve com o antebraço em Kai e Arthur soltou uma risada. Os olhos de Gio brilharam de um jeito diferente. Era um prenúncio, bem rudimentar, de... admiração? O peito dele inflou com uma sensação boa, de importância.

— Pelo visto, a chuva de chocolate finalmente está chegando — Kai sorriu para ela. — Sou ou não sou um novo homem, Giovana?

— Acho que isso se chama desespero, beco sem saída, corda no pescoço...

— Uau! — os três reagiram ao mesmo tempo.

— Como é bom saber que tenho a sua admiração — Kai fez uma mesura que provocou a risada dela. Antes que ele se afastasse de vez da mesa, Gabriel se aproximou com uma bandeja cheia de copos sujos na mão.

— Fala, galerinha! Estão animados para o luau sexta que vem?

— Você tem dúvida disso? — Ervilha abriu as mãos.

— Vou começar a ensaiar no violão as músicas que você pediu — disse Arthur.

Gabriel agradeceu e virou-se para Kai.

— E aí, como estão as coisas lá no trabalho?

— Não tão difíceis quanto eu esperava — seu pai quase não havia aparecido nos últimos dois dias. — Mas essa rotina de trabalho, estudos e surfe está me deixando um caco.

— Você trabalha de dia e estuda à noite com a gente. Está surfando a que horas? — Gio questionou.

— Vou mais cedo para o Village e caio no mar antes de iniciar o expediente.

— O quê, cinco horas da manhã?

— É.

Giovana olhou para ele daquele jeito. De novo.

— Estou gostando de ver — Gabriel deu dois tapinhas nas costas dele e relembrou ao grupo que o luau começaria às seis e meia em frente à Sunshine. Seria o último encontro do ano.

Kai chegaria atrasado, já que seis e meia era o horário que deixava o trabalho. Mas, tudo bem. Ele já estaria de férias e — por favor! — aprovado em todas as matérias.

11

— PASSEI! — O GRITO ESPANTOU um bando de pássaros que descansava nos galhos de uma árvore próxima. — Minha nossa, eu passei! Estou até agora sem acreditar! — Kai correu até os amigos chutando a areia da praia, quase caindo. Foi recebido com expressões de surpresa, um abraço coletivo e urros de alegria.

O dia dava seus últimos suspiros no horizonte, espalhando reflexos alaranjados no mar tranquilo. Gio, Arthur e Ervilha tinham ido um pouco antes do início do luau para ajudar com a arrumação e Kai havia tido a sorte de ver finalizado o serviço mais cedo naquela sexta, após roer as unhas a tarde toda para dar a notícia aos amigos pessoalmente.

Talvez a *sorte*, na verdade, tivesse sido o resultado de sua dedicação. Quem sabe. Nunca havia trabalhado com tanto afinco e empolgação quanto nas últimas horas daquele dia. Recebeu o e-mail da escola ao meio-dia e cantarolou até as últimas calhas serem limpas na casa de verão de um desembargador. Guardou a notícia como quem esconde ouro. Seus amigos seriam os primeiros a saber.

— Conta tudo! Quais foram as notas? Em qual matéria você se deu melhor? — Gio despejou de uma vez, o sorriso de ponta a ponta.

— Eu sabia que você ia conseguir! — Arthur continuou com o braço sobre os ombros dele, mesmo quando o abraço coletivo havia terminado.

— Esse é o nosso garoto! — Ervilha bagunçou o cabelo dourado de Kai.

— Eu tirei oito em química! Dá pra imaginar uma coisa dessas?! Nas outras disciplinas foi seis e pouco. O suficiente para ser aprovado em todas. Não vou levar nem dependência para o próximo ano e devo tudo isso a vocês.

— E ao seu esforço — Arthur deu uma batidinha no peito dele.

— Imagina só se estudasse pra valer o ano inteiro — Gio cutucou. — Não é cansativo ficar nesse desespero todo fim de ano, não?

— Epa, pera lá — Kai ergueu as mãos, como para se defender. — Eu nunca tinha ficado tão na corda bamba como agora.

— Que festa é essa por aqui? — Gabriel se aproximou. — Kai, seu sorriso está iluminando a praia mais do que as tochas.

— Ele passou de ano após fazer seis provas de recuperação, Gab! Seis! — Gio mostrou seis dedos. Seus olhos esbugalhados brilhavam feito estrelas.

— Que incrível, Kai! Parabéns. Você plantou esforço e colheu bons resultados — Gabriel abraçou-o de lado. O maxilar de Kai estava dolorido de tanto sorrir. Fazia tempo que não sabia o que era se sentir assim, como se o coração se expandisse até o ponto de quase explodir.

Ao ritmo de uma playlist de reggae que tocava na caixinha de som, foi com os amigos continuar a arrumação dos últimos detalhes do luau. Kai e Arthur ergueram algumas mesas de madeira dobradas num canto da Sunshine e as levaram para a areia. Aos poucos, a galera da igreja ia chegando e Luara colocava sobre as mesas os lanches que traziam.

Arthur começou a afinar o violão e Gio a estender cangas dentro do círculo formado por tochas de bambu. A escuridão já cobria o céu e o sussurrar das ondas misturava-se aos risos e às conversas animadas. Gabriel deixou um funcionário cuidando da Sunshine e, a partir daquele momento, ele e Luara eram cem por cento dos adolescentes.

Gab chamou atenção de todos ao se colocar de pé no meio do círculo de tochas, ocupando o espaço de areia livre entre as cangas. O pessoal — uns com cuidado, outros nem tanto — foi se ajeitando sobre os tecidos. Arthur dedilhava uma música, enquanto o líder iniciava uma oração. O clima estava fresco e ameno, mas de repente Kai sentiu um vento frio bater na nuca. Levou a mão quente à parte de trás do pescoço, ouvindo a melodia do violão de Arthur e as palavras emocionadas de Gabriel. E então percebeu que não tinha dito um mísero "obrigado" a Deus desde que soubera do resultado das provas.

Será que deveria orar? Não tinha sequer pensado nisso. *Arthur com certeza teria orado*. Com os antebraços apoiados nos joelhos e a cabeça abaixada, o queixo encostando no peito, Kai passou alguns segundos pensando na melhor forma de começar. E então lembrou de algo que Gab sempre dizia: *Deus está interessado em sua sinceridade*.

— Acho que o Senhor tem muitas coisas mais importantes com que se preocupar, mas... obrigado mesmo assim, Deus. Valeu — soprou baixinho e se aprumou ao ouvir Gabriel pedir que todos abrissem as Bíblias.

A torta de frango com alho-poró de Giovana fez sucesso. Logo que as mesas de quitutes foram liberadas, diversas mãos famintas invadiram a travessa, que ficou vazia em poucos minutos.

— Não dissemos que você arrasa? — Ervilha apontou para o pedaço de torta na mão de Gio. — Foi o primeiro prato a acabar!

Ela girou os olhos, como se aquilo não fosse grande coisa.

— O primeiro a acabar foi o bolo de cenoura com cobertura de chocolate da mamãe — Íris se aproximou, limpando os restos de chocolate dos cantos da boca. — Oi, gente — ela cumprimentou, parando os olhos em Kai um pouco mais de tempo.

— Não foi, não. Eu estava perto da mesa esse tempo todo — Ervilha fez cara de tédio.

— Ah, tá, Ervilha, você sempre quer contrariar.

— Ué, quem chegou contrariando aqui foi você!

Íris virou o cabelo cacheado cheio de brilho e volume para o lado e colocou as mãos na cintura. Os outros observavam a discussão entre os irmãos sem muita surpresa. Íris era três anos mais nova que Ervilha. Os dois tinham o mesmo sorriso. O mesmo tom de pele. E talvez os mesmos olhos e cílios. Longos e curvados cílios. Ah, e claro, o mesmo gênio.

Kai ignorou o pequeno conflito e passou os olhos ao redor. Percebeu que uma garota o observava disfarçando-sem-disfarçar. Olhou de volta. Ela era bem bonita.

— O que a Chloe vai achar disso, hein? — Gio pendeu a cabeça para o lado dele.

— Disso o quê? — Ele notou que ela olhava para a tal garota. — Eu não fiz nada!

— Não sei se ela pensa a mesma coisa.

A desconhecida agora colocava o cabelo atrás da orelha e sorria para ele de forma descarada. Kai já abria a boca para se justificar, quando parou e olhou de canto para Gio.

— Como você sabe da Chloe?

Ela deu de ombros.

— Eu sei de muitas coisas.

Com um assobio, Gabriel convidou todos para uma roda de música. Gio correu saltitante e sentou-se ao lado de algumas meninas. Kai seguiu-a com os olhos, um pequeno vinco surgindo entre as sobrancelhas. Arthur passou batendo em suas costas e chamando-o para tocar o cajón, enquanto assumia o violão outra vez.

A noite amena, com cheirinho de sal e uma ou outra estrela no céu, forneceu o clima perfeito para as músicas de adoração que Gabriel iniciava. Entre uma canção e outra, Kai perdeu o olhar no mar escurecido. Uma música mais animada começou e ele voltou a atenção para a roda, mas imediatamente fitou o mar outra vez. Uma luz piscava no meio do nada.

Kai vincou a testa. Não parecia uma embarcação. E tão rápido quanto surgiu, a luz desapareceu. Entre uma batida e outra no cajón, a ficha caiu. *Claro! Veio da ilha!*

Ele apertou os olhos, tentando distinguir de qual delas. Havia uma série de pequenas ilhas espalhadas pelo mar, tal como em quase toda extensão do oceano que banhava o litoral sul, e à distância uma se sobrepunha à outra. No escuro, pareciam uma só.

Kai ainda observava os amontoados de terra no meio do mar quando ouviu umas risadinhas. Aff. A última música havia terminado e ele continuara batucando o cajón. Sozinho.

— Alô, terra chamando Kai! — Ervilha brincou, e Kai agradeceu pelo fogo das tochas não ser suficiente para mostrar seu rosto enrubescer. Disfarçou o embaraço com uma risada e acompanhou a nova canção que Arthur puxava no violão.

Não demorou muito e uma bola começou a ser jogada de um lado para o outro da rede que sempre ficava presa naquele ponto da praia. Os quase vinte adolescentes se dividiram, e quem aguardava sua vez torcia pelo time que jogava no momento. Arthur e Kai, que não eram muito fãs de vôlei, pegaram sacos de lixo e saíram pela praia recolhendo uma sujeira ou outra.

— Quase não tem lixo. Ser liderado pelo Gab não deixa espaço para ninguém ser porco — Kai comentou e Arthur riu, mirando o mar. Kai seguiu seu olhar.

— Estranho. Pensei ter visto uma luz forte vinda de alguma ilha — Arthur franziu o cenho.

— Eu vi essa luz durante a roda de louvor. Acho que veio da ilha de Apoema.

— Por isso você estava viajando mais que o normal?

— Qual é! Eu sou o cara mais concentrado que você conhece.

Arthur soltou uma risada debochada, e Kai colocou a mão atrás da cabeça do amigo e a balançou.

— A gente podia ir lá, né? — Kai sugeriu.

— Lá onde?

— Na ilha.

— Como?

— Eu dou um jeito.

Arthur olhou-o de rabo de olho.

— Um jeito lícito?

— Não, Arthur, vou roubar o barco do meu pai — Kai revirou os olhos.

— Seu pai ainda tem um barco? Pensei que ele tivesse deixado a pesca há muito tempo.

— E deixou, até vendeu o barco que tinha, mas arrumou esse outro. Um grande elefante branco ocupando metade do quintal.

— Eu lembro que você ia a alguma ilha com ele quando criança. Era Apoema?

Kai meneou a cabeça.

— Ele amava pescar lá. E também curtir as praias. Me diverti muito. Faz muitos anos que não vou, nem sei mais se está como naquela época.

— Por que vocês pararam de ir?

Após uma pausa, em que perdeu o olhar sobre o horizonte escurecido, Kai deu de ombros. Ele não sabia bem o motivo. Só que de uma hora para a outra, o álcool, que era um visitante esporádico em casa, tornou-se hóspede frequente. Como aquelas visitas que dizem que vão ficar alguns dias de férias e acabam ficando quase o mês inteiro. Essas, porém, uma hora vão para casa.

Mas a bebida não foi. E estragou tudo. Seu pai tinha se transformado em um completo estranho.

— Eu nunca fui a Apoema. E moro aqui em frente a vida toda. — Diante do silêncio de Kai, Arthur continuou. — Será que seu pai toparia levar a gente até lá?

Kai soltou uma risada afetada.

— Mais fácil eu levar. Já pilotei barco algumas vezes, você sabe.

— A Gio nunca entraria nesse barco.

— Não entraria mesmo — balançou a cabeça, rindo, mas de repente ficou sério. — Arthur, você contou pra Gio que eu estou saindo com a Chloe?

— Sei lá. Acho que não. Por quê?

Kai estalou a língua.

— Ela chamou a minha atenção porque... ah, enfim, deixa pra lá. Só não queria que a Gio pensasse...

Arthur colocou a mão no ombro do amigo.

— Relaxa, cara. Como se ela não soubesse o galinha que você é.

Kai arregalou os olhos e chegou o queixo para trás.

— Nossa, obrigado!

— Ué! Eu disse alguma mentira? — Arthur segurava o riso. — Falando nela, bora lá, a Gio está jogando.

12

ELES MAL HAVIAM ALCANÇADO a parte de cima da areia quando viram Gio fechar o punho e esticar o polegar com a boca aberta. Kai se adiantou e pegou a garrafinha d'água que sempre ficava na bolsa dela.

— Obrigada — ela agradeceu, e derramou todo o conteúdo do frasco transparente no gargalo.

Kai avistou uma silhueta conhecida cortar a areia e uniu as sobrancelhas. O que Chloe estava fazendo ali?

Ela acenou e veio em sua direção no momento em que Gio jogava a garrafa nas mãos dele e voltava para a partida.

— Você não disse que tinha convidado a Chloe para vir hoje — Arthur falou.

— Eu não convidei.

Kai ficou plantado como uma palmeira vendo-a desfilar pela areia. Porque era isso que ela fazia. Andava com a postura reta, cabeça erguida e uma elegância que invocava todos os olhares para si.

— Oi — Kai abriu o sorriso. — Que... inesperado ver você aqui.

— Espero que eu não esteja incomodando — Chloe deu-lhe um beijo na bochecha.

— De jeito nenhum. Esse aqui é o Arthur.

— Já ouvi falar de você — ela sorriu, e Arthur cumprimentou-a com um aperto de mão.

— Eu também.

— E o Ervilha, onde está? — Chloe olhou em volta. Kai tinha falado de todos eles. Especialmente depois de ter deixado a menina sem mais nem menos na praia na noite que perdeu o horário da aula de reforço.

— Batendo papo com uma galera ali na frente — Kai apontou. Ervilha olhava para ele com os olhos cheios de questionamento. Quando percebeu que Chloe prestava atenção nele, levantou-se e foi até ela se apresentar.

— Então é você que capturou o coração do nosso garoto — Ervilha gracejou e deu um beijo em cada bochecha de Chloe. A cara dela era como de uma garotinha de cinco anos que havia recebido um elogio da professora.

Kai coçou a nuca e olhou para baixo. *O que o Ervilha está dizendo?*

— Kai, minha garrafa, por favor — Gio pediu, arfante, saindo da partida que acabara de terminar. — Vou enchê-la na Sunshine.

Ele estendeu o frasco e olhou para Chloe. A expressão dela não parecia tão receptiva como dois segundos atrás.

— Chloe, essa é a Giovana, minha amiga. Giovana, essa é a Chloe, minha... minha...

— Prazer— Giovana se adiantou e estendeu a mão para um cumprimento.

— Então você é a famosa Gio — Chloe apertou a mão dela.

— Famosa, é?

— Kai fala muito de você.

Gio arregalou os olhos.

— Fico honrada por fazer parte dos assuntos quando, sabe, vocês estão juntos.

Chloe não respondeu, e Kai abaixou a cabeça.

— Bom, vou indo encher minha garrafinha — Gio disse depressa. — Depois do vôlei a galera deve tomar um açaí na

Sunshine. Fica aí pra ir com a gente — ela abriu um sorriso sem dentes para Chloe e saiu.

Kai não deixou de notar que Chloe havia olhado Gio de cima a baixo enquanto ela se afastava. E seus olhos não carregavam, bem, toda a bondade do mundo. Ele não gostou disso.

— A Giovana faz uns desenhos incríveis — disse. — Você devia ver alguns.

— Se ela quiser mostrar, né? — Ervilha deu uma risadinha. — Nem a gente ela gosta muito que veja.

— Hum, que grande melhor amiga — o comentário pareceu escapar da boca da Chloe antes que ela pudesse contê-lo.

Kai ergueu uma sobrancelha.

— Você tem um melhor amigo, Chloe? Ou amiga? — perguntou ele.

— Claro que tenho — ela franziu a testa.

— Então sabe o que é ficar tranquila por ter a certeza de ter uma pessoa que sempre vai estar lá por você. Onde quer que for, no que for necessário, a qualquer hora.

— E-eu acho que sei.

— A Gio é isso pra mim — Kai continuou. — Essa tranquilidade e essa certeza.

Chloe cravou os olhos nele.

— Até fiquei com vontade de ser amiga da Gio, agora.

Kai soltou uma risada.

— Fica pro açaí e tenta a sorte.

Arthur e Ervilha suprimiram o riso. Kai também deveria ter dito que os dois significavam a mesma coisa para ele. Mas, de alguma forma, aquilo não parecia ser necessário no momento.

— Vocês vão tomar açaí hoje? — uma voz surgiu atrás deles e os quatro se viraram para olhar. Era Íris. — Não ouvi ninguém comentando nada. Eu quero ir.

— Todo mundo que está aqui vai, Íris — Ervilha respirou fundo.

— Então fechou. Vou também — ela bateu palminhas curtas. — Ei, você é a Chloe Emerick, não é? Sou a Íris, com quem você falou no Instagram.

Um enorme vinco surgiu entre os olhos de Kai.

— É, sou eu. Obrigada por ter me respondido — Chloe abriu um sorriso curto. Virando-se para Kai, continuou: — Eu vi que você compartilhou um story aqui no luau e eu estava sem fazer nada em casa. Te mandei mensagem mas você não viu, então entrei na hashtag que você colocou na foto e achei os stories da Íris.

Kai pensou se ficava feliz ou assustado.

— Não te chamei pra vir porque não imaginei que você gostasse desse tipo de coisa.

— E o que é isso exatamente? Vôlei, música gospel e um pastor falando sem parar? — ela olhou em volta.

— Mais ou menos. O Gab não é pastor e, na maioria das vezes, fala o suficiente.

— Não sabia que você era de igreja.

— Eu não sou — Kai respondeu tão sem pensar que só depois percebeu os olhares de Arthur, Ervilha e Íris sobre ele. — Quer dizer, eu frequento e tal, mais por causa dos meus amigos — tentou usar um tom casual, mas não deixou de perceber o rastro de mágoa no rosto de Arthur.

Antes de entrar em casa pela porta da cozinha, Kai colocou os olhos sobre o grande vulto escuro no quintal dos fundos. A lua não estava brilhando aquela noite, e o rio que se movia preguiçoso atrás da casa só podia ser visto por causa de uma ou outra lâmpada nos arredores.

Caminhando até lá, Kai ergueu devagar um pedaço da lona azul-marinho que cobria o barco. Espiou dentro. Estava como sempre: vazio e empoeirado. Não conseguia entender a função da lona, a poeira sempre acabava arrumando um jeito de entrar. Deu algumas batidinhas na lateral da proa, onde o nome do barco estava escrito em verde-escuro: *Aquele que vem do mar*.

Por que o pai mantinha aquele trambolho juntando pó por anos a fio naquele quintal bagunçado? Vai saber. Ele gostava de juntar tralhas, porém nunca manteve uma por tanto tempo.

Kai entrou em casa e viu Sidney largado com os braços abertos no encosto do sofá puído, vidrado na tevê. As roupas ainda sujas do trabalho. Pela porta entreaberta pôde ver o quarto dos pais com a luz apagada. A mãe já devia estar dormindo. Era quase dez e meia da noite e o luau tinha acabado havia pouco. Chloe não quis tomar açaí com a galera, então eles ficaram juntos em um banquinho no calçadão até a hora que a madrasta veio buscá-la. Ele correu até a Sunshine depois disso, mas quase todos já tinham ido embora.

Sem olhar para o pai, Kai passou direto para seu quarto e avistou os livros e cadernos fechados, que ainda permaneciam na mesinha lateral. Precisava guardá-los, mas talvez estivesse com alguma espécie de apego emocional. Ele tinha chegado lá! Estava com o último ano da escola garantido. Uma onda de satisfação nasceu em seu peito e foi se espalhando até subir pela garganta e ele não conseguir conter o ímpeto. Não entendia bem por que estava fazendo aquilo, mas precisava falar com o pai. Mostrar suas notas. Dizer que tinha conseguido.

Com o coração ressoando nos ouvidos, foi até a sala de estar. Olhou para Sidney, que não moveu os olhos do televisor. Apertou os lábios e ficou movimentando-os de um lado para o outro, até sentir o mínimo de coragem para abrir a boca.

— Vai ficar parado aí igual a uma assombração? — o timbre de Sidney era grave. Kai sentiu o ímpeto mirrar.

— É que... — ele fitava o piso com as marcas das botas que o pai não havia tirado. — Eu passei de ano. Fui aprovado nas seis matérias que estava de recuperação.

O silêncio foi tão longo que Kai ergueu os olhos. Sidney continuava mirando as cenas de guerra que se desenrolavam na tela à sua frente. De forma abrupta, falou:

— E você está esperando o quê? Parabéns?

Seu pai abaixou e apanhou, do chão, uma garrafa com líquido transparente do outro lado do sofá. Kai passou uma mão no rosto. Como não tinha percebido antes? Sidney virou a bebida no gargalo e o cheiro forte impregnou o lugar. Com os olhos cheios de mágoa e ira, Kai juntou os trapos de seu orgulho ferido e, silencioso, saiu da sala.

13

ERA UMA TARDE DE DOMINGO agradável. Kai e os amigos desciam por uma alta formação rochosa — esculpida entre a Praia da Parada e a Praia do Céu, esta do outro lado dos limites do condomínio — que se estendia em um declive com sua base alargando-se para dentro do mar.

Tiraram os chinelos para descer com mais segurança e sentiram o calor da rocha sob os pés. Ao se aproximarem do mar, os quatro foram brindados com respingos refrescantes, como se o oceano borrifasse água salgada sobre eles. Gio encontrou um lugar para sentar e os meninos se aproximaram mais da água.

— Meu pai disse que vem ver vocês no *Sea* — Gio disse, juntando o cabelo em um rabo de cavalo.

— Espero que ele não se decepcione muito — Ervilha riu. — Meu velho trocou o horário dele no trabalho pra poder vir. E minha mãe está mobilizando a família inteira.

— Fiz meu pai prometer que vai desligar o celular no dia. Só assim para os clientes deixarem ele em paz — Arthur sorriu.

Kai olhava quieto para as ondas que batiam contra a base do rochedo e formavam espumas branquinhas.

— E seus pais? — Giovana olhou para ele.

— O que tem eles?

— Vão vir ou não?

— Sei lá. Acho que não. Vão trabalhar.

— Mas você pelo menos falou com eles sobre isso? Convidou e tal?

— Pra quê? Meus pais não se importam com essas coisas.

Gio arregalou um pouco os olhos e apertou os lábios em compadecimento. Kai desviou o olhar.

— Pelo menos seu pai vai te liberar para faltar no trabalho — ela continuou, com cuidado. E, do mesmo jeito que uma colisão pega qualquer um desprevenido e faz o coração bater como se fosse um tambor, Kai foi atingido pelas palavras de Giovana.

Como não tinha pensado naquilo antes?

— Ele vai te liberar, não vai? — Ela deve ter percebido a cortina obscura se fechando no rosto dele. Kai mordeu o lábio inferior com força e soltou um palavrão.

— Ei, olha a boca! Ê boca suja! — os amigos exclamaram ao mesmo tempo.

— Meu pai não vai me liberar — a tensão era notável em sua voz. — Não acredito que não pensei nesse detalhe antes. Pequeno grande detalhe.

— Como você sabe se, pelo jeito, nem perguntou? — sugeriu Arthur.

— É meu castigo, lembra? Só não trabalho aos domingos e no horário das aulas no próximo ano. Ele não me deixou faltar nem pra estudar para a recuperação, que dirá pra ir a um campeonato de surfe! — Kai levou as mãos à cabeça e esfregou o cabelo, deixando as pontas loiras como se tivessem levado um choque.

— Eu até entendo por que ele não deixou, você tinha acabado de aprontar! Mas conseguiu recuperar as notas com louvor, então talvez agora... — Ervilha tinha um tom otimista que deixou Kai meio irritado. Ele se lembrou de quando chegou em casa na noite de sexta-feira e balançou a cabeça, sua expressão endurecendo ainda mais. *Eles não entendem.*

Gio, Ervilha e Arthur trocaram um olhar entre si e ficaram em silêncio. O sol derramava seu esplendor luminoso sobre o oceano repleto de ilhas, mas nem aquele espetáculo da natureza foi capaz de acalmar as batidas do coração de Kai.

— Quem vai primeiro? — Ervilha tirou a camiseta e jogou-a ao lado de Giovana. Os amigos de Kai o conheciam o suficiente para saber que ele não diria mais nada. O melhor era desfazer a tensão que tinha ficado no ar.

— Tanto faz. Só quero ver quem vai fazer o mortal mais bonito — Kai esfregou as mãos.

— Você quer ver o quê? — a voz de Gio saiu meio esganiçada.

— Eu falei que ela não ia gostar disso — Arthur balançou a cabeça.

— Gente, pular da pedra até vai, agora, pular girando o corpo no ar? Vocês têm o quê na cabeça?

— Coordenação motora? — Kai abriu os braços e ergueu os ombros.

Gio arremessou uma garrafinha de água quase vazia, mas em vez de acertar Kai, o descartável voou sobre a cabeça dele e caiu no mar.

— Caraca, Giovana! — ele reclamou.

— Ai, desculpa, desculpa. Será que dá pra pegar?

Kai abriu um leve sorriso.

— Claro! — e correu para uma rocha mais alta ao lado. Ao chegar à ponta, jogou-se de costas, formando um giro 360 graus no ar e caiu na água com um estrondo. Arthur e Ervilha uivaram. Gio ficou pálida.

Kai escalou com cuidado a base do rochedo povoada de crustáceos e entregou a garrafinha nas mãos de Giovana com uma cara de quem havia acabado de salvar a natureza. Ela virou os olhos e desistiu de contrariá-los. A próxima meia hora foi preenchida por inúmeros saltos dentro d'água. Os meninos gargalhavam e comparavam a performance. Gio, de óculos escuros, dividia-se entre desenhar e dar uma espiadinha nos amigos.

Os dedos de Kai já estavam enrugados quando ele subiu pela base do rochedo após um mergulho. Um vento mais fresco que o normal passou por ali e ele se encolheu, abraçando o tronco sob a luz cálida e dourada do sol. Sem que percebesse, seus pensamentos o levaram a elaborar formas de falar com o pai sobre o campeonato. Prendeu os lábios, sentindo-se um completo idiota. Sidney nunca o liberaria. E ele, mais uma vez, perderia a oportunidade de sua vida. Contrariado, sentou ao lado de Giovana.

— O que está desenhando hoje? — tentou distrair-se.

Ela virou a folha.

— São só uns rabiscos. Ainda estou vendo no que vai dar.

— E aquele que você estava fazendo da última vez? Terminou? — Ele colocou um braço em cada joelho dobrado, as gotas salgadas escorrendo por seu corpo.

— Ah, aquele sim.

— Deixa eu ver.

— Não acho que ficou muito bom.

— Você sempre fala isso — Kai estendeu a mão para pegar o caderno, mas Gio foi mais rápida e o ergueu para longe. — Qual é, Gio? Se eu tivesse um dom como o seu, mostraria pra todo mundo.

— Você já tem.

Kai ergueu uma sobrancelha.

— Comandar em pé uma espuma rígida sobre um monte de água em movimento seria o quê, além de um dom? — Giovana inclinou a cabeça e olhou para ele.

— Prática. Foco. Determinação. Preparo físico... Já mencionei prática?

— Essas coisas fazem parte do desenvolvimento de qualquer aptidão. Menos o preparo físico, talvez. Não preciso correr quilômetros para desenhar melhor — Gio sorriu. — Eu acho que todo dom é uma inclinação natural para alguma coisa, que só vai ser aperfeiçoado com muito trabalho duro.

Kai pensou por alguns instantes.

— Aos sete anos dominei a prancha pela primeira vez e, desde então, estar ali é muito natural pra mim — Kai olhava para o oceano com um ar de nostalgia e paixão.

— Quem ensinou você?

— Meu pai.

— Ele ainda surfa?

— Só se for numa onda de cachaça — Kai riu. Giovana permaneceu séria.

— Kai, seu pai bebe muito?

Ele levantou um ombro.

— Quase sempre. Algumas vezes mais do que outras.

— Como é a convivência em casa nesses momentos?

— Uma bela droga. Com ou sem bebida.

Kai percebeu que Gio tentou disfarçar o espanto.

— Você sabe que pode conversar comigo sobre qualquer coisa, não sabe? — Os olhos dela foram tomados de ternura. Kai não conseguiu manter o olhar neles e desviou-o, puxando Gio para perto de si.

— Claro que sei. Você é minha melhor amiga, dona Giovana — Kai a balançou contra o peito e deu-lhe um beijo no cabelo com cheiro de chiclete.

— Ai, você está molhado — ela se soltou do abraço. — Por que não chamou a Chloe para vir hoje?

— Ontem à noite eu saí com ela, fomos caminhar na praia do Village. E eu não via vocês desde o luau.

— A Chloe mora lá, no Village?

— Durante o verão, sim. No resto do ano, ela mora com a mãe, no Rio.

— Hum — Gio começou a cutucar um buraquinho na rocha com o lado contrário do lápis. Kai olhou para ela. Por que o assunto tinha morrido de repente? Do nada, Giovana pareceu ficar distante.

Quando ia abrir a boca para acabar com aquele silêncio esquisito, o celular dele, que estava em cima de sua blusa sobre a pedra, vibrou. Gio olhou para a tela. O nome da Chloe apareceu, seguido por uma mensagem carinhosa.

— "Fofinho", hein? — Gio tinha um riso na voz. Kai sentiu o sangue injetar no rosto. Não gostava de ser chamado assim pela Chloe, mas a garota insistia no apelido. Ele contraiu a mandíbula e antes que respondesse alguma coisa Arthur e Ervilha se aproximaram arfando. Gio ficou de pé.

— Vamos para a praia? A água parece estar boa — ela propôs.

— É a mesma água daqui. Por que não dá um mergulho? — Ervilha esticou o braço em direção ao mar, que se movia com disposição.

— É fundo.

— Quando você vai perder esse medo? — Arthur cruzou os braços.

— Eu não tenho medo. Chamo isso de prudência.

— Você tem três surfistas ao seu lado — Kai apontou para eles — Quer mais prudência que isso?

— Não sei se posso confiar tanto assim em vocês — Gio provocou e os três garotos começaram uma série de reclamações, fingindo grande e dramática ofensa. Rindo, Gio juntou suas coisas e começou a caminhar com cuidado sobre os relevos e fissuras, dando a volta pela lateral do rochedo rumo à praia. Chacoalhando a água dos cabelos e conversando assuntos aleatórios, eles a seguiram.

14

— **ERVILHA, AQUELA ALI** com uma câmera nas mãos não é a sua irmã?
— Arthur perguntou um pouco antes de chegarem à areia. Os outros olharam em direção a um grupo um tanto escandaloso de garotas tirando fotos na praia.

— O que a Íris está fazendo aqui? Ela está de castigo!

Com a pose de quem estava indo deter um criminoso, Ervilha apressou o passo. Íris girou o corpo antes que ele a alcançasse e jogou o longo e espesso cabelo cacheado para o lado.

— Oi, irmão!

— Até onde fiquei sabendo você estava proibida de sair com as amigas este final de semana, não?

— "Proibida" é uma palavra muito forte. Foi apenas uma recomendação da mamãe.

— Ah, é? Vamos ver se ela pensa a mesma coisa.

— Beleza. A gente aproveita e pergunta quando foi que ela liberou você a ficar pulando da Pedra do Rochedo.

— Uh! — Kai e Arthur assobiaram logo atrás. Ervilha bufou.

— Você não tem como provar que eu pulei.

— Não? — A garota ergueu a câmera.

— Você não fez iss... — ele parou a frase quando a irmã mostrou a foto de três garotos em pé na ponta de uma pedra na tela da câmera.

— O zoom dessa máquina é perfeito.

— Não acredito que você estava tramando contra mim! Me dá isso aqui — Ervilha tentou puxar o aparelho, mas Íris deu um pulo para trás. Ele continuou tentando. Não parecia que ia demorar muito para que os dois saíssem rolando pela areia quando Íris soltou, quase gritando:

— Eu não conto nada pra mamãe se vocês me ensinarem a surfar!

— Você? Surfando? — Ervilha fez sua melhor cara de exagero. — Nem pensar!

— Se você, Arthur e Kai me ensinarem, seu segredo morre comigo — ela passou um zíper imaginário na boca.

— Você não está em condições de me chantagear. Também desobedeceu à mamãe, esqueceu?

— Mas eu sei inventar desculpas com muito mais facilidade que você.

— Não. Sai fora. Ninguém aqui vai te ensinar a surfar — Ervilha encerrou.

— Por favor! — Ela cruzou as mãos embaixo do queixo.

— A gente te dá umas aulas, Íris — disse Kai, parando ao lado de Ervilha.

— Você vai tirar de letra — Arthur colocou-se do outro lado.

— Se ela for como o irmão, talvez não seja tão fácil assim... — Kai deu uma risada e Ervilha fez uma careta. Íris, com o rosto iluminado, mostrou todos os dentes em uma gargalhada vigorosa.

— Tudo bem — Ervilha soltou um suspiro rendido. — Vamos lá na Sunshine pegar as pranchas.

Íris deu pulinhos empolgados e jogou os braços no pescoço do irmão. Após se despedir das amigas, a garota, que parecia ligada em 220 volts, seguiu cheia de papo com os meninos rumo à lanchonete. Só ao chegarem lá é que Kai virou o rosto e percebeu que Giovana arrastava os pés lentamente pela areia, alguns metros atrás.

Domingo à tarde, véspera de verão, era sinônimo de Sunshine lotada. Areia e rastros d'água espalhavam-se pelo chão de cimento queimado, seguindo os clientes que saíam do mar e iam para a simpática lanchonete.

— E aí, rapaziada. Como foi lá na pedra? — Gabriel enxugava alguns copos no balcão quando eles chegaram.

— Eu consegui o mortal mais alto, claro — Kai gabou-se.

— Até parece — Ervilha vincou as sobrancelhas.

— Sua irmã deve ter provas — Kai passou o braço pelo ombro de Íris e apontou para a câmera pendurada no pescoço dela.

— Eu fiz uns vídeos — Íris abriu um sorriso tímido, bem diferente da explosão efusiva de minutos antes.

— Quem muito fala pouco faz, viu? Aposto que o Arthur foi quem arrasou com vocês dois — Gabriel riu por sobre os ombros, levando a bandeja de copos para a cozinha, nos fundos. Arthur abriu um sorriso maroto, fingindo estar convencido.

— Qual é, Gab? — Kai abriu os braços.

— Quero uma torcida mais imparcial no campeonato, hein, cara — Ervilha retrucou.

— Torcer? Só se for pra mim! — Gabriel voltou para o balcão.

— Você vai competir? — perguntou Kai.

— A Sunshine vai ser uma das patrocinadoras do evento. Não dá para mostrar parcialidade.

Os olhos esbugalhados seguidos de diversas exclamações revelaram a admiração do grupo com a notícia.

— Pelo menos a gente já tem a torcida da Giovana garantida, não é, Gio? — Assim que terminou de falar, Kai sentiu o peito afundar com a lembrança de que sua participação no torneio estava em risco. Não ouvindo nenhuma resposta de Giovana, olhou em volta. Os meninos fizeram o mesmo e a viram mexendo no celular na porta da lanchonete.

— O que está fazendo aí, Giovana? — questionou Arthur.

— Respondendo umas mensagens.

— Vem cá mostrar para o Gab a coreografia que você vai fazer pra gente no dia do campeonato — Kai riu e Gio girou os olhos.

— Eu posso preparar uma torcida irada pra vocês! — Íris entrou na conversa. — Convoco minhas amigas e fazemos cartazes, camisas e até grito de guerra.

— Opa, aí sim! — Kai achou graça, não sabia se mais por Íris ter levado aquela história de torcida a sério ou se pela cara de impaciência que Giovana não conseguiu disfarçar enquanto a irmã de Ervilha falava.

— Só aceito se for com as amigas gatinhas — Ervilha soltou uma piscadela e Íris fez cara de nojo.

— Para de ser ridículo.

A tevê pendurada na parede à frente deles passava imagens do mar da Costa Verde com suas centenas de ilhas. Arthur olhava para a tela, quando perguntou:

— Gab, você sabe se tem algum barco fazendo traslado para Apoema, aquela ilha aqui perto?

— Por quê?

— Na noite do luau a gente achou ter visto uma luz vinda de lá.

Ele ficou calado por um momento.

— Um pescador da região fazia, mas parou há muito tempo. A ilha é área de preservação ambiental, não tem comércio e essas coisas. Não é muito atrativa para turistas.

— De onde saiu aquela luz, então? — Kai quis saber.

— Algumas famílias caiçaras vivem na ilha — Gabriel pegou as comandas de pedidos com João, seu ajudante, e levou para a cozinha. A fila de clientes estava crescendo.

— Talvez dê para conseguir o contato de alguma dessas famílias. Elas devem ter barcos — Kai coçou o queixo.

— A gente pode tentar — Arthur disse. — Quero conhecer essa ilha. Moro aqui em frente e nunca fui.

— Nem eu — Ervilha e Íris acrescentaram ao mesmo tempo.

— Tem tantos lugares para vocês conhecerem na região — Gabriel voltou e foi pegar novas comandas. — Inaugurou um restaurante bacana na ilha do Zimbro.

— Deve ser os olhos da cara — Kai rebateu.

— Qual é o problema? — Ervilha virou-se para ele. — Você agora é um assalariado.

— E você não percebe a contradição na sua frase?

Ervilha pegou uma das balas de doce de leite da tigela de cortesia no balcão e jogou na boca. Os outros fizeram a mesma coisa.

— Vocês acabam com as minhas balas — Gabriel balançou a cabeça.

15

— **VAMOS LÁ, CARA,** você consegue — resmungou sentado na cama. O dia estava tão abafado que um forno parecia ter sido aceso dentro de seu quarto. Em vez de ligar o ventilador, sair dali ou fazer qualquer coisa para aplacar o calor, Kai jogou-se no lençol desfeito e soltou um arquejo forte. *Tique-taque.* Uma semana havia se passado sem que ele tivesse criado coragem de falar com o pai. E lá estava mais um domingo. Mas não era um qualquer. Vinte e um de dezembro. Seis dias para o *Sea Wave*. E ele ainda não tinha permissão para faltar no trabalho.

Depois de alguns minutos reunindo todas as forças que pôde, Kai colocou-se de pé e foi a passos largos até a cozinha.

— Cadê o pai? Escutei ele chegando — perguntou a sua mãe, que descascava batatas na diminuta mesa próxima à pia. Uns dias antes, Kai havia, como sempre, pedido que ela intercedesse por ele junto a Sidney. Dessa vez, a mãe negou. "Você já está grandinho. Resolva seus problemas."

— Está mexendo no barco — os olhos de Eva ergueram-se por meio segundo. O suficiente para que Kai percebesse o cansaço e a fadiga estampados neles. A família para quem ela trabalhava estava com visitas e as demandas de trabalho triplicaram. Mas o salário não. Esse continuou do mesmo jeito.

— Mãe, as visitas ainda não foram embora?

— Não. Parece que vão ficar até janeiro.

Kai ergueu as mãos e depois largou-as contra a lateral do corpo.

— Isso é tão injusto! Você deveria pedir um extra. E aposto que o Otto continua sendo o mesmo porco de sempre.

Eva fitou-o com firmeza.

— Olha a boca. Não fale assim do filho dos meus patrões.

Kai girou os olhos.

— Você está trabalhando para quantas pessoas lá, umas quinze?

— Mais ou menos isso — ela descansou as mãos na bacia cheia de cascas de batata. — Kai, não se preocupe comigo. Emprego não está fácil e eu não posso correr o risco de perder o meu.

— Você trabalha pra eles há tantos anos! Não era de esperar que tivessem algum tipo de consideração?

— Eles dizem que eu sou "quase" da família. Justamente. Há quilômetros de distância dentro desse "quase".

Kai bufou.

— Vou falar com o pai e daqui a pouco volto para te ajudar com essas batatas.

Saiu da cozinha e avistou Sidney no quintal dos fundos. Soltou um suspiro. O pai mexia no barco que nunca encostava na água. Aquele, definitivamente, não era um bom momento. Mas seu tempo estava acabando.

Não deu mais do que cinco passos até seu nariz ser invadido pelo aroma ardente. *Já devia ter imaginado.* O álcool geralmente era a companhia do pai quando se metia a futucar a velha embarcação.

— Chega aí, garoto — Sidney tinha uma fala arrastada. — Me passa aquela chave.

Kai pegou a ferramenta no chão e estendeu-a ao pai. Ele tentou apertar um parafuso na portinhola da cabine do barco, mas a mão falhou e acabou acertando o próprio dedo. De repente,

Sidney pegou a garrafa de vidro que o acompanhava e jogou contra a cabine. Cacos voaram, o homem se desequilibrou e antes que caísse sobre os restos pontiagudos, Kai pulou dentro do convés e o segurou pelos braços.

Sidney se aprumou com a ajuda do filho e, em seguida, o empurrou para longe. Eva apareceu, os olhos grandes como bolas de gude.

— Sidney!

Ele voltou a pegar a chave de fenda e a tentar, em vão, apertar o parafuso outra vez.

— Tá cheio de caco aqui. Você vai se machucar — Kai alertou, o rosto rubro, a voz quase num grunhido.

— É tudo sua culpa! Você me desconcentrou! — Sidney cuspiu, meio tonto. Antes que a mão calejada do pai o acertasse, Kai pulou de volta para a varanda e foi para dentro de casa, ouvindo a gritaria entre os pais começar.

O assunto sobre o campeonato teria de ficar para outro dia. Argh!

Nuvens densas e escuras pairavam sobre o mar. O tempo carregado e a promessa de boas ondas apinhavam o mar de surfistas. Kai e Arthur acompanhavam Íris de perto, treinando o equilíbrio e a remada. Ervilha dava pitacos vez ou outra. Giovana desenhava na areia.

Diferente do domingo anterior, límpido e quente, a mudança de tempo trouxera um vento frio que inquietava as ondas cor cinza chumbo. Não demorou muito para que o mar começasse a agitar-se além do normal. Os garotos já tinham visto na previsão do tempo que as ondas ficariam maiores a partir do meio da tarde. Finalizaram a aula com Íris quando as oscilações começaram a ganhar força.

Cada vez mais surfistas entravam no mar. Com o *Sea Wave* se aproximando, ninguém queria perder uma boa oportunidade de treinar. Os três amigos mantinham-se próximos e estavam muito concentrados em deslizar sobre as águas até a costa, onde agora Íris falava pelos cotovelos com Giovana, que permanecia com os olhos e as mãos fixos em seu desenho. Kai sorriu. Gio era mais transparente que as janelas da casa da Chloe.

— E aí, o que está achando da prancha? — Arthur perguntou quando passaram pela arrebentação. Kai deu dois tapinhas na prancha que tinha sido consertada havia poucos dias. Com seus dois últimos pagamentos tinha conseguido juntar o suficiente e ficou devendo uma pequena quantia para a próxima semana.

— Não é como uma nova, mas está bem melhor que antes. Vou me virar bem.

As ondas vinham aos montes. Toda vez que se colocava de pé sobre a prancha e a conhecida sensação de liberdade penetrava seus poros, Kai esquecia todo o resto. Só existiam ele e a água. Gelada. Renovadora.

Ah, como queria poder sair do mar e levar aquela adrenalina junto de si! Fora dali tudo parecia tão... sem sentido. Tão vazio. Pela milésima vez, pensou no campeonato. E pensou no pai. *Com certeza vai estar ainda mais bêbado quando eu chegar em casa.*

A sensação de liberdade foi surrupiada pela ardência nas veias. Kai cerrou os punhos. Por que as coisas tinham de ser assim? Por quê? Com a frustração começando a irradiar por todo seu corpo, percebeu o mar subir mais uma vez. Uma série entrava no fundo, e todos os surfistas começaram a remar para dentro, pois a chance de que as ondas quebrassem em cima deles era grande. Kai fez como eles, mas, ao chegar ao pico da primeira onda, decidiu virar a prancha em direção à areia, a fim de pegá-la.

— Kai!

Ouviu seu nome e olhou levemente para trás. Arthur tinha as duas mãos em volta da boca ao gritar:

— Não vai nessa! É fechadeira! — a voz dele soava abafada pelo barulho do mar. Kai ignorou o aviso. Precisava extravasar, e aquela onda seria perfeita para isso. Deu duas braçadas mais fortes e, num pulo, ficou de pé na prancha.

Tudo aconteceu muito rápido.

Numa fração de segundo, Kai perdeu o contato dos pés com a prancha e sentiu seu corpo ser sugado para dentro da água salgada, sendo sacudido com violência. Tentava voltar à superfície, mas o mar era como um monstro que o puxava para todos os lados. O desespero que começava a sentir se intensificou quando suas costas se chocaram contra algo áspero e rijo. *As pedras no canto da praia.*

Sua primeira reação foi cruzar os braços sobre o rosto. Não sentia dor. Seu corpo parecia anestesiado pela energia que empenhava em sair dali. Foi jogado contra as rochas mais duas vezes e, num ímpeto de sobrevivência, reuniu toda a força que lhe restava e lançou-se para cima. Uma nova onda quebrou e, de novo, foi chacoalhado. Tomado pela exaustão, soltou os braços. E, de repente, tudo ficou escuro.

16

— **KAI!** — **ELE ESCUTAVA** ao longe. Os ouvidos zuniam.
— Fala comigo, cara! — Sentiu um tapa leve no rosto e abriu os olhos devagar. Quatro cabeças pairavam à sua frente. Começou a sentir uma coisa esquisita subir pela garganta e então disparou a tossir ar misturado com água. Ergueu um pouco a cabeça enquanto o acesso parecia nunca ter fim e percebeu que estava esparramado na areia.
— Como você está? — Gio perguntou com urgência, oferecendo-lhe sua garrafa d'água.
— Acho que bem — inspirou fundo após tomar um gole, o acesso se apaziguando. — O que aconteceu? Não diz que me afoguei! — Kai juntou as sobrancelhas, apertando os olhos. Tudo parecia muito claro.
— Aquela onda fechou em cima de você! — Ervilha esbugalhou os olhos.
— E depois começou uma série cabulosa, com ondas gigantes, uma atrás da outra. Você tomou muita onda forte na cabeça! — Arthur parecia meio pálido. — Pensei que tinha se afogado. Mas graças a Deus você foi cuspido na areia e parece ter perdido a consciência apenas por poucos segundos.

Kai esfregou os olhos, fazendo uma careta. Não queria nem pensar na cena digna de cinema que devia ter proporcionado à praia inteira. Que, a propósito, havia parado para assistir de perto ao desenrolar dos acontecimentos. Levantou-se rápido e Íris e Gio soltaram um grito.

— Suas costas!

Ele olhou para trás. Só conseguiu ver de relance a massa de areia, água e sangue em suas costas. E isso bastou para que começasse a sentir — ou perceber — um ardor incômodo na pele.

— Tá muito feio? — trincou os dentes.

— Bom, digamos que as pedras não tiveram pena de você — respondeu Gio.

— Acho melhor você tomar uma ducha para lavar esses ferimentos — Arthur aconselhou.

Kai deu uma checada rápida em si mesmo e percebeu arranhões também pelas costelas, pernas e braços. Praguejou baixinho e, abrindo um sorriso instantâneo, balançou as mãos para os olhares curiosos que ainda estavam por perto:

— Está tudo bem, gente! Tomei só um caldo leve. Tudo sob controle! — Assim que terminou de falar, suas pernas fraquejaram. Arthur conseguiu segurá-lo antes que caísse, mas acabou pegando em um arranhão mais profundo no braço e Kai gemeu de dor.

— Foi mal! Senta de novo.

— Prefiro sair logo daqui.

Arthur assentiu e colocou o braço esquerdo de Kai sobre seus ombros. Ervilha fez o mesmo com o direito.

— Vamos para minha casa. A vó vai saber cuidar disso.

— Não, ela vai ficar toda preocupada se me vir assim. Prefiro ir para a Sunshine.

Arthur concordou.

— Você consegue ir assim até lá?

— Consigo — tentou passar convicção, mas por dentro sofreu ao olhar para a extensão de areia que teria de percorrer até a lanchonete. Mal deram dois passos e aquela voz inconfundível ecoou em sua direção:

— Que pena ter sido engolido pelo mar, hein, brother. Tomara que você consiga se recuperar até o campeonato. — Mesmo quando tentava forçar cordialidade, o cinismo não se deixava mascarar. Esse era Otto. Presunção era seu sobrenome.

— Valeu — Kai também sabia fingir.

— E não se preocupe. Se não der pra você participar, a Praia da Parada continuará muito bem representada, não é, galera?

Luiz e Caio, que andavam atrás de Otto para cima e para baixo iguais a dois filhotes, começaram a rir. O sangue de Kai ferveu. Teve vontade de enterrar um soco naquelas fuças de mauricinho, mas mal conseguia levantar o braço.

— Vem cá, Otto, você não tem coisa melhor pra fazer, não? — Ervilha empinou o queixo.

A risadinha baixa e zombeteira fez suas veias borbulharem um pouco mais. Kai lembrou-se do rosto exausto da mãe mais cedo e respirou fundo.

— Claro. Vou voltar a surfar — Otto olhou para Kai. — Sinto muito por você não poder. Por mais que eu ache que é caso perdido, quem sabe o Manauá não consegue dar um jeito na sua prancha?

— Do que você está falando? O Manauá já consertou a minha prancha — Kai se soltou e lançou um olhar sombrio para Otto, que começou a se afastar. — Espera aí, onde está a minha prancha?

Ele vasculhou a areia com os olhos. O restante do grupo se entreolhou em silêncio. O semblante de Kai ficou mais carregado que o céu daquela tarde quando a encontrou logo ali, ao lado das pranchas dos amigos.

Partida em dois pedaços.

Caminhou devagar e se ajoelhou, analisando de perto o estrago.

— Eu nem percebi — foi o que disse.

— Que bom que o bico não pegou em você lá na água — Gio falou. — Poderia ter sido muito pior.

Kai mordeu o lábio com força.

— Quando você chegou na areia tiramos o leash do seu calcanhar. A outra metade da prancha veio logo depois — Arthur explicou. Kai cerrou os punhos e, após alguns segundos calado, levantou-se rápido. Parecendo falar mais consigo do que com os outros, murmurou:

— Eu vou àquele campeonato. E a prancha *Fish Wave* vai ser minha. Custe o que custar.

Os olhos cor-de-mar estavam fixos no porta-guardanapos. Kai só percebeu que falavam com ele quando o objeto foi balançado em frente ao seu rosto.

— Já escolheu o que vai querer? — Gio apontou para o cardápio escrito em giz na parede atrás do balcão.

— Estou sem fome.

— Como assim está sem fome? Você acabou de ser chacoalhado dentro do mar. Isso deve ser o suficiente para gerar uma fome de três leões.

— Pede o que quiser, hoje é por nossa conta — Ervilha deu um tapa leve no ombro de Arthur.

— Você precisa se fortalecer — Gio fitou Kai, esperando.

— Pode ser um suco de laranja — resignado, ele pediu mais para que Gio parasse de fazer comentários do que por vontade. Mas Gio nunca deixava de fazer comentários.

— Queria eu ficar sem fome quando estou triste. Aí sim é que tenho vontade de comer tudo que vejo pela frente!

— Eu não estou triste.

— Sim. Está. E está mais do que quando levou suspensão e pensou que ia repetir de ano.

Kai olhou para cima e suspirou.

— Não há problema algum em admitir isso — ela continuou. — Aquela prancha significava muito pra você.

Kai pensou em perguntar como ela sabia que a prancha significava muito para ele, mas desistiu. A Giovana simplesmente sabia das coisas.

Era uma tarde fresca de novembro do ano anterior quando Kai saía pelo portão rumo à casa de Arthur. Topou com seu pai, com quem ainda não havia se encontrado naquele dia. Ele segurava debaixo do braço uma prancha levemente amarelada, cheia de adesivos. Kai achou aquilo estranho. Não via seu pai surfar desde quando tinha uns nove, dez anos? É, por aí.

— Tá precisando de uma, não é? — Sidney falou. — O filho do Zé do material de construção estava vendendo esta — e jogou a prancha para cima de Kai, que teve de se equilibrar para segurar a bicicleta com um braço e o inesperado presente com o outro. Sidney passou pelo portão da garagem e desapareceu varanda adentro. Foi o mais próximo de uma demonstração de afeto por parte do pai que ele recebeu em muito tempo.

— Ainda tenho que pagar o restante do conserto de uma prancha que agora está quebrada — Kai passou as mãos pelo rosto. — Eu sou muito sortudo.

— Fala aí, cara, como você está? — Gabriel chegou falando alto. Kai deu uma checada rápida em seu tronco despido cheio de escoriações e abriu um sorriso fraco.

— Já soube?

— Estava em casa resolvendo umas coisas com Luara quando recebi a mensagem da Gio. Me conta como aconteceu — Gab pegou uma cadeira da mesa vazia ao lado, virou-a ao contrário e sentou-se com o grupo.

— Fui engolido por uma série sinistra. Arthur tentou me avisar para não ir, só que não achei que seria perigoso.

Gabriel segurou a parte de trás da cabeça de Kai com carinho.

— Acidentes acontecem. Mas escutar os alertas dos amigos geralmente nos livra de grandes problemas, Kai. Você recebeu um livramento dos grandes.

Kai assentiu, baixando os olhos.

— Já lavou os ferimentos? Eu trouxe uma pomada antisséptica e alguns esparadrapos. Vou lavar as mãos e já volto para dar um jeito nisso aí — Gab apontou com a cabeça para as costas de Kai antes de se afastar.

— Como você vai participar do campeonato agora? — Íris perguntou de supetão e os olhares denunciaram que ela apenas colocou em voz alta o que já tinha passado pela cabeça de todos.

— Vou dar meu jeito.

— Estamos juntos nessa — Arthur fixou os olhos nos do amigo. — Vamos encontrar uma solução.

Após ter as costas tratadas por Gabriel, tomar o suco de laranja e recontar o infortúnio da tarde a cada curioso que ia à mesa deles, Kai queria ir para casa. Rir da própria tragédia enquanto tudo o que queria era sofrer sozinho estava começando a lhe dar nos nervos. O sorriso já quase não abria e as pálpebras começavam a pesar. Seu corpo parecia ter passado em um moedor de carne.

— Galera, preciso urgente tomar um banho e dormir até amanhã — ele se levantou, e os amigos o acompanharam até a porta da Sunshine, onde foram recebidos pelos primeiros pingos gelados. O céu estava tão escuro que parecia quase noite.

— Eu guardo os pedaços da prancha lá em casa, beleza? — disse Arthur. — Vai ser difícil levar na bicicleta.

— Obrigado. Eu pego depois.

Kai se despediu dos moradores da Praia da Parada e pedalou com Gio para Ponte do Sol. No caminho, a chuva se intensificou. As gotas pareciam pedrinhas lançadas contra a pele deles. Algumas chegaram a incomodar as escoriações de seu corpo. No entanto, o que mais doía não era o lado de fora.

E se Otto tivesse razão? E se ele não conseguisse participar do *Sea Wave*?

Kai tentou analisar suas possibilidades. Comprar outra prancha? Ainda estava devendo o restante do conserto. Pedir uma emprestada? Ervilha só tinha a dele, e as que pegavam poeira na casa de Arthur não estavam nas melhores condições. Caramba, a prancha precisava ter quebrado justo naquele dia? E ainda tinha a permissão que precisava conseguir do pai.

— O tico e o teco estão a todo vapor aí, hein? — disse Gio, quando viraram uma esquina deserta já fora do condomínio.

— Hã? — Kai olhou para ela, parecendo perceber só naquele momento que pedalavam juntos.

— Nada.

Eles permaneceram em silêncio até o portão da casa dela. Gio freou a bicicleta e suspirou. A chuva caindo mais fraca, porém constante.

— Você vai à igreja mais tarde? — perguntou ela.

— Não.

O barulho das gotas despencando dos telhados na calçada faziam o som de fundo.

— Talvez hoje fosse o dia mais propício pra isso.

Kai deu de ombros e não falou nada.

— Deus não ignora o sofrimento, Kai. Ouvir o que ele tem a dizer pode ser uma boa.

Kai teve vontade de rir. Não um riso feliz.

— Tá bom — foi o que respondeu. Logo depois sentiu uma pontada de culpa ao ver os olhos dela baixarem, um pouco tristes.

— Não precisa guardar tudo aí dentro — ela falou num fiapo de voz, apontando para o peito dele. — Você sabe.

Pendendo o corpo, Kai puxou levemente a cabeça de Gio e lhe deu um beijo na testa.

— Eu sei.

17

AS LUZES DOS PISCA-PISCAS enfeitavam muitas casas ao longo das ruas. Melodias natalinas já faziam parte das programações da tevê havia um bom tempo, e nas redes sociais os memes sobre a ceia de Natal rolavam à solta. Kai se sentia um tanto alheio a tudo aquilo. Só se lembrou de que era dia 24 de dezembro naquela manhã. Para muita gente, a véspera de Natal parecia ser uma data singular. Para ele, era só mais um dia.

O relógio marcava oito da noite e sua mãe tinha chegado havia pouco do trabalho. Ela passou a pomada cicatrizante nas feridas das costas e refez os curativos. Kai havia passado um dia difícil consertando janelas no Village. Fazia pouco mais de 72 horas que tinha sido lançado contra as rochas do canto da praia e o incômodo das lesões, que começavam a cicatrizar, só não era maior que todos os medos que rondavam sua mente.

Sua mãe fritou bifes e esquentou o arroz e o feijão. Eles comeram em silêncio — nada novo debaixo do teto da família Fernandes — e Kai decidiu que precisava se livrar de pelo menos um de seus problemas. Conversaria com o pai hoje.

Ele pigarreou.

— Pai.

— Hum — Sidney não estava sóbrio. Mas também não estava embriagado. Assistia à tevê como sempre fazia à noite.

Kai afastou o prato na pequena mesa do canto da sala e mordeu o interior das bochechas, balançando o pé contra o chão. Eva lançou-lhe um olhar de hesitação. Kai desviou do olhar dela e, antes que cedesse à vontade de jogar tudo para o espaço e não falar nada, juntou ar e lançou a coisa toda de uma vez.

— Vai acontecer um campeonato de surfe no próximo fim de semana. Quero muito participar e queria saber se você poderia me liberar do trabalho no sábado. — Kai sentiu o suor brotar na testa, na nuca, nas mãos. Sidney respondeu sem virar o rosto para ele:

— Tá liberado. Pode ir.

Simples assim. Rápido assim. Favorável assim.

Kai piscou algumas vezes. Era aquilo mesmo que tinha ouvido?

— Isso se você conseguir participar com essas costas ferradas.

Aquele era um dos outros problemas.

— B-beleza, então. Valeu. Vou dar meu jeito — ele dividia o olhar entre a mãe e o pai. Sidney continuou fixado na tevê, a mãe parecendo tão surpresa quanto o filho.

Sufocando a vontade de dar um grito, Kai pulou da cadeira e saiu de casa, antes que o homem mudasse de ideia.

— Viu só? Você se preocupou à toa — Arthur jogou um punhado de castanhas na boca. — O Pai sabe como o surfe é importante pra você.

— Não, cara. Meu pai não é como o seu — Kai observou tio Lúcio, ainda sentado na mesa ornamentada em tons de vermelho e dourado na sala de estar. A ceia da família Ferri tinha acabado havia pouco e ele chegou a tempo de fisgar um punhado de bacalhau e pernil assado da vó Dalva. A mistura de aromas natalinos enchia a casa e os parentes de Arthur riam, lembrando histórias antigas da família. Sentado no sofá ao seu lado, o amigo cruzou uma perna sobre o joelho dobrado.

— Eu não estava falando sobre o pai daqui, sabe?
— Ah.
— Jesus diz que até os cabelos da nossa cabeça estão contados. Me diz se esse não é o Deus que se importa? Às vezes a gente pode até achar que não, mas os olhos dele estão sempre voltados pra nós.
— E você não acha isso assustador?
— Na verdade, é o que me traz segurança — Arthur abriu um sorriso terno. — Lembra da mensagem do Gab no luau? *El Roi* significa "Tu és o Deus que me vê".

Não, ele não se lembrava. Mal tinha prestado atenção.

— Nós podemos descansar nessa certeza. Ele é o Deus que nos vê.

Como Arthur conseguia falar com tanta convicção? Kai se sentiu desconfortável.

— Meninos, venham comer mais um pouquinho de sobremesa. Minha torta de bombom está quase acabando! — Vó Dalva chamou e Kai levantou-se, aliviado por se livrar daquele assunto.

Depois de vários pedaços de diferentes doces, sentia como se sua barriga pudesse explodir a qualquer momento. Jogou-se no sofá outra vez, reunindo coragem para ir embora.

— Bora lá na varanda. Quero te entregar uma coisa — Arthur deu um tapa leve atrás da cabeça dele.

— Não pode me entregar aqui, não? — Kai fez uma careta.

— Larga de ser mole. Vem logo — disse e saiu andando, rumo à parte de trás da casa. Kai pressionou as duas mãos sobre os joelhos e, em um impulso preguiçoso, se levantou.

— Vou ganhar um presente de Natal? — perguntou, alcançando Arthur. O celular que estava em sua mão vibrou e a tela acendeu ao seu toque. Era uma mensagem da Chloe. Mais uma. Dentre centenas.

Ei, você não me respondeu! Vai trabalhar amanhã???

Kai ficou um tempo olhando para a tela. Se dissesse que sim, estaria mentindo. Se falasse o contrário, ela arranjaria alguma maneira de se encontrarem. Apertou o botão lateral, apagando a tela, e guardou o celular no bolso. Quando ergueu os olhos, Arthur tinha uma sobrancelha levantada.

— Caraca! — Kai cruzou os braços. — Você é um fofoqueiro mesmo, Arthur.

— Foi meio difícil não ver que todas as notificações estavam no nome da Chloe. O que aconteceu? Perdeu o interesse?

— Credo, falando assim soa um pouco... insensível.

— E desde quando você liga para sentimentalismos?

Kai empurrou o queixo para trás, ofendido.

— Posso não ser o cara mais romântico do mundo, mas não trato as meninas com quem eu saio de qualquer jeito. Eu valorizo os sentimentos delas.

— Valoriza desse jeito? Ignorando todas as mensagens?

Estalando a língua, Kai passou uma mão no cabelo.

— Arthur, ela me envia umas vinte mensagens por dia. Sem brincadeira. Fica me chamando de uns apelidos que... argh. Sem contar que... — Kai hesitou.

— Sem contar que...?

— Ela é cheia da grana — Kai não olhou para ele ao dizer isso. — E eu não posso oferecer muita coisa além de uma casquinha de sorvete.

Arthur ficou em silêncio. O que havia para falar? Era verdade.

— Mas a real mesmo é que aquela empolgação toda de umas semanas atrás foi para o ralo — Kai continuou. — Não sei o que fazer pra dizer que eu não quero mais.

— Sabe, sim — Arthur revirou os olhos. — Esse é o problema de sair beijando quem dá na telha. Você cria intimidade sem profundidade. E depois, quando a pessoa para de te agradar, é só descartar. A questão é: garotas não são brinquedos. E você também não.

— Você tem noção do quanto parece um monge espiritualmente elevado falando isso? — Kai abriu um meio sorriso e colocou a mão sobre o ombro de Arthur. — Relaxa, cara, nós só temos dezessete anos.

— E daí? Isso não muda nada. Não para mim.

Cruzando os braços, Kai estreitou os olhos ao observá-lo.

— Você ainda está com aquela história de encontrar a garota certa pra casar?

— Não achei nada que me fizesse mudar de ideia.

Bem, uma coisa Kai não podia ignorar: a convicção de Arthur era bonita. Algo difícil de ver. Mas... casamento? Fala sério. Bastava olhar para seus pais. Dividir a vida com alguém daquele jeito era deprimente. Kai não era tolo a ponto de não saber que para algumas pessoas essa coisa de relacionamento duradouro e feliz devia existir. Mas eram poucos. Tão poucos que ele sequer conhecia um. Ah, bom, talvez Gab e Luara. Eles pareciam amar um ao outro de verdade.

Arthur falou alguma coisa e saiu. Kai, perdido em seus pensamentos, não prestou atenção. Quando viu o amigo voltar, franziu o cenho. Por que ele tinha uma prancha nos braços? Àquela hora?

— Por que essa cara? Esqueceu que te chamei aqui fora pra entregar um presente? — Arthur deu uma batidinha na plataforma lisa ao seu lado e a estendeu para Kai, que ficou imóvel. Seu coração foi tomado por uma onda de choque. Ele tentava falar alguma coisa, mas as palavras não saíam.

— E-eu... n-n-não posso aceitar — disse, por fim.

— Sabia que você ia dizer isso — Arthur balançou a cabeça, e Kai olhou com um pouco mais de atenção para o suposto presente. E, então, reconheceu.

— Cara, é a sua prancha! — quase gritou. — Agora mesmo que não vou aceitar. Com o quê você vai competir no sábado?

— Eu pego uma das que estão guardadas aqui.

As mãos frenéticas de Kai passavam por sua nuca e ele começou a andar de um lado para o outro.

— Mas aquelas são péssimas! — De repente parou e estendeu uma palma aberta. — Não, Arthur, não me faça aceitar uma coisa dessas. Essa é a sua melhor prancha!

— E esse é o seu sonho — respondeu Arthur, tranquilo.

18

O DESPERTADOR SOOU ÀS 5H45 da manhã, mas Kai já estava acordado desde as 4h. Revirou na cama tantas vezes que se sentiu obrigado a levantar. Tomou um banho demorado, voltou para o quarto e esperou. Após o alarme tocar, não demorou muito para ouvir sua mãe preparando o café na cozinha.

Vestiu uma blusa branca e um short azul-marinho — os mais bem conservados que tinha —, ajeitou a mochila nas costas e saiu do quarto. Ia comer rápido. Ainda faltava um bom tempo para o início do campeonato, mas queria estar lá cedo.

— Oi, filho — Eva colocava a garrafa térmica sobre a mesa. — Já vai sair? Pensei que tivesse dito que sua participação seria às dez.

— Vai ser. Mas quero chegar cedo e acompanhar a bateria antes da minha.

Ela assentiu.

— Deixa eu ver suas costas.

Kai aprumou os ombros e se remexeu um pouco.

— Estão do mesmo jeito que você viu ontem.

— Tem certeza de que vai competir mesmo assim? — O rosto dela exprimia sua preocupação. — Ainda não está cem por cento cicatrizado.

— Está quase. Ontem eu surfei e deu pra suportar.

Está aí uma coisa que tinha aumentado um pouco mais seu nível de estresse com aquilo tudo: ficar a semana inteira sem conseguir entrar no mar. Deixar a água salgada tocar aquelas lesões ainda tão recentes era como ser ferido por uma água-viva. Queimava como fogo. Agora, com a cicatrização mais avançada, ficava um pouco mais fácil. E mesmo que não estivesse, era sua única escolha.

Um estrondo ecoou da varanda, e logo depois Sidney entrou pela porta da cozinha. Alguma coisa havia caído no chão. Provavelmente socada por ele.

— Essa porcaria de carro! — esbravejou. — Kai, você vai ter que ir de ônibus hoje.

— Eu vou de bicicleta mesmo — o pão enchia a boca dele.

— Só se for pra chegar lá amanhã, engraçadinho. Aquele maldito cano estourou outra vez na casa do senhor Alberto. Parece que em dois lugares, ainda por cima. Tá alagando toda a varanda.

Kai jogou o último pedaço do pão com manteiga na boca, sorveu o resto do café e foi em direção à porta. Não estava nem aí para senhor Alberto, canos e alagamentos.

— O Fábio vai passar aqui daqui a pouco, mas o carro dele está sem banco atrás. Encontro você e Jorge lá. Avenida Palmares, número trinta.

Kai parou sob o vão da porta. Demorou alguns segundos para virar para trás. Quando o fez, sentiu como se as batidas do coração estremecessem seu corpo. Seu estômago foi tomado por uma ardência que ia e vinha.

— Eu não vou trabalhar hoje. Tenho o campeonato de surfe. Eu te pedi! V-você deixou!

— Ah, é hoje isso? — Sidney passou a língua por dentro da bochecha, pensando. — Pode ir depois que a gente consertar os canos. Vai dar trabalho aquilo lá. Preciso da equipe toda.

— Não! Você não precisa de mim lá! — Kai gritou. — Eu não posso arriscar chegar atrasado e perder a bateria. Se isso acontecer vou ser desclassificado!

— Que tom de voz é esse? — Sidney empinou o queixo.

As pernas de Kai bambearam. A força parecia estar sendo drenada de seu corpo. *Fica calmo. Esfria a cabeça. Pensa.*

— Que se dane. Eu vou para o campeonato — assim que deu as costas, Kai sentiu uma mão puxar sua mochila para trás. Quase caiu no chão.

— Você. Vai. Me. Ajudar. A. Arrumar. Os. Canos — seu pai rosnou entredentes. — E depois pode sair — ele soltou a mochila com força e Kai cambaleou para a frente. Fábio buzinou e Sidney disse, enquanto colocava a carteira no bolso:

— Vai na parte de trás sem banco mesmo. Entra lá. Agora.

Kai pensou que não chegaria ao Village respirando. A sensação de que uma mão segurava sua garganta parecia sufocá-lo. Os minutos até o condomínio não foram o suficiente para ele processar o que estava acontecendo. Não podia ser real. Pressionou as bases das mãos nos olhos enquanto tentava, em franco desespero, encontrar uma saída. Quando desceu do carro em frente à bela mansão que escorria água pela entrada, seus ombros despencaram.

Não haveria saída.

— Olha ele, veio para o trabalho todo bonitinho — Jorge, que acabava de chegar do ponto de ônibus, caçoou, porém logo franziu a testa. — Ué, você não ia participar de um campeonato hoje?

Kai não disse nada. Guardou a mochila num canto, esperou as instruções do pai e começou a trabalhar como um louco.

O relógio marcava 10h13 quando Kai pulou do ônibus próximo à portaria da Praia da Parada. Correndo como se sua vida dependesse disso — e, de certo modo, dependia —, alcançou a areia lotada. Espectadores, curiosos, surfistas esperando sua vez, canais de tevê. Kai desviou-se de uns, trombou sem querer em outros. Arthur e Ervilha tinham parado de passar informações no grupo havia algum tempo. O celular de Gio dava desligado. *Se a bateria tiver começado com atraso, ainda consigo entrar. Tenho que conseguir.*

Abriu caminho entre mais algumas pessoas e viu a prancha que ganhara de Arthur descansando em um ponto da areia. O amigo havia levado para ele. Kai ergueu os olhos para o mar. Estava acontecendo. Atirou a mochila no chão, tirou a blusa e jogou os chinelos para longe. Já corria para dentro do mar quando chegou o painel de led com o cronômetro perto do palanque dos jurados.

E ele não teria como dizer qual seria a forma menos traumática de saber aquilo, porque talvez ela simplesmente não existisse.

Faltavam dois minutos para a bateria terminar.

Kai despencou sentado na areia, em meio à montoeira de gente que não se importava com sua presença ali. Todas as atenções estavam focadas em Arthur, Ervilha e Otto. Seus três concorrentes de bateria que rompiam as últimas ondas brilhantes com excelência.

O chão pareceu sumir. Kai não escutava nada em volta. Apenas o som oco e melancólico de seu coração batendo nos ouvidos.

Já era. Estava tudo acabado.

— Eu tentei te avisar que já tinha começado, mas meu celular ficou sem sinal — as feições de Gio se contorciam numa mistura de dor e aflição. — Não dá para você entrar?

Kai não precisou responder. Dois toques de sirene anunciaram o fim da bateria. Os músculos do maxilar dele saltaram.

— Eu não acredito que você não conseguiu chegar a tempo! Seu pai é horrível! Como pôde fazer uma coisa dessas? — Íris chegou falando quase sem respirar. — Seus cartazes estavam prontos — ela apontou para seu grupo de amigas segurando cartolinas com os nomes de Ervilha e de Arthur. Gio pigarreou.

— Ele não tinha deixado você participar? Por que voltou atrás logo hoje?

Gio pigarreou mais alto.

— Estou indignada!

— Já deu para perceber, Íris — Giovana endureceu a voz.

— Se meu pai fizesse um negócio desses, eu não sei o que eu faria...

— Não sabe mesmo, porque não é você que está passando por essa situação — Gio cruzou os braços. — Acho que suas amigas estão precisando de você.

Íris olhou para Kai mais uma vez e, antes de sair, abaixou e deu-lhe um beijo na bochecha. Ele continuou imóvel, assim como havia ficado durante a conversa das duas.

Seu peito ardia. As costas doíam com a tensão que aguentou sobre elas até chegar ali. E a única coisa que ressoava em sua mente, num tom repetitivo e irritante, era o doloroso *"Por quê?"*. Um bolo começou a subir pela garganta, incomodando, querendo arder-lhe os olhos. Kai o obrigou a descer outra vez.

Arthur e Ervilha deixaram a água e correram até eles puxando o ar. Ervilha tinha se classificado junto com Otto para a próxima fase.

— Parabéns, cara — Kai cumprimentou-o antes que falassem qualquer coisa. — Era para ter sido vocês dois. Aquele mané teve sorte.

— Só porque você não estava competindo — Arthur abraçou Kai com força, a água gelada ainda pingando. — Sinto muito.

— Hoje o mar está do jeito que você gosta — Ervilha passou o braço pelo pescoço dele. — Você teria dado um show.

Kai mirou a areia remexida em seus pés e Gabriel apareceu, com a face dividida entre alegria por Ervilha e pesar por Kai e Arthur.

— Vi quando você chegou — disse ele, pressionando os lábios em compadecimento. — Queria muito que tivesse tido a chance de participar.

Ninguém falou nada por um tempo e o constrangimento começou a crescer. Parecendo perceber isso, Gab chamou todos para um lanche na Sunshine. Tudo por conta da casa. E alguns sorrisos finalmente apareceram.

No caminho arenoso, Gio e Ervilha andavam na frente, enquanto Kai e Arthur iam atrás. Quando passaram em frente ao palanque, ele avistou um conhecido cabelo loiro se mexendo sem parar. Chloe dava pulinhos curtos, animada, e jogava os braços ao redor do pescoço de Otto. Quando avistou Kai, empinou o queixo e abriu um sorriso de canto, encarando-o, ainda agarrada ao garoto.

— Pelo jeito alguém terminou o quase-namoro — Arthur comentou.

— E a fila andou rápido.

Os dois caminharam em silêncio por mais alguns segundos, e Chloe evaporou da mente de Kai tão logo ele colocou os olhos no céu.

— Arthur? — chamou de repente.

— Hum? — o amigo ergueu a cabeça.

— Você disse que Deus sabia como esse campeonato era importante para mim, né? — Kai colocou a mão que não segurava a prancha no bolso.

Arthur balançou a cabeça, concordando.

— Acho que você estava errado.

— Não ter acontecido como a gente queria não quer dizer que ele não se importe.

Kai soltou um "Hã" e respirou fundo, continuando o caminho até a Sunshine sem falar mais nada.

19

KAI BATEU A ÚLTIMA MARTELADA e soltou um longo suspiro. Mais um dia exaustivo de trabalho havia terminado. O último do ano, no caso. Ele tinha a impressão de que todas as casas do Village haviam resolvido dar algum problema por aqueles dias. Andava trabalhando como um condenado. Seu cansaço só não era maior que seu silêncio.

— Finalizou aí? — Sidney deu um grito.

Kai fechou a caixa de ferramentas. Todas as ripas do deque da piscina danificadas por uma briga no dia anterior haviam sido trocadas. *Tudo pronto para os mauricinhos quebrarem de novo quando ficarem bêbados na virada do ano.*

Ele se levantou. Não via a hora de entrar debaixo de um chuveiro.

— Jogou os entulhos na caçamba da frente da casa? — o pai questionou de novo.

Kai fez um movimento positivo com a cabeça.

— Está dispensado.

Colocou a mochila nas costas e saiu como fazia em todos os momentos em que estava com o pai desde o dia do campeonato: sem mencionar uma única palavra.

— Quando você vai voltar a agir normal, cara? Todo dia parece que um marimbondo mordeu você — Jorge o alcançou antes que ele chegasse à calçada.

— Estou agindo normal — aquele era o novo normal.

— Tá bom — Jorge riu.

Kai foi embora e, antes que chegasse à portaria do condomínio para pegar o ônibus, a velha Brasília branca passou por ele, com Jorge e Fábio dando um breve aceno.

— Tem certeza de que não quer uma carona? — perguntou seu companheiro de trabalho, do banco de trás.

Ele negou com a cabeça e viu seu pai olhá-lo de esguelha.

Nunca mais entro nesse carro.

As luzes explodiam no céu negro numa miscelânea de cores resplandecentes e vibrantes. Uivos agudos sucediam os estrondos, hipnotizando toda a praia. A noite de réveillon sempre trazia centenas de pessoas para a orla. Uma multidão cheia de risos, sonhos e aspirações positivas para o ano seguinte. Tudo tão distante do que Kai sentia. O futuro agora tinha adiante uma cortina escura e pesada, como se nada bom pudesse sair de trás dela.

— Feliz ano novo!

Kai olhou para trás. Giovana se equilibrava pelas fissuras e ondulações da parte baixa do rochedo do canto da praia. Ela vinha da areia, onde ali perto acontecia o luau da virada da igreja. Kai percebeu que os pais dela a observavam de longe.

— Seus pais estão olhando — informou ele.

— Eu avisei que vinha falar com você. Que, a propósito, está parecendo um tanto depressivo sentado nessa pedra sozinho na hora da virada. Está perdendo toda a festa.

— Não tenho muita coisa pra comemorar.

Ele olhava para o mar, que ainda recebia o reflexo de alguns fogos de artifício retardatários. Giovana sentou ao seu lado, assistindo ao espetáculo de cores.

— A vida nem sempre é generosa com a gente. Mas Deus é — Gio colocou os antebraços sobre os joelhos dobrados. — E ele continua no comando de todas as coisas.

Mesmo hesitante, entendeu o silêncio de Kai como um aval para continuar.

— Acho que uma das formas que o Senhor usa para dizer "ei, eu cuido de tudo, nada foge das minhas mãos" é tirar o controle das nossas. Ou o que achamos que é controle. — Ela suspirou e os dois ficaram um tempo olhando para as ondas que batiam com tranquilidade. — As nossas dores e dificuldades nunca são para nada. Elas têm um propósito, nos ensinam algo.

Kai riu. Um riso abafado e nervoso.

— Eu não quero aprender nada, Gio — abriu as mãos, seu rosto ficando carmesim. — Eu só quero viver a minha vida, aproveitar minhas oportunidades, chegar aonde sempre sonhei. Mas parece que a cada dia isso fica mais impossível!

Gio baixou os olhos para as unhas azul-bebê.

— Desculpa — Kai pediu. — É só que... minha vida é uma droga. E eu acho que Deus não está nem aí pra isso.

Arthur se aproximou acompanhado de Ervilha.

— Querem picolé? Tem um isopor cheio no luau — disse, estendendo um para cada e sentando-se ao lado de Gio. — Feliz ano novo.

Eles trocaram felicitações e ficaram ali por um tempo, rindo de alguma besteira que Ervilha tinha falado. Enquanto faziam isso, Kai se permitiu rir um pouco. A primeira vez desde o dia do campeonato.

20

O VENTO CORTAVA O ROSTO de Kai com suavidade. Nada comparado ao que se passava em seu interior — uma terrível sensação de perda pulsante, contínua. Já fazia cinco dias e aquilo não passava.

Não queria ter saído de casa. Tudo que planejara para o primeiro dia do ano envolvia cama, filmes e comida industrializada para curtir a fossa com alguma distração fútil. No entanto, a voz imperiosa de Giovana ao telefone não lhe deixou opções. Eles deveriam se encontrar às nove da manhã na praia.

Quem marcava alguma coisa às nove da manhã do dia primeiro de janeiro?

Kai deixou a bicicleta na casa de Arthur e seguiram para a orla. Lá encontraram Ervilha com um olhar melancólico voltado para o palco do *Sea Wave*. A estrutura continuou montada para o ano-novo. Seu peito se remexeu, com incômodo, ao observar o palco. Como era ver seu sonho sendo arrancado de suas mãos a apenas alguns centímetros de alcançá-lo? Cada vez que a lembrança do último sábado invadia sua mente era como se bebesse um gole de chá de boldo.

— Era pra ter sido nós três ali em cima — Kai apertou a aba do boné preto que fazia sombra em seu rosto e tentou não pensar muito naquilo.

— Olha o tamanho dessas ondas — Ervilha resmungou. — O mar estava exatamente assim na final. Até nisso aquele infeliz do Otto teve sorte.

Kai retesou o maxilar. Ainda era difícil lembrar que o primeiro lugar no pódio tinha sido dele.

Os três começaram a caminhar pela areia rumo ao local de encontro marcado por Giovana. O clima estava tão pra baixo que pareciam participar de um cortejo fúnebre.

— Vocês sabem o que a Gio está aprontando? — perguntou Arthur. — Ela não quis me dizer de jeito nenhum.

— Nem pra mim — replicaram ao mesmo tempo os outros dois enquanto o rosto deles adquiria uma expressão confusa.

— Vó?! — Arthur fez uma careta. — Naná?!

— O que elas estão fazendo aqui? — questionou Ervilha.

Quase em frente ao posto dos salva-vidas, à beira d'água, Gio conversava com vó Dalva e um homem desconhecido. Naná batia os pés na água próximo a eles. Atrás deles, havia uma canoa atracada.

— Olá, meus meninos! — os olhos de Dalva brilharam.

Os três olhavam para a cena com estranheza.

— Oi, Kai! Oi, Ervilha! — Naná se colocou na frente deles com o sorriso banguela à mostra.

— E aí, princesinha — Kai abaixou e apertou o nariz dela.

— Oi, vó. O que... — Arthur nem sabia ao certo o que perguntar.

— É tão estranho assim que a sua velha participe de um passeio com seus amigos? — ela sorriu. — Venham, conheçam o Laércio.

O homem grisalho meio amarrotado cumprimentou cada um com um chacoalhar de mãos. Seu cabelo ia até o ombro e a barba parecia estar por fazer havia meses.

— Acho que vocês vão gostar da ilha. Com esse sol bonito vai dar para aproveitar bastante — disse ele.

— Que ilha? — perguntou Kai.

— Apoema, ora essa. Em qual outra eu moro? — O velho deu uma risada.

Kai estreitou os olhos para Gio.

— Surpresa! — ela inclinou o rosto, sorrindo. Os meninos começaram a falar todos ao mesmo tempo.

— Calma, gente — Dalva interveio com uma risada. — Laércio é meu amigo de anos. Quando Gio comentou sobre o desejo de vocês de conhecer a ilha, logo pensei nele.

—Achei que estavam precisando de um pouco de distração e alegria — disse Gio. — Não queriam visitar Apoema?

— Minha nossa! Você se superou, Giovana — Kai enlaçou os ombros dela de lado.

— Vamos logo — ela se soltou dos braços dele e entrou na canoa. — Quanto antes a gente for, mais tempo teremos para curtir a ilha.

Os outros subiram, eufóricos, parecendo esquecer a derrota no campeonato. Laércio deu alguns tapas na proa antes de ligar o motor da canoa cor de abóbora bem conservada. A embarcação não era grande, mas comportava quatro duplas sentadas em fila. Kai sentou ao lado de Gio, que usou a parte debaixo do assento livre da frente para guardar uma mochila, uma bolsa com suprimentos e uma espécie de kit de sobrevivência.

— Tem repelente, curativos, antisséptico que não arde... — Antes que ela terminasse de narrar os intermináveis artigos de primeiros socorros que havia em sua bolsa, eles ouviram um grito fino vindo da praia. Todos olharam para trás.

— Ei, aonde vocês estão indo? — Íris apareceu quase sem ar. Havia corrido muito rápido, pelo jeito.

— Em nenhum lugar que te interesse — Ervilha cortou a irmã.

A garota parou com as mãos na cintura, ofegando.

— Vocês vão a alguma ilha?

— Para Apoema — respondeu Arthur.

— Eu também quero ir!

— Não, Íris, que saco! — Ervilha respondeu, e Íris baixou os olhos. Ela tinha no ombro uma bolsa de juta gorda, que indicava estar pronta para um acampamento.

— Como ela sabia que a gente ia...? — Gio pareceu pensar alto. Ela olhou para o céu e suspirou. — Pode vir com a gente, Íris. Tem lugar aqui na frente.

Íris ergueu os olhos soltando faíscas e entrou na canoa com a ajuda contrariada do irmão. Giovana se levantou para ela passar ao assento vazio da frente, mas Íris parou ao lado de Kai e ali sentou. Gio ficou alguns segundos fitando-a, quase sem piscar. Íris colocou os óculos escuros e sorriu:

— Ah, eu morro de medo de ficar sozinha em barcos. Você não se importa se eu ficar ao lado do Kai, não é?

Ervilha, do banco de trás, soltou um suspiro. Giovana apenas virou e ocupou o assento da frente. Kai sabia que a amiga tinha medo de água. Teve vontade de ficar ao lado dela. Mas e a Íris? Talvez a situação ficasse ainda mais desagradável se ele a deixasse. Acabou permanecendo no mesmo lugar, e à medida que a canoa cortava o oceano viu Giovana abraçar o próprio tronco como se ela mesma fosse um bote salva-vidas.

O coração dele apertou. Kai estendeu a mão para a frente e, com cuidado e ao mesmo tempo firmeza, segurou a dela, para que soubesse que ele estava ali. Giovana ficou alguns segundos rígida, mas logo seus ombros relaxaram e ela apertou a mão dele em resposta.

E assim navegaram até Apoema, sob um céu pincelado pelos rastros de nuvens, como uma pintura aquarelada sobre uma tela azul-claro.

21

PRAIA DA PONTA, QUE TINHA ESSE nome por estar localizada em um dos extremos da ilha, era para onde Laércio direcionava a canoa cor laranja. Conforme se aproximavam, as águas ficavam mais tranquilas e cristalinas. O verdume das árvores no interior da ilha se adensava, como que protegendo aquele pequeno pedaço de areia.

Kai inspirou. Era bom estar ali de novo.

— Hoje vou colocar água no feijão — Laércio pulou da canoa e começou a prendê-la em um pequeno píer próximo às rochas no canto da praia.

— Não se preocupe conosco. Eu trouxe lanche — Gio sorriu para o homem e soltou a mão do Kai. — Esses caras aí acabariam com o seu feijão.

— Mas se o feijão acabar é porque muita gente comeu. E se muita gente comeu significa que eu não estava sozinho.

Os olhos de Gio, de repente, ficaram rasos d'água.

— Não costumo receber muita gente, mas Dalva disse que íamos fazer uma garotada sorrir.

O homem foi ajudando as meninas a descerem, enquanto os garotos, sem cerimônia, pularam nas pedras e seguiram para a areia.

— Mora mais alguém aqui além do senhor? — Kai observou as duas casas construídas entre a mata e a areia. Apenas uma tinha a porta e as janelas abertas. Um pequeno casebre com paredes brancas e janelas azul-claras.

— Só gente que vem passar temporada. Devem chegar em breve para as férias de janeiro. Fora isso, de vez em quando surgem alguns aí para acampar. Geralmente são pessoas direitas. Mas a verdade é que, se não fosse por minha causa, isso aqui estaria abarrotado de gente de dinheiro — ele contraiu os olhos e bufou. — Mais de uma vez alguns pistoleiros apareceram querendo...

— Você pescou hoje, Laércio? Vamos lá temperar alguns peixes — Dalva colocou a mão no ombro do compadre e seguiram para o casebre.

Gio e os meninos se entreolharam.

— Eu disse que trouxe lanche — ela quicou os ombros, por fim.

As próximas horas se passaram entre mergulhos, "brigas de galo" na água e um almoço caiçara digno de *chef* preparado por Dalva e Laércio. Eles comeram do lado de fora da casa, em volta da mesa de madeira feita pelo pescador, sentindo a brisa e, vez ou outra, até respingos do mar. O aroma de coentro e salsinha que emanava do cação cozido ainda pairava no ar quando Kai foi lavar as mãos em uma pequena pia na parte de trás da casa. Ao contemplar todo aquele emaranhado de árvores e vegetação que serpenteava ao longo da areia, percebeu uma estreita trilha que desaparecia mata adentro.

— Senhor Laércio? — chamou.

— Senhor é coisa de gente velha, meu filho. Pra vocês é só Laércio — o homem se aproximou com o sorriso aberto. — Diga.

— Quando eu era pequeno lembro de ter vindo a uma praia pequenininha aqui em Apoema que quase não tinha areia. Era cheia de rochas. Acho que nunca vi uma água tão clara quanto a que havia lá.

— Ah, claro. Você deve estar falando da Prainha. Tudo que ela tem de minúscula, tem de bonita.

— É muito longe daqui?

— Vinte minutinhos por essa trilha — Laércio apontou para o caminho dentro da floresta. — Vale a pena tirar umas fotos.

Meio minuto mais tarde Kai estava diante da mesa, chamando os amigos para irem até lá.

— Não sei se é uma boa ideia — Dalva pressionou os lábios em uma linha fina. — Não é melhor você ir com eles, Laércio?

— Ele disse que é uma trilha supertranquila — Kai não esperou o homem responder. — Que perigo poderia haver aqui, vó?

Laércio meneou a cabeça, concordando, enquanto sorvia uma xícara de café.

— Eu quero ir! — Naná cruzou os braços, fazendo um biquinho matreiro.

— De jeito nenhum. Esse negócio de trilha não é para idosas e crianças — Dalva puxou a menina para seu colo.

— E eu ficarei aqui para fazer companhia a vocês — Laércio depositou a xícara sobre a mesa. — Deixa a moçada curtir, Dalva. A gente já foi jovem um dia, em busca de aventuras e histórias pra contar.

Ela liberou um suspiro pesado. Kai, Ervilha e Arthur viraram-se para vó Dalva com olhares suplicantes.

— Tudo bem — decretou, por fim. O frenesi que tomou conta dos meninos logo foi interrompido por Íris, que mordiscava o canto do polegar:

— Será que não tem muito bicho nesse mato?

— Só uma sucuri ou onça-pintada, talvez...

Íris arregalou os olhos.

— Para com isso, Ervilha. Assim ela não vai querer ir — Kai circulou o pescoço da garota. — Vai ser fácil, você vai ver.

— Então vamos logo — Gio colocou sua mochila nas costas.
— Espero que não precisemos usar meu kit de sobrevivência.

A areia branca e fina logo deu lugar à terra escura e batida no estreito caminho entre as árvores. Troncos de todo tipo e altura os cercavam formando um longo corredor. No alto, entre as folhagens, nuvens brancas moviam-se preguiçosamente pelo céu azul.

— Falta muito pra chegar? — perguntou Íris, cujo silêncio até ali denunciava seu estado de alerta. Os outros pararam de conversar, como se só naquele momento tivessem se dado conta de que ela também estava na trilha.

— Laércio disse que eram uns vinte minutos — Kai puxou uma raiz alta que atravessava o caminho, jogando-a para o lado.

— Parece que estamos andando bem mais que isso — disse Arthur, erguendo as sobrancelhas suadas.

— Quinze minutos a mais, para ser exata — Gio dobrou o pulso, fitando o relógio.

— Você está marcando o tempo? — Ervilha franziu o cenho.

Gio apertou os lábios e quase trombou em Kai, que estava a sua frente e parou de forma abrupta.

— Ai! Que foi? — ela ergueu os olhos e não precisou de uma resposta.

Os cinco emudeceram. A mata, em todo seu verde imponente, se fechava diante deles. A trilha havia acabado.

— Assim, sem mais nem menos? — Ervilha abriu os braços.

— Não era para, teoricamente, o caminho dar na praia? — Arthur coçou a cabeça.

— Que droga. Era... — Kai deu uma volta, olhando para todos os lados.

— Em qual parte da ilha fica a praia? Se for para o continente é sentido oeste, se for para o oceano é na direção leste — Arthur ergueu os braços, apontando.

— Eu não lembro — respondeu Kai.

— Ótimo, então vamos voltar — Íris virou-se, deu dois passos e parou. — Gente?

Os outros quatro se entreolharam em um entendimento súbito. Havia ali uma cumplicidade muda, uma decisão que não exigia palavras.

— Vocês topam? — Kai tirou o boné, ajeitou o cabelo para trás e recolocou o acessório com um sorriso de expectativa no rosto.

— Já que chegamos até aqui... — disse Ervilha. — Quem sabe não repetimos a dose das férias de julho?

— Naquele dia a gente se virou superbem — Arthur sorriu e os três colocaram os olhos sobre Gio.

— Vocês vão saber voltar?

— Olha com quem você está falando, Giovana — Kai puxou os dois amigos pelo pescoço. — Lá no sertão de Ponte do Sol descobrimos uma cachoeira espetacular, não foi? Quem sabe o que a gente pode encontrar por aqui?

Os olhos de Gio brilharam. Um brilho que remeteu a seis meses antes, ao dia em que acamparam com o grupo de adolescentes da igreja. Alguns deles — os quatro incluídos, claro — acabaram descobrindo um caminho alternativo dentro da úmida floresta daquele inverno gelado e depararam com uma cachoeira que Kai considerou a mais bonita que já tinha visto.

— Vocês estão se esquecendo da bronca que receberam do Gabriel depois do que fizeram naquele dia? — Íris estava com as mãos na cintura e o tronco projetado para a frente.

— Ele pode até ter brigado — começou Ervilha —, mas na manhã seguinte levou toda a galera para a cachoeira que descobrimos.

— E nosso afastamento do grupo não foi intencional — justificou Gio. — Gab permitiu que a gente fosse ao campo das orquídeas. A cachoeira era perto de lá.

Os meninos retomaram a caminhada e ela se voltou para Íris, que assistia a tudo como se fosse uma cena de filme de terror.

— Você vem?

— Ir pra onde, gente? Vocês têm o que na cabeça? Eu é que não vou me embrenhar dentro dessa mata para procurar essa praia.

— Então volta para a casa do Laércio. Pronto — disse Ervilha.

Gio suspirou e encarou Íris com bondade:

— É só ter um pouco de senso de aventura.

— Me admira você, toda certinha, topar uma coisa dessas.

— Giovana gosta de aventura, mas com responsabilidade — Kai sorriu. — A mente dela já traçou várias possibilidades de perigo e descartou a maioria, por isso topou fazer isso.

Gio voltou os olhos surpresos para Kai e um sorriso sutil brotou em seus lábios.

— Se dentro de meia hora não tivermos achado a praia, a gente volta para a trilha. Combinado? — ela propôs, virando-se novamente para Íris, que com um suspiro de rendição acompanhou o grupo mata adentro.

22

VINTE MINUTOS APÓS TIRAREM zerinho ou um e o lado leste vencer, eles pararam para descansar. Kai, com o corpo escorrendo suor, bebeu um gole d'água e jogou o que restou na garrafinha sobre o peito sem camisa.

— Nossa água está acabando, Kai. Só tem mais meia garrafinha agora — Gio reclamou ao ver o líquido escorrer pelo tórax bronzeado dele. Ela desviou o olhar.

— Sério? Pô, foi mal! Não sabia que tinha pouca água assim.

— Se você tivesse trazido uma garrafa para uso próprio... — ela murmurou.

— Vocês sabem que, quanto mais longe a gente for, mais longe vai ser para voltar, certo? — Íris abriu um pacote de batata chips, o rosto ruborizado pelo calor.

— Por que você topou vir se ia ficar reclamando o tempo todo? — Ervilha enfiou a mão no pacote de batatas da irmã e encheu a boca.

— E eu ia ficar na ilha olhando para a cara de dois idosos e uma criança que eu mal conheço? — Íris mexeu o pescoço e jogou uma batata na boca. — Desculpa aí, Arthur.

Ele assentiu.

— Devemos estar quase lá. Não há tantas praias nesta ilha e ainda não encontramos nenhuma.

Kai deu uma mordida em um dos sanduíches de frango com cenoura que Giovana havia levado e chamou os outros para continuarem. Tudo parecia tão verde e tão longe da vida humana. Não que isso o incomodasse. Kai amava esse contato direto com a natureza, o ar puro penetrando cada um de seus poros. Contudo, Giovana estava ali. E Íris também. Nas férias de julho foram menos de trinta minutos de aventura, desta vez já quase passava de uma hora. Talvez Íris tivesse razão e fosse hora de voltar.

— Vocês ouviram isso? — Giovana ergueu a cabeça, tentando identificar de onde vinha o som.

— Agora ouvi! — Íris gritou e algo se movimentou numa árvore, fazendo barulho entre as folhagens. Todos olharam para cima a tempo de ver dois pares de asas pretas se baterem e tremularem entre os troncos, cortando o ar como em uma dança ensaiada.

— Uau! — Arthur mantinha a boca aberta ao observar as aves indo e vindo e soltando uma série de grunhidos irregulares, presenteando-os com uma apresentação particular.

— São tucanos? — Ervilha também não conseguia desviar os olhos do espetáculo.

— São araras vermelhas, não está vendo? — provocou Íris.

Kai não conseguiu conter o impulso de revirar os olhos. Quando olhou para o lado, percebeu que Giovana fazia o mesmo. Os dois sorriram.

— Mais umas oito implicâncias até a gente voltar para casa hoje. Aposta? — ela sussurrou pendendo o rosto na direção dele.

— Você está sendo boazinha. Não chuto menos de quinze.

Soltavam um riso abafado quando um estrondo ecoou pela mata fazendo os pássaros baterem em retirada. As meninas se sobressaltaram, os gritos estridentes ressoando através das árvores.

— O que foi isso? — toda a cor foi drenada do rosto de Giovana.

— Definitivamente não veio de nenhum pássaro — o coração de Kai estava aos pulos.

— E de nenhum outro animal — Arthur deu alguns passos à

frente dos outros, seguido por Kai, e mais um estampido irrompeu no ar. Íris se encolheu e foi abraçada pelo irmão. O grupo parou, alerta.

— Gente, não é melhor voltarmos? — a voz de Íris saiu num fiapo.

— Desta vez eu sou obrigada a concordar com a Íris — Giovana falou baixinho, o suor escorrendo pelas têmporas. — Isso tá estranho demais.

— Parece que jogaram uma bomba aqui perto. Duas vezes.

— Vira essa boca pra lá, Ervilha! — Giovana reclamou. — Você não sabe se foram bombas.

— Por isso eu falei "parece".

— Psiu! — Arthur colocou o dedo indicador sobre os lábios e recomeçou a andar, pé ante pé, em direção ao local de onde vieram os estrondos. Kai e Ervilha o seguiram.

— Ei! Aonde vocês vão? — Gio grunhiu entredentes.

— Esperem aqui, vocês duas. Vamos um pouco mais adiante pra tentar ver alguma coisa — Arthur virou-se para elas e, em seguida, continuou a andar. Íris e Gio se olharam por um instante.

— Eu que não vou ficar aqui.

— Eu também não.

E foram atrás deles.

Andando como se a qualquer momento o Godzilla pudesse aparecer, os cinco não trocavam palavra. E assim permaneceram quando viram, por entre as árvores ao longe, um edifício amplo com colunas em mármore, telhado branco tomado por placas de energia solar e homens desenrolando pedaços de grama sobre boa parte da área externa. Algumas escavações num ponto mais distante do terreno pareciam indicar a construção de piscinas. O mar dançava tranquilo numa praia cheia de coqueiros em frente à construção.

— Minha nossa! — Kai foi o primeiro a falar.

— "Quem sabe o que a gente pode encontrar", hein? — Gio levantou as sobrancelhas.

Kai riu, inclinando levemente a cabeça.

— Bem, isso aqui... Isso aqui não vamos poder anunciar aos quatro cantos como fizemos com a cachoeira.

— Por que não? — Íris sacou o celular do bolso e ergueu.

— Ei, guarda isso — Ervilha colocou a mão sobre o aparelho da irmã, apontando para a esquerda, onde havia uma placa estampada com a cabeça de um cão bravo sob a qual se lia em letras garrafais PROPRIEDADE PARTICULAR. Os símbolos de um celular e de uma câmera fotográfica cortados por dois riscos figuravam ao lado das letras.

— Quem se importa se eu tirar uma foto? Eles nunca vão saber — Íris guardou o celular.

— Aquela placa existe por um motivo — Giovana parecia pensativa.

— Aquelas — avançando um pouco mais, Arthur percebeu que havia outros avisos presos a uma cerca fina, produzida com material quase transparente. O ruído de homens trabalhando era abafado pelo vento que balançava as árvores e pelo vaivém manso e constante das águas do mar.

— Olhem de onde vieram as explosões! Estão detonando rochas — Kai apontou ao longe, onde alguns homens carregavam carrinhos de mão cheios de restos de pedra.

— Devem ter usado dinamite, por isso os estrondos — explicou Arthur, dando pequenas olhadelas ao redor. — O que será isso? Um resort?

— É o que parece — Ervilha se abaixou próximo à cerca. — Mas por que não podemos tirar fotos? Esse tipo de negócio gosta de visibilidade.

— Isso tudo tá muito esquisito — Kai semicerrou os olhos, juntando-se a Ervilha perto da cerca. Os outros também ficaram ali, abaixados, espreitando o monumento diante deles. — Cuidado! Tem um cara olhando pra cá.

Eles quase se jogaram no chão, o medo de serem vistos pulsando no peito.

— Gente, por que não vamos embora? — Íris choramingou.

— Nós vamos — Arthur esticou um pouco o pescoço. — O homem não está mais olhando — ele fez um sinal com a cabeça para Kai no momento em que uma movimentação diferente lhes chamou atenção.

— Gente, gente — Kai falou. Os outros se amontoaram para tentar ver. Dois homens trabalhavam no jardim em frente à mansão, que agora recebia na varanda várias caixas trazidas de outro ponto da propriedade.

— O que será que tem lá dentro? — Os olhos de Kai mal piscavam.

— Deve ser alguma coisa frágil. Eles não estão empilhando as caixas — Arthur observou.

— Pode ser, sei lá, louças para decorar a mansão. Gente rica tem dessas coisas.

— Não, Íris. Aquelas caixas parecem estar sendo separadas para sair da mansão, não entrar nela — disse Giovana.

Kai olhou para Arthur e não precisou falar nada. Com um aceno de cabeça, os dois se distanciaram dos outros e caminharam com as costas encurvadas até bem próximo da cerca.

— Ei, não façam isso. Vocês vão ficar muito expostos! — Gio sussurrou o mais alto que conseguiu.

Kai e Arthur seguiram em frente. Do ponto em que pararam, era possível ver com mais clareza o que acontecia na enorme varanda. *Tique-taque*. O relógio de pulso de Arthur parecia em compasso com os ritmos da floresta. *Tique-taque*. Os homens traziam mais caixas. Pernilongos começaram a azucriná-los. *Tique-taque*. Kai coçava o braço, onde havia levado uma picada.

— Por que não vamos lá como quem não quer nada e perguntamos o que é esse lugar? — Íris cochichou. — Somos apenas turistas e aventureiros curiosos.

— Para quem há meio minuto estava doida para ir embora, até que você está bem corajosa — disse Giovana.

— É que eu pensei bem e du-vi-do encrencarem com cinco adolescentes com a cara da inocência como a gente.

Ervilha gargalhou.

— Olha a inocência gritando na cara desses moleques!

Os outros soltaram um psiu desesperado.

— Foi mal! — ele ergueu as mãos abertas na altura dos ombros.

Um homem com a barba meio grisalha abriu uma das caixas.

— Finalmente — Kai murmurou.

Em poucos segundos, uma coisa miúda e preta surgiu nas mãos do homem. Os meninos semicerraram os olhos, tentando enxergar o que era. No entanto, não precisaram de muito mais esforço quando a pequena massa foi erguida e um enorme bico protuberante e colorido surgiu, abrindo-se logo em seguida para lançar um guincho agudo. O peito de Kai retumbou com força. Aquele canto emitido pela ave não parecia exultante como o que ele e os amigos ouviram alguns minutos antes. Agora, soava tão... triste.

— Aquele tucano é igual aos que vimos — disse Arthur, o timbre carregado de tensão. — Olha como o bico é mais colorido que o normal.

A mente de Kai estava a mil por hora. Os olhos fixos procuravam por respostas.

— É uma espécie rara.

Um ruído fez os dois olharem para o lado. O som de passos sobre folhas e vozes abafadas ficava cada vez mais próximo. Kai indicou com a cabeça alguns troncos mais robustos na parte posterior. Evitando até respirar para não fazer barulho, eles se posicionaram no novo lugar. Não demorou muito e viram dois sujeitos caminhando próximo à cerca. Kai virou a orelha no sentido do vento, tentando captar algo.

— ... Sair no domingo... Dois já morreram.

O outro homem falava muito baixo.

— Eu sei que tem o risco de outros morrerem...

Kai fechou um pouco os olhos, como se isso fosse ajudá-lo a escutar melhor.

— ... Só tem como ser domingo... o problema no motor do barco... e é melhor para despistar... pela manhã.

Kai segurou o ar e virou-se para Arthur. Ele estava um pouco distante, as pupilas do tamanho de bolas de gude. Não conseguiram escutar mais nada. Os homens haviam abaixado ainda mais o volume da voz. Passados alguns minutos, Kai olhou para cima, mas não os viu. Apontou para onde estavam os amigos e ele e Arthur voltaram, pé ante pé.

— Isso é mais cabuloso do que eu havia pensado — Kai passou o dedo indicador na testa para limpar a transpiração. Ele e Arthur já estavam quase alcançando os outros quando olhou para trás e de repente se jogou no chão, arranhando o peito nu na terra quase preta. — Abaixem! Abaixem! — ordenou com pressa, num sussurro gritado. Os outros se abaixaram de imediato e Gio colocou uma mão sobre a boca de Íris, abafando o grito da menina.

Com gotas de suor brotando por todo o corpo, o coração de Kai parecia um carro desgovernado. A alguns metros dali, os dois sujeitos que eles ouviram conversar havia pouco seguravam pistolas apontadas em direção à floresta.

— Você viu? — Kai apenas movimentou os lábios. Arthur, que estava deitado atrás de uma sequência de bananeiras, o rosto vermelho, atento, moveu a cabeça para cima e para baixo.

Olhando para os lados e para trás, Kai pensava no que fazer. Ervilha estava próximo às meninas e Giovana havia passado o braço pelas costas de Íris, confortando-a. O terror refletido nos olhos dos amigos decerto também refletia nos seus.

Passados alguns minutos, que mais pareceram horas, em que o ar pairava sobre eles como uma massa pesada, Kai percebeu um movimento pelo canto do olho direito. Era Arthur tentando chamar sua atenção.

— Vou levantar. Fica ligado — ele moveu os lábios outra vez. A certa distância deles, Giovana tinha o rosto quase púrpura tentando, através das expressões, dizer a Arthur que não fizesse aquilo. Mas eles ficariam ali por mais quanto tempo? O ato de coragem precisaria vir de alguém. E ninguém tinha dúvidas de que viria de Arthur.

No momento em que o amigo se levantou, gotas começaram a acertar as folhas, fazendo pequenos sons ocos reverberarem por entre as árvores. Ainda não completamente de pé, Arthur espreitou e voltou-se para os outros com uma feição aliviada.

— Vamos aproveitar o barulho da chuva para sair — ele ordenou, e todos o seguiram, pisando com agilidade e cautela.

— Eu acho que... que escutei alguma coisa — a voz de Gio saiu entrecortada.

No momento em que Kai esticou o pescoço para observar ao redor, uma fala distante se fez ouvir:

— Vai por aí que eu vou por aqui.

Os pelos dos braços dele se arrepiaram.

— E agora, a gente se esconde de novo? — O rosto de Ervilha se contraiu em desespero.

Kai respirou fundo e respondeu:

— Corram!

23

SEM SE PREOCUPAREM COM o barulho produzido pelos passos velozes, espantando pássaros e ressoando por todo o bosque, mantiveram-se em silêncio, abrindo a boca apenas para sorver ar quando necessário.

A chuva começava a se intensificar, ultrapassando os milhares de folhas e os atingindo com força. Os cílios de Kai seguravam as gotas, encobrindo-lhe momentaneamente a visão e fazendo que tudo à sua frente parecesse uma grande massa de vidro embaçado.

Eles correram. E correram. O instinto de sobrevivência berrando através de cada poro do corpo. Kai olhou para o lado e viu que Ervilha corria praticamente colado a Íris. Quando ela tropeçava em algo, antes que caísse o irmão já estava com as mãos prontas, amparando-a. Na retaguarda deles vinha Arthur, que apesar de não estar tão próximo de Giovana, parecia estar cumprindo o mesmo papel de amparo.

Kai também se aproximou dela, que, após um tempo, quebrou o silêncio com um pedido sufocado.

— Meus pulmões — Gio respirou fundo, com dificuldade. Os outros diminuíram o ritmo até parar por completo. Kai e Arthur cercaram-na.

— Calma. Senta aqui — Kai segurou seus braços e a direcionou para uma pequena rocha. A chuva havia diminuído e agora caía tão fina que, sob o manto da vegetação, não chegava a alcançá-los.

Giovana lançou sua mochila encharcada no chão, encostou os antebraços nas pernas molhadas e jogou o peso do corpo para a frente.

— Respira fundo — Kai ajoelhou-se diante dela, o peito subindo e descendo, ainda arfante pela corrida. — Como está se sentindo?

— Melhor — ela tirou uma garrafinha da mochila e tomou um gole apenas, embora sua vontade fosse de virar o conteúdo todo. Mas era preciso racionar nesse momento.

Ervilha esticava o pescoço, o olhar tentando varrer cada canto da floresta.

— Será que eles nos seguiram?

— Eles teriam de ser muito determinados. A gente está correndo a uns trinta minutos sem parar — o rosto de Arthur estava tão vermelho quanto a camisa que ele usava.

— Gente... o que foi isso? — Giovana perguntou devagar, a respiração, aos poucos, voltando ao normal. O grupo trocou olhares entre si.

— Não sei — Ervilha passou as mãos pelo cabelo quase raspado, espalhando algumas gotas no ar. — Só sei que meu coração até agora não está batendo direito. Aqueles sujeitos estavam armados! Com duas pistolas gigantes!

— E pareciam bastante dispostos a expulsar qualquer pessoa que se aproximasse da propriedade — disse Arthur.

— Expulsar é ver o copo meio cheio, cara — Kai rebateu. — Eles pareciam dispostos a largar um tiro em nós.

— Graças a Deus não fizeram isso — Íris parecia um daqueles bonecos infantis em que os olhos são duas vezes maiores que o restante do rosto. — Ainda estou tremendo.

Kai foi tomado por um senso de responsabilidade que fez suas pernas bambearem. Ervilha e Arthur eram donos de corpos atléticos e bem treinados pelo esporte, assim como ele, e isso o deixava mais tranquilo. Mas as meninas... Kai fechou os olhos. Algo de muito ruim poderia ter acontecido.

— Aquilo é bem pior do que eu imaginei — ele disse soltando o ar pela boca, com força.

— Do que qualquer um de nós imaginou — Arthur passou as mãos pelo rosto.

— O quê, gente? O que vocês viram além dos caras armados? — perguntou Gio, os olhos indo de um para o outro.

— Eles estão contrabandeando tucanos iguais àqueles que vimos agora há pouco. E sabe-se lá quais outras aves — Kai explicou.

— Espécies raras, caríssimas no mercado clandestino — Arthur acrescentou. — É uma quadrilha de crime organizado.

— E, pelo que ouvimos, eles vão fazer o transporte no domingo para qualquer que seja o local onde vão levar esses pobres bichos.

— Que aquele lugar desmatou boa parte das árvores dessa ilha, a gente já sabia. Agora... contrabando de espécies raras? — Giovana olhava para o chão, parecendo processar tudo aos poucos.

— Agora tá explicado o porquê das placas — disse Ervilha.

— E se eles nos viram? Sabe, nossos rostos? — Íris sussurrou.

— Não se preocupe. Temos a cara da inocência, não temos? — Kai respondeu e os outros riram. Um riso meio nervoso, meio desesperado.

— Bom, acho que já deu de emoção por hoje. Vamos embora. — Antes que Gio se levantasse por completo, Kai se adiantou e segurou-a pelas costas, dando suporte para que ela ficasse de pé. E não a soltou. Ele girou a cabeça devagar, observando em volta. E então sentiu como se suas energias fossem soterradas. Não fazia ideia do lugar da ilha em que estavam.

— Meninos... — Gio fitou cada um deles. — Vocês sabem como voltar, certo?

Kai engoliu em seco.

— Bem, a gente não pensou muito na hora de correr — Arthur abriu um sorriso fraco.

Gio e Íris abriram a boca.

— Mas nós conseguimos voltar. Não conseguimos? — Ervilha encarou Arthur e Kai.

— Acho que não temos muita opção além dessa — Kai soltou o ar pelo nariz. *Era só o que faltava.*

— Vamos ver o Google Maps, gente. Ou o Waze, o que for — Íris tirou o celular da mochila.

Ninguém falou nada. Só viram o brilho do rosto dela morrer quando percebeu que não havia uma mísera pontinha de sinal de internet ali.

— E a bússola? Eu perguntei se alguém tinha uma e você disse que traria a do pai de vocês, Ervilha — o timbre de Giovana começava a estremecer.

— Uma bússola? Por que você pediria pra alguém trazer uma bússola? — Kai franziu a testa.

— Porque eu pensei em vinte formas de esse negócio de visitar uma ilha desconhecida dar errado e me preparei para quase todas elas. Ou tentei.

— Ele esqueceu a bússola em cima do aparador da sala de jantar — Íris denunciou. — Eu vi antes de sair.

— E por que não pegou? — Ervilha fitou a irmã com raiva.

— Eu nem sabia direito o que vocês estavam indo fazer — Íris quicou um ombro. — E nem que a bússola era pra estar com você.

— Como você pôde esquecer algo tão importante? — a voz de Gio agora não só oscilava, como ganhava alguns decibéis agudos. Kai, que ainda a amparava pelas costas, podia sentir seu coração vibrar como um sino de catedral.

— Sei lá! Esquecendo! — Ervilha encolheu os ombros. — Acontece!

— Não quando se está vindo para uma ilha supostamente deserta e desconhecida!

— Fala sério, alguém imaginou que a gente se perderia aqui?

— Eu. Eu imaginei, Ervilha. E por isso pedi a bússola. Sabe, as vinte maneiras de dar tudo errado? Então.

— Pronto. Então vamos esperar a próxima coisa da lista e ver o que você preparou.

— Gente, chega. Precisamos ficar calmos para conseguir encontrar o caminho de volta — Kai olhou um a um. Ervilha virou-se de costas, as mãos espalmadas sobre o rosto lívido. Gio sentou outra vez e cruzou os braços sobre a barriga.

— Viemos de lá, então suponho que a construção esteja mais ou menos a nossa esquerda — Arthur movimentava os braços como um guarda de trânsito. — Sendo assim, a Praia da Ponta deve ficar nessa direção aqui. O que vocês dizem?

— Você sempre tirou notão em geografia — Kai deu dois tapinhas camaradas nas costas de Arthur. — E não temos muita escolha, né?

Ervilha, com cara de quem havia bebido um copo de vinagre, também concordou. E, para Íris, tudo que tivesse a menor chance de tirá-la dali era considerado um bote salva-vidas. Kai viu Giovana levantar e se adiantou para ajudá-la mais uma vez.

— Obrigada. Eu consigo ir sozinha — ela fechou as mãos sobre as alças da mochila. Kai deu um passo para trás e percebeu que Íris havia agarrado seu braço.

— Estou me sentindo um pouco fraca — Íris ergueu olhos *muito* meigos para Kai. Gio lançou um olhar rápido sobre os dois e começou a andar atrás de Arthur e Ervilha, que cortavam a mata a sua frente. Kai suspirou, sem muita escolha, com Íris grudada ao seu braço.

24

— **KAI?**

Ele olhou para baixo e viu Íris sorrir.

— Você é muito corajoso, sabe, chegando tão perto para descobrir o que aqueles caras estavam fazendo de errado.

— Acho que sou muito mais irresponsável que corajoso.

— Ah, não fala assim — Íris deitou a cabeça no ombro dele e segurou um pouco mais forte em seu braço. O sinal vermelho acendeu na cabeça de Kai e ele olhou para Ervilha, que não tinha visto sua irmã pendurada nele, mas assim que visse não ficaria muito feliz, e Kai sabia disso. Para falar a verdade, Kai também não estava gostando muito daquilo. Talvez só naquele momento a ficha tenha caído de que Íris estava dando mole para ele. Muito mole.

— Íris, agora você já consegue ir sozinha? — perguntou, soltando-se dela. — Se quiser comer alguma coisa para se sentir mais disposta, com certeza a Giovana tem algo para te oferecer naquela mochila com um milhão de coisas que ela carrega.

Gio olhou para trás por um breve segundo, mas voltou-se firme para a frente, como havia ficado desde que começaram a andar.

— Eu tenho biscoitos na minha mochila, obrigada — Íris respondeu unindo os lábios em forma de desagrado.

Kai ajeitou o boné virado para trás na cabeça e seguiu observando tudo que conseguia, tentando encontrar qualquer pista que os ajudasse a sair dali mais rápido. O que ficava cada vez mais improvável, visto que a floresta se tornava ainda mais densa conforme andavam, e mais escura também.

A penumbra causada pelo céu encoberto e o silêncio entre eles provocaram-lhe um frio na espinha. Pararam numa clareira por alguns minutos a fim de descansar e comer alguns lanches. Qualquer ruído diferente fazia pescoços virarem e olhos se arregalarem em estado de alerta.

— E se aqueles caras nos encontrarem? — perguntou Íris com a boca cheia de pão e atum.

— Esse tempão todo depois? — Kai mordeu uma maçã. — Duvido. Conseguimos despistá-los.

— O que vocês acham que devemos fazer com o que descobrimos? — Gio perguntou. — Sabe, aquela parada de contrabando e tudo o mais?

— O que poderíamos fazer? — Íris chegou o pescoço para trás. — Não acho que devemos nos meter nisso. É coisa de gente poderosa, e mexer com gente poderosa quando você não é poderoso pode ser muito arriscado.

— Acho que deveríamos denunciar — os olhares pararam fixos em Kai.

— Para a polícia federal? Ambiental? — Gio piscou. — Não sei... eles podem não acreditar na palavra de adolescentes.

— O canal de denúncias é anônimo.

— Vou falar com meu pai — Arthur disse. — Ele vai ajudar nisso. Provavelmente vai orientar a denúncia mesmo.

— Por mim pode ser — falou Ervilha. — A gente não procurou esse problema, mas agora que ele está em nossas mãos é bom tentar fazer alguma coisa.

— Agora só falta mesmo encontrar o caminho certo de volta — Arthur se levantou. — Quem topa fazer uma oração?

Kai achou aquilo meio sem noção, orar no meio do mato quando eles precisavam achar o caminho de volta quanto antes. Mas, de todo jeito, acompanhou os amigos nas preces.

— Vamos continuar na mesma direção — Arthur bebeu um gole racionado de água assim que pronunciou o "amém" e eles continuaram a caminhar.

— Gente, não é possível que não tenhamos visto uma gota do mar ainda. Estamos numa ilha! — Gio ergueu as mãos para o céu, quase dez minutos depois de voltarem à caminhada.

— Ou talvez... — Arthur afastou algumas folhagens com o braço e correu. Kai o seguiu. Em pouco tempo, os cinco estavam diante da imensidão verde-escura que batia nas pedras debaixo de seus pés, formando ondas espumantes e frias. Não havia areia. Era apenas uma corrente estreita de pedras de diversos tipos que cobriam todo o pedaço de orla que conseguiam ver.

— Bom, pelo menos agora sabemos onde estamos — Kai soltou o ar devagar.

— E onde seria, exatamente? — Gio abaixou algumas folhagens para liberar a visão e um suspiro escapou de seus lábios. A Praia da Parada estava logo ali, dividindo o céu cinzento do mar que se movia escuro e pesado, com as casas da orla diminuídas pela distância.

— Estamos no lado do continente, agora. Vocês estão reconhecendo aquele conjunto de coqueiros ali? — Kai apontou para as árvores alguns metros adiante, seu sorriso escancarando aos poucos.

— Não, não estou — Íris estava aflita. — O que esse seu sorriso quer dizer? Atrás daqueles coqueiros fica a Praia da Ponta? — Ela parecia a ponto de cair no chão.

Kai concordou com a cabeça.

— E o que isso significa, galera?

— Encontramos o caminho de volta — o alívio permeou cada palavra soprada por Gio.

25

— **SUA ORAÇÃO FOI PODEROSA**, hein, cara — Ervilha disse a Arthur, enquanto todos se abraçavam, suados e sujos, os olhos faiscando de alegria.

— A nossa — Arthur sorriu e olhou para o céu carregado com gratidão. — Agora vamos conseguir nos orientar seguindo pela mata até a casa do Laércio.

Era como se todos flutuassem. Dessa vez, Íris acompanhou Arthur e Ervilha na dianteira da trilha. Kai seguiu ao lado de Gio, um pouco mais atrás.

— Você acha que exagerei com o Ervilha por causa da bússola? — a voz dela saiu num fiapo.

— Eu achei que ele vacilou por ter esquecido — Kai olhou para ela. — E todos estamos tensos com essa situação. Deu pra entender sua reação.

Giovana soltou um murmúrio desanimado.

— Eu sei que às vezes passo dos limites, agindo como se fosse uma espécie de mãe de vocês.

— Você nos faz ficar com os pés no chão, é diferente. E isso, Gio, especialmente no meu caso, é um feito e tanto.

Ela riu.

— Eu chorei muito quando me mudei pra cá — Gio fitou o chão, ficando séria de novo. — Tinha minha vida lá em Juiz de Fora. Meus amigos. E, do nada, porque meu pai conseguiu um emprego aqui, tive que deixar tudo para trás. Foi horrível. Vim com o coração arrasado. Fiquei como uma morta viva por quase um mês, odiando a cidade, a escola e tudo. Até que escutei um sermão na igreja e entendi que era hora de começar a agradar a Deus com a minha vida. E, bem, viver cheia de pena de mim mesma não era exatamente o jeito de conseguir isso. Então comecei a mudar de atitude. Algum tempo depois, no final de um culto, decidi fazer a coisa mais ousada da minha vida e me intrometi na conversa de vocês.

— E foi a melhor coisa que você poderia ter feito — Kai abriu um sorriso largo.

— Por fora eu parecia plena, mas a verdade é que tinha a sensação de que meu corpo ia se desintegrar a qualquer momento. Eu observava vocês três desde a primeira vez que pus os pés na igreja.

— Sério? — Kai admirou-se. — Não lembro de ter visto você antes daquele dia.

— Eu sei disso.

Ele empurrou o braço dela com o cotovelo.

— Que stalker, hein?

Gio soprou um riso entediado.

— Eu gostava de como vocês pareciam próximos — ela pensou um pouco. — Acho que nunca perguntei, mas o Arthur chegou na sua vida antes que o Ervilha, não foi?

— Bem antes. Sou amigo do Arthur desde, sei lá, oito anos? Por aí.

— Como vocês se conheceram? Quer dizer, eu sei que a família dele conhece a sua, mas acho que nunca perguntei como isso aconteceu.

— Os pais do Arthur contrataram a minha mãe como empregada e às vezes ela precisava me levar para o trabalho. Foi assim que aconteceu.

— Os pais?

— Isso foi antes da mãe do Arthur morrer. Depois a vó Dalva

se mudou para lá e minha mãe conseguiu outro emprego, onde está até hoje.

— É na Praia da Parada mesmo?

Kai anuiu.

— Na casa do Otto.

Gio piscou algumas vezes.

— Esperava qualquer lugar...

— Nem me fale. Otto foi um babaca quando minha mãe me levou à casa dele pela primeira vez. Primeira e única. Nunca mais quis ir pra lá. Eu ficava na casa do Arthur pra brincar quando minha mãe precisava.

— O que o Otto fez?

Colocando as mãos nos bolsos do short úmido, Kai olhou para cima. Nunca tinha contado aquilo a ninguém.

— Ele disse que não queria brincar com o filho da empregada. Eu me senti bem mal, mas admirava aquelas coisas todas que ele tinha. Pista de Hot Wheels, Nintendo de última geração... Arthur tinha muito daquilo também e me deixava brincar com tudo, mas as coisas do Otto eram as mais iradas. Até um miniparque tinha no quintal da casa — Kai suspirou. — No meio daquele dia, ele me chamou e eu pensei que ele tinha mudado de ideia e que íamos brincar juntos, mas então ele me levou pro banheiro e enfiou minha cabeça no vaso sanitário.

— E o que você fez? — Giovana cerrou o punho. — Aquele ridículo!

— Nada. Minha mãe não podia perder o emprego. Naquela época meu pai ainda pescava e as coisas andavam difíceis. Eu ouvia as conversas.

Gio caminhou por algum tempo com os olhos fitos no chão.

— Você não contou pra ninguém?

— Estou contando pra você agora.

Ela voltou os olhos para ele.

— Você deveria ter falado. Isso que ele fez foi horrível.

— Já passou. Ele nunca teve oportunidade de fazer de novo. Eu me divertia tanto com Arthur que me esqueci daquilo muito rápido.

— A amizade tem esse poder, né? — Gio sorriu um pouco. — De renovar a vida da gente.

Kai pensou naquele passeio e no esforço de Giovana em fazê-los sorrir.

— Tem sim.

Depois de um curto intervalo, ela disse em tom solene e com cara de sabichona:

— "A amizade é desnecessária, como a filosofia, a arte, como o próprio universo. Ela não tem valor de sobrevivência; antes, é uma daquelas coisas que dão valor à sobrevivência." É uma frase de C. S. Lewis.

Kai ergueu as sobrancelhas.

— Desnecessária?

— É. Deus não precisava ter criado, entende? Você não precisa de amigos para sobreviver, mas, se os tem, eles fazem sua vida valer a pena.

— Faz sentido. Hoje, por exemplo, estou sentindo que minha vida vale a pena, mesmo que eu tenha perdido meu grande sonho mais uma vez.

— Sinto tanto por isso, tanto... — os olhos de Gio se amoleceram.

— Gio, fica tranquila — Kai deu um aperto leve no braço dela. — Eu estou bem, tá?

— Você é um péssimo mentiroso.

Ele esticou o canto dos lábios em um sorriso sem alegria. Os dois seguiram juntos em um silêncio confortável até encontrarem a trilha que os levaria de volta à Praia da Ponta. Kai mirou os outros que caminhavam à frente e, em seguida, voltou os olhos para ela:

— Vocês são o desnecessário mais necessário que eu já tive na vida.

26

— **DEVEMOS CONTAR** para o Laércio? — Kai perguntou quando faltava pouco para chegarem à praia. — A verdade é que eu duvido que ele já não saiba de algo.

— Também duvido — respondeu Arthur. — Mas como vamos fazer isso sem que a minha avó escute? Ela pode ter um ataque cardíaco se souber que caras armados estiveram atrás de nós.

— Precisamos manter o que aconteceu hoje entre a gente — Kai alertou os amigos. — Não seria legal as pessoas descobrirem.

— Definitivamente não seria — Gio foi enfática. — Principalmente depois de fazermos a denúncia. Isso vai cair nos jornais e todos vão ficar sabendo.

— Você acha que vai ser fácil assim? — Ervilha disse. — Quer dizer, esses ricaços têm seu jeito de encobrir notícias sobre eles.

— Não se a gente também der um jeito nisso — respondeu ela. — Eu tenho uma prima jornalista que vive atrás de furos de notícias nos lugares mais inusitados do Rio de Janeiro. Eu até tentei trazê-la para fazer uma reportagem sobre o mutirão, mas não era a vibe dela.

— E você vai fazer sua prima vir parar aqui em Apoema? — o tom de Íris denunciava sua incredulidade.

— Esse é exatamente o tipo de furo de que ela gosta, esse lance de denúncias e tal. Vive fazendo isso. Vou falar sobre o transporte que vai acontecer no domingo. Se ela conseguir umas fotos, o jornal vai bombar.

— E se a polícia do meio ambiente não acreditar na gente?

— Polícia ambiental — Arthur corrigiu.

— Tá, ambiental, meio ambiente, o que for. E se eles não levarem a denúncia a sério?

— Bom, aí nesse caso, minha prima pode fazer o trabalho de jogar tudo no ventilador — Gio respondeu e, aos poucos, como um lençol sendo estendido, o entendimento foi tomando os rostos de todos eles.

— Você realmente pensa em tudo, Giovana — disse Kai, abrindo um sorriso de orelha a orelha.

Quando seus pés imundos alcançaram a areia macia, os cinco se apressaram até a varanda de Laércio. Estavam sedentos por um copo d'água.

— Céus! Onde vocês estavam? — vó Dalva colocou a mão no peito. — Por que demoraram tanto?

— Pelo jeito a aventura de hoje foi boa — Laércio abriu o sorriso. — Eu disse que não precisava se preocupar, Dalva.

— A trilha até a Prainha não foi vinte minutos como você disse, senhor Laércio — Íris tinha um bico do tamanho de uma rosa nos lábios.

— Como não? Faz um tempo que não vou pra lá, mas sempre fiz em vinte minutos.

— Andamos igual a uns condenados! — o rosto de Íris estava quase virando uma chaleira ligada. — Fomos parar lá numa...

— Num lado incrível da ilha — Kai cortou. — Eu só tinha conhecido Apoema pelo mar, então andar um pouco por dentro foi bem legal.

Os outros trocaram olhares entre si.

— É, foi bem... surpreendente — Ervilha pegou o primeiro

copo d'água que Dalva trazia. — Essa ilha é maior do que a gente imagina.

— E como, meu filho — Laércio respondeu. — Nunca se sabe o que se pode encontrar.

Arthur tossiu, jogando para fora toda a água que despejava pelo gargalo, e Kai deu um tapa nas costas dele.

— Por isso incentivei que fossem à Prainha, que não é tão longe — Laércio continuou. — Por onde vocês andaram?

Gaguejando, eles desconversaram.

— Eu estava prestes a ligar em busca de socorro — vó Dalva chegava com mais copos d'água. — Só conseguia pensar em algum de vocês picado por uma cobra no meio desse mato!

— Lá tem cobras?! — Íris arregalou os olhos. E os outros reviraram os deles.

Ainda com o rosto contraído de tensão, Dalva começou a arrumar a mesa para um lanche antes de partirem enquanto Laércio foi abrir algumas redes próximo aos barcos. Kai chamou os amigos para irem até ele.

— Senhor Laércio — ele deu um pigarro. O velho parou de mexer nas redes e olhou para trás. — O senhor sabe de, bem, uma...

— Uma mansão, praticamente do outro lado da ilha — Arthur completou.

Os olhos de Laércio se agigantaram.

— V-vocês foram até lá?

Uma pausa tensa passou entre eles fazendo os batimentos de Kai aumentarem de repente.

— Não foi nossa intenção, mas... — Ervilha abriu as mãos.

— Eu disse que seguissem reto para a Prainha. Como chegaram àquele covil? É muito distante! — Laércio estava angustiado.

— Covil? — Íris perguntou. — O senhor sabe quem está por trás daquilo tudo?

— E como sei, minha filha.

— Quem é? — o tom de Gio saiu meio esgoelado.

— Quanto menos vocês souberem, melhor. Com esse tipo de gente não se brinca.

— A gente que o diga — Arthur soltou o ar.

Laércio olhou para ele com estranheza.

— O que aconteceu lá? O que vocês viram?

Kai virou-se para os amigos e viu a permissão nos olhos deles. Voltou-se, então, para o pescador:

— Escutamos a conversa de dois caras, pareciam vigilantes, que falavam sobre um carregamento a ser enviado no domingo de manhã. Acreditamos que seja o contrabando de tucanos e sabe-se lá quais outras espécies raras. Vimos as caixas com as aves, todas na varanda da mansão.

O punho cerrado de Laércio cortou o ar.

— Eu sabia. Sabia. Eles não estavam vindo só para acabar com as árvores e poluir a ilha. Eles queriam algo mais. Claro! Essa gente sempre quer mais.

Kai pressionou os lábios, ouvindo, e trocou um olhar com Arthur.

— Eu tentei, viu? — Laércio continuou. — Sempre lutei por esta ilha, espantava daqui quem quer que viesse bagunçar a grandeza de Deus chamada Apoema. Mas aquele infeliz e a sua corja me ameaçaram. Chegaram aqui armados e me proibiram de cruzar a ilha para aqueles lados. Nem de barco eu posso ir. Só consigo chegar até a Prainha.

— Por que eles fizeram isso? — Kai questionou.

— Eu tentei impedir a construção. Briguei. Disse que ia denunciar — a vermelhidão no rosto contrastava com os fios grisalhos. — Mas de que vale um velhote fraco como eu?

— De muita coisa, senhor Laércio. Você foi o guardião de Apoema esses anos todos — Gio olhou-o com bondade. — E chegou a hora de ter uma ajudinha nessa função.

Um vinco surgiu na testa dele, e a face de Gio foi tomada por uma expressão de triunfo.

— Nós vamos denunciar, chamar repórter e tudo. Além do esquema de contrabando, esse cara do mal aí vai ser indiciado por construção ilegal, desmatamento e, de quebra, se o senhor quiser, por ameaça e...

— Cuidado, crianças. Como eu disse a vocês, com esse tipo de gente não se brinca.

Vó Dalva olhou para eles com as sobrancelhas franzidas. Laércio puxava a canoa a fim de guardá-la embaixo de uma árvore na Praia da Parada e não conseguia disfarçar a agitação. Estava preocupado com o desfecho do passeio de suas visitas, mas em um concordar mútuo reconheceu que não deveriam contar a Dalva sobre os acontecimentos. Eles se despediram com acenos um pouco tensos. De mãos dadas com Naná, vó Dalva perguntou:

— Tem certeza de que ainda vão ficar na praia? Olha só para a cara de vocês. Parecem destruídos. Vou fazer um caldo que vai renovar suas forças num instante.

— E dar mais trabalho do que já demos hoje? — Gio balançou a cabeça. — De jeito nenhum, vó.

— Fica tranquila, vamos embora daqui a pouco — Arthur passou um braço pelo ombro dela. — Desculpe mais uma vez.

— Deixe disso. Vocês não tiveram culpa por terem se perdido.

O coração de Kai apertou, a vergonha da omissão espremendo suas entranhas, e pela expressão dos amigos eles sentiam o mesmo.

Ele foi surpreendido por Naná com um beijo na bochecha. Kai retribuiu e apertou o nariz dela. A menina se afastou, dando um beijo em cada um e voltando a segurar a mão da avó. As duas se distanciaram, os passos lentos de Dalva revelando todo seu cansaço. Kai observou-as por um tempo. Elas eram quase como família. Para falar a verdade, se ele fosse comparar com os parentes que tinha, Naná e Dalva eram donas de um espaço muito maior em sua vida e em seu coração. Não era só Arthur que ele tinha como um irmão. Aquelas infindáveis tardes deslizando carrinhos pela varanda ou disputando uma luta no videogame deram a Kai bem mais que um amigo.

— Ainda não entrou na minha cabeça a loucura disso tudo! — exclamou Gio assim que Dalva e Naná estavam a uma distância razoável.

— Olha, vou falar uma coisa pra vocês, essa aventura toda está saindo melhor que a encomenda, viu — Ervilha andava encurvado. Assim como os outros, o retrato da exaustão.

— Tá acabando, galera. Só falta mais um pouco e vamos nos ver livres disso — Arthur parou e tirou o celular pela abertura frontal da mochila. — Vou ligar para o meu pai.

Tu. Tu. Tu. Sua chamada está sendo encaminhada...

Após quase dez tentativas, Arthur soltou o ar por entre os dentes.

— Ele disse que ia sair hoje. Deve estar em algum lugar sem sinal, sei lá.

— E agora? Hoje é quinta-feira e já é quase noite. Ninguém vai checar essa denúncia agora. O contrabando vai ser feito domingo de manhã. Precisamos ligar quanto antes — Gio mordeu o canto do polegar.

— Eu voto por ligar para o disque-denúncia de uma vez — disse Kai. — Era isso que o tio Lúcio iria orientar mesmo, não era?

— Acho que sim — Arthur olhava para o visor que só chamava. — Mas acho que seria bom ter a opinião dele antes de fazer isso.

— Também acho, mas... quanto antes melhor, né? — Ervilha apertou um canto da boca. — E não há muito mistério também. É só ligar e falar.

Os ombros de Arthur caíram.

— Tudo bem.

— Quem vai ligar? — Gio perguntou. Eles trocaram olhares apreensivos entre si.

— Deixa comigo — Kai pegou o aparelho e os outros cercaram-no, fazendo uma rodinha. Ele fez uma pesquisa rápida no navegador do celular e clicou em cima do número que encontrou em um site. Ergueu os olhos, dando uma olhadela rápida para os amigos, enquanto o viva-voz cantarolava: *Tu-tu-tu-tu...*

Apesar do vento fresco trazido pelo mar, a espera tornava o clima na pequena roda quase sufocante. Kai notava as gotas de suor que brotavam em cima dos lábios de Giovana quando um toque brusco fez que ele voltasse a atenção para o celular.

— Disque-denúncia Polícia Ambiental, boa tarde. Em que posso ajudar?

27

UMA ADRENALINA DIFERENTE corria pelas veias de Kai. Não era como a que ele sentia sobre a prancha ou quando saltava de alguma pedra em um giro de 360 graus. Parecia mais com um líquido gelado injetado em seu corpo de minuto em minuto, fazendo seu estômago ficar em queda livre.

Não tinha como voltar atrás. Eles haviam denunciado um grande esquema de contrabando e vários outros crimes ambientais, por tabela. E ninguém poderia saber que foram *eles*.

— A gente tá lascado se alguém descobrir — a voz de Ervilha escancarava sua ansiedade.

— Eu li uma matéria que dizia que o Brasil é o quarto país no mundo com mais assassinatos de ativistas ambientais — disse Gio. — Sabe, gente que luta pela proteção do meio ambiente, faz denúncia de crimes ambientais...

— Nossa, Giovana, muito obrigado por essa informação — Ervilha bufou.

— Ué, só compartilhei — ela cruzou os braços.

— Gente — Íris chamou. — Imagina se o cara que está por trás de tudo isso, seja lá quem for, decidir dar uma prensa no Laércio? Pelo que ele disse, já fizeram isso antes. O velho pode falar sobre nós. Por que vocês foram contar pra ele? Por quê?! — A expressão dela estava congelada de terror. Aquilo devia estar corroendo-a por dentro.

— Não tinha como a gente saber, Íris — Gio fitou a menina com olhos ternos.

— Já era, não tem mais volta. Fizemos o que é certo. Não vamos ter nenhum problema — Arthur parecia se esforçar para acreditar nisso.

Um toque agudo e contínuo soou do bolso da bermuda jeans de Giovana. Ela pegou o smartphone e colocou os olhos sobre a tela, os dedos tremendo levemente, como as folhas das árvores próximas dali.

— Mandei uma mensagem pra Débora, minha prima jornalista, quando estávamos no barco. Ela está me ligando agora.

Kai fez um movimento com as mãos para que ela atendesse. Pelos vinte minutos seguintes, Gio narrou tudo que eles haviam descoberto e respondeu a várias perguntas. Os outros a ajudavam lembrando um fato ou outro, mordiam o canto das unhas, andavam pra lá e pra cá, chutavam a areia. A palavra "tchau" foi anunciada e os quatro pararam em frente a Gio, como soldados em fila.

— E então? — Kai mordeu o lábio inferior.

Gio segurou a respiração por um instante, a expressão indecifrável. E, então, sorriu.

— Ela vai vir. E se o furo for realmente bom, tem a chance de ganhar a primeira página no jornal de segunda-feira.

O coração de Kai recebeu uma descarga de energia e ele assobiou, passando a mão espalmada na testa.

— Galera, o circo vai pegar fogo. E eu não quero estar nem perto para sentir o cheiro da fumaça.

— Nem eu — os outros responderam quase em uníssono.

— Então vamos para casa tomar um banho, porque estamos realmente precisando, e seguir nossa vida como se daqui a pouco fosse uma noite qualquer — disse Arthur.

— Banho quente, brigadeiro de colher e um filme leve é tudo que eu quero para hoje à noite — Gio balançou a cabeça para os dois lados enquanto Kai, sem pensar muito, começou a massagear os ombros dela suavemente. Gio fechou os olhos e por alguns segundos pareceu aproveitar o relaxamento que os movimentos traziam, até que despertou e se desvencilhou das mãos dele, dando um pulo para cima do calçadão.

Kai levou a cabeça para trás, confuso, e caindo a ficha se deu conta de que nunca havia se aproximado de Giovana para algo além de um abraço. E ela não era exatamente o tipo de garota que gostava de muitas demonstrações físicas de afeto. Ou intimidade. Bom, isso com os amigos. Com um namorado era certo que o quadro mudaria. *Com certeza mudaria.* E, de repente, ele percebeu que não gostaria muito de ver Gio com um cara. *Quer dizer, seria estranho, né? Ela tem a nós e teria que dividir a atenção e, bem, certamente sairíamos perdendo...*

— Hein, você vai? — Ervilha parou na frente dele.

Kai balançou a cabeça, sem entender.

— Desculpa, eu estava viajando. Ir aonde?

— Percebi que você estava a quilômetros daqui — Ervilha deu uma olhadela rápida em direção a Gio e completou, baixinho: — Ou talvez não tão longe.

Kai questionou Ervilha pelo olhar. O que ele estava querendo dizer?

— É que hoje o Gabriel marcou um vôlei. Em frente à Sunshine, como sempre. Acho que vai começar às sete — Arthur sentou no pequeno banco de cimento no calçadão, próximo a um canteiro bem cuidado de petúnias coloridas.

— Não sei se vou. Tô cansadaço — Kai respondeu. — O dia hoje foi de quebrar qualquer um.

— A gente podia ver um filme — Íris sugeriu.

— Nós nunca faltamos a um vôlei. Se a ideia for realmente seguir a vida como se hoje fosse uma noite qualquer, é melhor aparecermos lá na praia — Ervilha não deixou espaço para contestações.

28

KAI NÃO SABIA COMO era ser atropelado por um trator, mas tinha a sensação de que um passara em cima dele cinco vezes. Suas pernas doíam e não teve analgésico que desse jeito. Ainda assim, quando Arthur convidou a ele e Ervilha para surfar enquanto a galera jogava vôlei, não foi capaz de dizer não. Foi mais forte que ele. Estava havia dias sem cair no mar.

— Tá gostando dela? — Arthur apontou para a peça plana e adesivada que tinha dado para Kai.

— É perfeita. Mas eu não surfei nada esta semana — Kai amarrou o leash no calcanhar esquerdo e uma onda suave lambeu seus pés. — Tô com muito trabalho, acabou não sobrando tempo.

— Ter perdido o campeonato não teve nada a ver com isso?

— Não.

Arthur ficou olhando para ele com aquela cara de eu-sei-que-você-está-mentindo, mas Kai o ignorou.

— Bora? — disse, apontando para o mar com um leve movimento de cabeça assim que Ervilha os alcançou. Kai passou a hora seguinte sentindo o frescor da água penetrar seus poros, lembrando-o de por que amava tanto aquela vida no mar.

Não ter chegado a tempo no campeonato foi um golpe baixo de que ele ainda estava se recuperando. Tinha jogado todo o turbilhão de sentimentos daquele fatídico 27 de dezembro para um canto escondido na alma, e não pensava em voltar lá tão cedo.

Entretanto, por algum motivo, ali estava ele, cortando ondas e mexendo no que não devia dentro da própria cabeça. Com o maxilar contraído, começou a empenhar mais força em seus movimentos, como se lutar com o mar fosse uma metáfora para a luta que ocorria dentro de si. E a palavra que ele não conseguia calar enfim gritou por meio de cada uma de suas veias.

Por quê?
Por que, Deus?
Por que o Senhor deixou que aquilo acontecesse?
Por que tudo para mim tem que ser mais difícil?
Por que não posso ter dinheiro ou sorte como o Otto? Ou um pai bacana como o Arthur?
Por que o Senhor me deu... ele *como pai? Não tinha um melhor?*

O corpo de Kai se movia com furor, seguindo o compasso de seus questionamentos. Quando deslizou em direção à praia pela última vez, abriu a boca para sorver um pouco de ar enquanto seu peito subia e descia.

— Caramba, se agora tivesse sido uma bateria do campeonato você teria ganhado de lavada. — Ervilha colocou sua prancha debaixo do braço, assim como Kai e Arthur. Eles seguiram até a areia com a água na altura dos joelhos. Kai, ainda sentindo a intensidade do momento, se manteve em silêncio.

Fincaram as pranchas perto da Sunshine e acenaram para Gio e Íris, que jogavam uma partida de vôlei em times opostos. A pulsação de Kai já havia abrandado, e então, juntando esses pensamentos numa trouxinha, voltou a jogá-los no canto. E tudo ficou bem. Pelo menos era o que ele achava.

Os três se sentaram na areia enquanto torciam para os dois times ao mesmo tempo. Gio fazia tantas manchetes que Kai se admirou por nunca ter percebido como ela era de fato boa naquele esporte. Virou para comentar isso com os meninos quando viu um cabelo loiro reluzir sob o foco do poste de luz. Chloe deixou um grupo de pessoas que conversava a alguns metros dali e cruzou a linha entre o calçadão e a praia.

— Oi — o brilho de seu sorriso contrastava com sua pele bronzeada.

Arthur e Ervilha estavam tão surpresos quanto Kai.

— Oi, Chloe — ele fez uma pausa. — Como anda?

— Tô bem. Fiquei sabendo que você chegou atrasado para o campeonato e não pôde participar. Uma pena, porque pelo que vi agora há pouco no mar você teria ganhado um lugar no pódio com toda certeza.

— Seu *amigo* Otto não deve achar a mesma coisa.

Chloe deu de ombros.

— Deixa ele pra lá — disse, olhando de relance para Arthur e Ervilha. — Queria falar com você. Em particular.

Os dois olharam para ela e em seguida para Kai. Já começavam a se levantar quando Kai se pôs de pé e apontou com a cabeça para uma amendoeira que ficava no calçadão atrás deles. Ele parou perto das raízes protuberantes, se perguntando o que Chloe queria. Ela chegou mais perto, colocou uma mão no peito dele e ergueu os olhos como se fosse a garota mais pura da face da terra. E então ele teve a resposta.

— Senti sua falta — a voz dela era doce.

— O Otto não me substituiu bem?

— Ele não é como você.

Ali estava. Aquela ponta sedutora e prazerosa chamada vaidade, espalhando-se até alcançar a boca, que se abriu em um sorriso de canto.

— Ah, é?

— Vou ter que ir ao Rio amanhã e volto sábado. Pensei em vir à praia domingo de manhã. Quer me fazer companhia?

Kai puxou o ar pelo nariz devagar. Chloe tinha contestado

o término. Havia ficado, em suas próprias palavras, arrasada. E agora seus olhos pareciam tão ávidos por um sim.

O peito dele apertou com pena.

— Tudo bem.

O sorriso de Chloe alargou-se e ela deu um beijo no rosto de Kai, que voltou para Arthur e Ervilha arrastando os pés, com as mãos guardadas nos bolsos da bermuda tactel. Antes de descer o nível do calçadão para a areia, ergueu a vista para a partida de vôlei e avistou Gio bebendo água no canto oposto. Os olhos dela ficaram sobre ele por um instante e então ela voltou para o jogo.

— E aí, descolou um encontro para mais tarde? — Ervilha cutucou sua costela.

— Para domingo de manhã, sendo mais exato — respondeu.

— Na hora da escola dominical? — Arthur olhou para ele.

— Eu nem sei se vou mais à igreja algum dia — Kai evitou olhar para Arthur. — Chloe pediu que eu lhe fizesse companhia. Acho que vai ser mais divertido.

— Você não tinha terminado com ela? — Arthur questionou.

— Fala sério, Arthur. É só um encontrinho, nada demais — mas, por dentro, ele já se arrependia de ter aceitado o convite.

29

O SOL DO VERÃO QUEIMAVA a pele logo cedo. Kai raramente se esquecia de passar protetor solar — suas experiências traumáticas (e ardidas) quando era mais novo se tornaram um lembrete permanente. No entanto, quando, de cima da prancha, ele fitou o relógio de pulso e percebeu que faltavam dez minutos para as dez da manhã, alguma coisa o fez perceber que não só não havia passado o protetor como se esquecera de levá-lo.

Na verdade, não havia se atentado a muita coisa naquela manhã. Esquecera o pão na sanduicheira e teve de jogar fora a placa ondulada e completamente torrada em que ele se havia transformado. Já quase saindo pelo portão de casa, percebera que estava deixando a prancha para trás. E, depois de surfar, ao encontrar Chloe sentada sobre uma canga em frente ao posto dos bombeiros, ouviu que não tinha respondido a sua última mensagem.

— Foi mal. Vim mais cedo para pegar umas ondas e o celular ficou na mochila aqui na areia.

— Você está surfando desde as seis horas? Foi nesse horário que perguntei se estava tudo certo para te encontrar aqui.

— Desde as sete — Kai fincou a prancha na areia e sentou ao lado dela. — Minha cabeça está longe hoje. Não lembrei de checar o celular.

Ele só conseguia pensar no que aconteceria a qualquer momento em Apoema. Será que a polícia tinha acreditado na denúncia deles? De qualquer forma, a equipe de jornalismo estaria lá. Com sorte, eles veriam o carregamento do contrabando. E, no dia seguinte, tudo viria à tona.

— Cadê seus amigos? Não vieram surfar hoje? — Chloe perguntou.

— Eles estão na igreja agora.

— E você, pelo visto, tem coisa mais interessante para fazer — ela sorriu e levantou-se, estendendo uma mão para ele. — Vamos dar um mergulho?

Kai pegou a mão que ela oferecia e os dois caminharam até a água. Chloe tinha muitos assuntos para falar. Ele vez ou outra perdia a pauta, visto que sua atenção estava voltada para Apoema. A mansão, contudo, ficava do outro lado da ilha, de frente para o oceano. Seria difícil ver alguma coisa.

De qualquer forma, Kai ansiava por um barco, um bote, uma lancha, qualquer coisa que indicasse uma movimentação diferente. Mas o máximo que avistou foi um barquinho pequeno de pesca.

— Pretendo fazer minha festa de dezoito anos lá. Ainda falta um bom tempo, mas eu gosto de me preparar com antecedência para essas coisas.

Kai voltou os olhos para Chloe.

— Lá onde?

— Na ilha! Eu acabei de dizer — Chloe soltou uma risada. — Você está muito disperso hoje. O que está acontecendo?

— Que ilha?

— Em Apoema, onde meu pai está construindo uma casa.

Kai balançou a cabeça, como se não tivesse escutado direito.

— A-Apoema? A ilha? Aquela ilha? — ele apontou para o ajuntamento esverdeado ao longe.

Chloe assentiu.

— Lá é lindo, né?

— Você está me dizendo que o sr. Mariano está c-construindo uma casa em Apoema? — Kai perguntou devagar, seus batimentos começando a subir como um carrinho no trilho de uma montanha-russa.

— Ué, achei que você soubesse. Seu pai vai pra lá com o meu sempre — Chloe franziu as sobrancelhas.

Kai sentiu a cor sumir do rosto. Ainda que estivesse dentro d'água, sua boca ficou seca e, de repente, respirar ficou mais difícil.

— Em que momento meu pai vai para Apoema? Ele trabalha o dia inteiro no Village — disse ele, aparentando tranquilidade, quando na verdade o carrinho já corria loucamente por todos os trilhos possíveis.

— Eu já vi os dois várias vezes pegando a lancha do meu pai que fica no píer — Chloe deu de ombros. — Ele e outros caras também. Inclusive um que vive junto com seu pai.

Balançando a cabeça, Kai levou as mãos abertas ao cabelo molhado.

— Por que você nunca me disse isso?

— E eu lá fazia ideia de que você não sabia? Comentar sobre seu pai não é um assunto tão interessante assim.

Calma, cara. Calma. Pode ser tudo um grande mal-entendido. A casa de Mariano pode não ser a mesma que você viu. Você não andou Apoema inteira.

— Chloe — Kai abriu as mãos, como se isso fosse ajudá-lo a pensar melhor —, onde é exatamente essa casa? Em qual parte da ilha?

Ela o olhou como se tivesse ouvido a coisa mais sem sentido do mundo.

— Não faço ideia. Fui lá poucas vezes. Só sei que fica virada para o oceano e não para o continente.

Não, não, não, não.

— E, por um acaso, as paredes externas da casa são amarelas e seu pai está construindo duas piscinas enormes na parte de trás do terreno?

— Então você já foi lá? Não estou entendendo mais nada!

— Me responde, Chloe! — Kai falou um pouco mais alto que o normal.

— Sim! As paredes são amarelas. A namorada do meu pai que escolheu a cor. E ele me disse semana passada que só está faltando o acabamento das piscinas.

— Droga, droga, droga — Kai começou a sair da água. Precisava falar com os amigos. Naquele instante. Mas parou subitamente e voltou-se para Chole, que o observava, boquiaberta. — Me diz uma coisa: onde seu pai está agora?

— Meu pai? — ela fez uma careta. — Foi para a casa em Apoema. Parece que iam fazer algo importante lá hoje. Não sei exatamente o quê.

Um jato de adrenalina explodiu no peito de Kai.

— E o seu pai está com ele — Chloe completou.

Kai não terminou de ouvir o resto. Deu as costas para Chloe e correu.

30

GRÃOS DE AREIA VOAVAM em todas as direções enquanto Kai atravessava a praia, desabalado. Pegou sua mochila com uma mão, a prancha com a outra e disparou até a bicicleta enferrujada que o aguardava encostada numa árvore no calçadão. Meio atrapalhado, colocou a mochila nas costas e pedalou apoiando apenas uma mão no guidão. Embora fizesse isso sempre, andar de bicicleta com a prancha debaixo do braço parecia complicado demais naquele momento. Rumou para a casa de Arthur, que estava fechada por todos terem ido à igreja, e deixou o objeto na varanda externa.

Enquanto cortava as ruas, Kai mantinha os braços flexionados e o tronco inclinado sobre o guidão, os chinelos formando um círculo borrado. Em sua barriga, sentia uma sessão de calafrios, um atrás do outro, exatamente como ocorria quando algo muito incrível estava por acontecer. Mas não havia nada de incrível no que ia acontecer na ilha — ou já estava acontecendo. E os calafrios eram de pavor. Completo e total pavor.

Em um terço do tempo que costumava fazer, Kai foi do condomínio até a igreja. Freou um pouco antes do largo portão de metal aberto e mandou uma mensagem para Ervilha. Era o único que ele tinha certeza que estaria mexendo no celular.

Dito e feito.

Em cinco minutos, Ervilha e Arthur cruzaram o portão.

— Caso de vida ou morte? — perguntou Ervilha. — É para esse tipo de coisa que usamos o código VS.

— Acho que essa é a primeira vez em que a legenda do VS vai realmente fazer sentido.

O código havia sido criado no dia em que Ervilha ficara preso no banheiro da igreja durante um culto. Ele conseguiu falar com Arthur pelo celular, que foi ao seu socorro. Depois disso, qualquer situação urgente em que algum deles se metia, o código VS (Vaso Sanitário) era acionado.

— Gente! Que cabelo é esse? — Gio apareceu pelo portão logo atrás deles.

Kai passou as mãos pelos fios armados e percebeu que ter quase voado no caminho até ali não havia favorecido muito seu cabelo cheio de sal.

— Vi vocês dois saindo da sala com a cara esquisita — disse Gio. — O que está acontecendo?

— Também queremos saber — Arthur olhou para Kai.

— Seu pai disse que não tinha como saber se a polícia atenderia a denúncia, certo?

— É. Mas com a reportagem da prima da Gio, as coisas podem ganhar proporções maiores.

— Gio, ela deu alguma notícia?

— Não. Em Apoema não tem sinal de celular, lembra? Não tem como ela entrar em contato.

— Isso significa que ela ainda está lá — Kai sentiu certo alívio.

— Sim, e a gente combinou de ficar esperando o contato dela após a escola bíblica, não foi?

Kai assentiu.

— E, falando em escola bíblica, por que você não veio hoje? — disse Gio, com os olhos semicerrados.

Arthur e Ervilha trocaram um olhar significativo.

— Gio, por favor, depois você pode puxar minha orelha quanto quiser, mas agora tem algo mais importante em jogo. Preciso contar uma coisa para vocês — Kai uniu as duas mãos no rosto, puxou o ar e soltou com força. — Eu descobri quem é o dono da mansão em Apoema que comanda todo o esquema de contrabando.

O ar ficou suspenso por um instante.

— E descobri também que meu pai está envolvido nisso — ele segurou o guidão até os nós dos dedos ficarem brancos.

— Quê? — os três quase gritaram.

— Explica isso direito — Arthur pediu. — Como assim, seu pai?

— Vocês sabem que ele trabalha para o pai da Chloe, não sabem?

— Sim — Ervilha balançou a cabeça em movimentos curtos. — Você de vez em quando comenta que está indo consertar alguma coisa na casa dela.

— Apenas uma vez meu pai esteve comigo lá. Eu trabalho quase todos os dias apenas com outro ajudante, o Jorge — Kai falava quase atropelando as palavras. — Meu pai sempre está, junto com o Fábio, envolvido em outros serviços. Chloe acabou de contar que eles sempre pegam a lancha do Mariano e vão para Apoema, onde o pai dela está construindo uma casa. Amarela. Com piscinas. Virada para o oceano.

Seus amigos nem piscavam.

— E, além disso, ela também falou que tanto o pai dela quanto o meu estão em Apoema, agora mesmo, para "fazer algo importante" — Kai passou a mão pelo rosto. — Pelo jeito, Chloe não faz a mínima ideia sobre os negócios errados em que o pai está metido.

— Mi... sericórdia — Gio se apoiou no muro com a base cheia de lodo e olhou para Kai como se não pudesse acreditar. Ele entendia bem a reação. Tentava acordar a si mesmo daquela espécie de pesadelo que vivenciava desde que saíra da praia.

— Por que a Chloe não te contou isso antes? — Arthur coçava a testa com o dedo indicador e o polegar de forma frenética.

— Ela pensou que eu soubesse — Kai saltou da bicicleta. — Falo tudo no caminho pra vocês, mas agora precisamos falar com a vó Dalva.

— Você não está pensando... — Gio desencostou do muro.

Kai assentiu de leve, porém com firmeza.

— A polícia pode aparecer lá a qualquer momento, Gio, preciso avisar meu pai. Não quero que ele seja preso por minha causa — o desespero que transpareceu em sua voz deixou Kai desconfortável.

— Mas você sabe que não seria por sua causa, né? — Ela o encarou com cautela. — Se seu pai está envolvido com coisas ilegais...

— Ele pode ter sido coagido — Arthur saiu em defesa de Sidney. — Sei lá, esse Mariano pode tê-lo envolvido e aí quando ele percebeu já era tarde demais...

O Arthur. Ele era inacreditável.

— Obrigado, irmão, mas eu nunca colocaria a mão no fogo pelo meu pai. — Ainda assim, era difícil acreditar que Sidney estivesse envolvido em algo desse tipo. Ele poderia ter cometido todos os erros do mundo, mas Kai ainda se lembrava de sua infância e de como o pai o havia ensinado a amar o lugar em que viviam. A cuidar. A contemplar. — Eu só não quero ser o responsável por ele ir para trás das grades — sussurrou, por fim.

— Todo mundo é inocente até que se prove o contrário — Gio cruzou os braços. — Qual é o seu plano?

— Pedir que a vó Dalva fale com o Laércio para nos levar até a ilha. Ele pode atracar na Prainha e de lá sabemos chegar à mansão. A partir daí podem deixar comigo. Eu entro na propriedade e procuro pelo meu pai — Kai parou por um momento. — Bem, isso se vocês quiserem ir — ele encarou os amigos com expectativa.

Por alguns segundos, a única coisa que conseguiram ouvir foram os gritos das crianças na ala infantil da igreja, que ficava atrás do muro.

— A gente começou isso juntos... — Arthur estendeu a mão espalmada para o meio deles.

— E vamos terminar juntos — Ervilha cobriu a mão do amigo. Kai e Gio fizeram o mesmo.

— E, então, onde a vó está? — Kai perguntou.

— Acho que ela ia ajudar a preparar um lanche especial para as crianças hoje. Deve estar na cozinha — Arthur respondeu, e Kai foi depressa até o portão.

— Você não vai entrar assim, vai?

Ele parou com um pé na calçada e o outro no pátio da igreja ao ouvir a voz acusatória de Gio.

— Assim como? — Kai acompanhou os olhos dela censurando seu tronco sem camisa. Ele deu um tapa na testa — Caramba! E agora? Vocês não têm uma camisa para me emprestar?

Ervilha e Arthur soltaram uma risada.

— Quem leva blusa reserva para a escola dominical, cara?

— Não tem uma na sua mochila? — perguntou Gio. Kai negou com a cabeça. — Você e essa sua mania de andar desse jeito pra cima e pra baixo.

— Pô, Giovana, já viu quantos graus está fazendo hoje? Eu estava na praia!

— Que bagunça é essa aqui?

Kai olhou boquiaberto na direção da voz que os inquiria. Dalva estava ali, em carne e osso, diante deles.

— Se você não acredita em milagres, meu querido... — Gio meneou a cabeça.

— Por que vocês não estão na classe? — ela soava simpática mesmo dando bronca.

— Porque... porque... — Ervilha parecia buscar uma melhor forma de dizer o que precisavam.

— Precisamos da ajuda da senhora — Kai disse, por fim. — É uma situação de código VS, vida ou morte.

— VS? — A senhora franziu a testa.

— Nossa, como eu odeio esse código — Gio bufou. — Uma pena ter perdido a votação para a mudança.

— Isso é o que acontece quando você é a única menina entre três meninos — Arthur inclinou a cabeça, apertando os lábios.

— *Era* a única — Íris surgiu ao lado da vó de Arthur. — Sabia que tinha alguma treta acontecendo quando vocês três saíram e não voltaram mais para a aula.

— Pois é isso mesmo que eu vim aqui saber — Dalva falou meio brava, mas ainda simpática. — Por que estão fora da sala? E que negócio é esse de código VT?

— VS — todos corrigiram juntos. Até Íris.

— Vó, é o seguinte — Kai voltou a falar —, nós precisamos que a senhora fale com o Laércio para nos levar até Apoema. Tipo, o mais rápido que puder.

— E por que vocês precisariam ir pra lá? Já não foram esses dias? Sem contar que ainda se perderam naquela floresta!

Kai procurou respostas nos olhos dos amigos. Não obteve nenhuma.

— E, meu querido, vem cá, cadê sua blusa? — Dalva questionou Kai. — Não é porque moramos em um lugar praiano que você pode ficar assim, quase pelado, na igreja.

— Uau, vó, calma. Só estou assim porque estava na praia agora há pouco.

— Matando a escola dominical? Você só se complica...

— Kai precisa encontrar o pai na ilha — Gio interpôs com um sorriso. Um sorriso nervoso.

Dalva mirou os cinco com desconfiança.

— Olha, crianças, fiquei muito aflita com tudo o que aconteceu na ilha. Eu era a responsável por vocês. Imagina se algo grave tivesse acontecido? — ela suspirou. — Não estou disposta a correr um risco desses de novo.

— Mas a gente não vai se perder desta vez — Gio entrelaçou os dedos e apoiou as mãos unidas no queixo.

— Existe uma coisa chamada prudência. E é ela que está me guiando agora — a voz de Dalva saiu banhada de carinho.

Os ombros de Kai murcharam. Uma sensação ácida invadiu seu estômago.

— De qualquer forma não sei se daria tempo de, sabe, falar com seu pai — Ervilha apertou os lábios e checou o relógio de pulso. — Já são dez e meia.

— Eles disseram pela manhã. Não sabemos a hora exata — apesar do que disse, era irreal até para Kai imaginar que o carregamento do contrabando ainda não tivesse sido feito. E, que, se a polícia acreditou na denúncia deles, não tivesse chegado àquela altura.

— Você não pode falar com seu pai quando ele voltar para o continente, não? — Dalva questionou. — O que há de tão urgente?

Um silêncio se instaurou. A senhora olhou para aquelas carinhas ansiosas e soltou uma longa arfada.

— Parem de papo e voltem para a classe. — Antes de sair, ela apontou para Kai. — E você, vê se arruma uma camisa.

Kai espalmou as mãos sobre o rosto e andou de um lado para o outro. A única chance que tinha escorregou por um funil e despencou lá embaixo. Sua cabeça funcionava a todo vapor. Frenética. *Outra saída... outro meio... se ao menos eu conhecesse outro barqueiro... outro... barco?*

— É isso! — Seu rosto se iluminou ao virar-se para os amigos. — Já sei como vamos. Me esperem na praia, em frente ao hotel. Chego lá em quinze minutos, no máximo vinte. — E subiu na bicicleta, o olhar eletrizado.

— Kai, espera — Arthur pediu. — No que você está pensando? Conta pra gente primeiro.

— Na verdade, vocês podiam contar pra mim que história é essa de voltar para a ilha? — Íris arregalou os olhos. — Vocês estão doidos? E que história é essa do pai do Kai?

— Não temos tempo — Kai respondeu aos dois. — Íris, eles te informam as últimas novidades no caminho para a praia. — Deu o impulso no pedal, começou a se mover e virou para trás, onde os amigos permaneciam parados. — Andem! Falem com seus pais e me encontrem lá! O relógio está correndo.

E, assim, Kai cruzou a Ponte do Sol vendo tudo ao redor como um borrão. Convicto e com o suor escorrendo pela testa, entrou pelo velho portão de madeira de sua casa e fixou os olhos na imensa lona azul-marinho que ocupava o quintal dos fundos.

31

AQUELA SERIA PROVAVELMENTE a coisa mais estúpida que Kai faria na vida. Tudo bem, a vida inteira é muito tempo. Mas talvez em boa parte dela. Ele adentrou a varanda depressa, desviando dos entulhos acumulados, e chegou até a lona. Grande, alta, cheia de poeira. Observou-a por alguns instantes e escutou um barulho.

— Mãe? — chamou e correu para dentro de casa. Depois de uma olhada geral, confirmou que estava sozinho. Sua mãe tinha dito que faria hora extra naquele domingo.

Kai voltou para a varanda e, agarrando a lona com as duas mãos, trouxe-a abaixo. E lá estava. Branco, bordas verde-escuras, pintura encardida. O velho barco de seu pai — e único meio de chegar até ele. Kai pulou para dentro da embarcação e, com os dedos trêmulos, abriu a portinhola que dava acesso à cabine.

— Por favor, por favor! — Kai clamou ao checar o combustível, para em seguida gritar um uau esgoelado. — Eu sabia! Sabia que ele mantinha o tanque cheio!

Do porquê não fazia ideia, já que nem lembrava a última vez que vira aquele barco na água. Com um misto de medo e empolgação, Kai testou o motor. Parecia estar tudo certo. Ele pulou da embarcação.

— Parte um, ok. Agora, vamos checar a parte dois.

Kai foi adiante do barco, onde ficava o minitrator. Um tanto velho e desgastado, foi por meio dele que Kai tinha visto, muitos anos atrás, seu pai colocar o barco no rio. A embarcação deveria ser acoplada a ele, como um reboque. Kai também já tinha notado seu pai guardar a chave do minitrator numa espécie de porta-trecos debaixo do banco. Tiro e queda.

Seus dedos trêmulos levaram a chave até a ignição e, com um ronco, o veículo começou a trepidar. Kai não conseguia pensar muito no que estava fazendo. Sua mente entrara em alguma espécie de piloto automático e ele fazia uma coisa atrás da outra quase sem respirar.

Prendeu o guincho que acoplava o minitrator à dianteira do barco e dirigiu-se à cerca de arame que havia entre o quintal e o rio, cujas águas escuras e opacas desciam tranquilas ao encontro do mar, a alguns bons quilômetros dali. Kai puxou o fio de arame que segurava um pedaço da cerca que servia como uma espécie de porteira, deixando o caminho aberto para descer o barco até o rio. Esfregou as mãos suadas uma na outra, eletrizado, e subiu no banco com o couro rachado do minitrator.

— Giovana vai me matar.

Com cuidado, Kai começou a dar ré. Ele olhava para trás enquanto manejava o volante. A dança harmônica de seus pés entre freio e embreagem dava a impressão de que ele fazia aquilo todos os dias. Já tinha pilotado a Brasília algumas vezes, aos catorze anos, quando seu pai o ensinara a dirigir. Mesmo após sua mãe ter obrigado Sidney a não mais entregar o carro ao filho, ele ainda tinha conseguido pegar no volante algumas vezes durante a adolescência. O minitrator era um tanto diferente da Brasília, mas sua parca experiência foi o suficiente. Ou talvez tenha sido mesmo um pouquinho de sorte.

O pedaço de terreno entre o barco e o rio era inclinado, o que facilitava a descida. Em poucos segundos o barulho de águas se movendo se fez ouvir, e Kai vibrou ao ver a traineira ganhando o rio. De repente, seu sorriso congelou no rosto. O minitrator soltou um ruído alto e grave, sacudiu-se com violência para trás e para a frente e desligou. Ondas elétricas correram por todas as suas veias e articulações, mas Kai conseguiu pensar rápido e puxar o freio de mão antes que o veículo descesse desgovernado.

Ele suspirou, aliviado. Pelo menos o barco já estava dentro d'água. Kai retirou o guincho que ligava o minitrator ao barco e viu a traineira deslizar pelo restante da margem. Entrou no rio e, erguendo a mochila fora da água, alcançou a escada por fora do barco. Com um pouco de dificuldade, por causa do movimento e porque a escada era de corda, conseguiu chegar até o convés e correr para a cabine.

Kai ligou o motor e, sem olhar para trás, começou a girar a roda do leme com leveza, seu peito parecendo que ia explodir a qualquer momento. Ele soltou um grito, o rosto vermelho, vidrado.

Vai dar certo. Vai dar certo.

O barco desceu o rio com rapidez. Kai seguia em pé, o vento jogando seus cabelos para trás. Quando chegou ao ponto em que o rio encontrava o mar, manobrou o barco, guiando-o para o oceano pelo lado direito. Ali estava a Praia da Parada. E, no canto da praia, em frente a um hotel que só hospedava bacanas, ele esperava encontrar Arthur, Ervilha, Íris e Gio.

Mas não havia ninguém lá.

Ninguém importante para Kai. Colocou o rosto para fora da escotilha da cabine do barco, como se assim pudesse enxergar melhor, e só viu crianças correndo e adultos tomando sol esparramados em espreguiçadeiras.

Sentiu mais uma gota de suor, dentre tantas, escorrer pela testa até o pescoço. Chacoalhou o relógio no pulso. Se eles não chegassem em cinco minutos...

Uma vibração ecoou no bolso da mochila. Kai quase deixou o celular cair no chão com a rapidez com que pegou o aparelho. Seus olhos pararam, imóveis, sobre a tela.

Arthur: Não vai rolar. Impossível sair da igreja agora.

Kai se atrapalhou digitando e teve de reescrever as mesmas palavras duas vezes:

Kai: Cara, como assim??? É só sair! Eu preciso de vcs!!!!
Arthur: A EBD ainda não acabou. Minha vó não me deixou ir. Ervilha, Íris e Gio levaram bronca por entrar na classe dos adultos para pedir aos pais para irem à ilha. Nenhum deles ganhou permissão =(
Kai: Pq vcs falaram da ilha??? Podiam ter inventado qualquer outra coisa!
Arthur: Vc sabe que a gente não faria isso.

É, ele sabia.
Kai chutou a parede da cabine e virou o leme com tudo em direção a Apoema. No bolso da bermuda, o celular continuava emitindo vibrações, uma atrás da outra. Ele ignorou todas elas.

32

KAI PILOTAVA O BARCO com os olhos fixos na ilha. Passou em frente à Praia da Ponta, onde algumas pessoas curtiam o dia, mas o casebre de Laércio estava fechado. Contornou a ilha e não demorou muito para avistar uma pequena faixa de areia dourada preenchida quase em sua totalidade por pedras de diferentes tamanhos. A água ali era quase transparente.

— Prainha — Kai inspirou devagar, uma avalanche de memórias tomando seus pensamentos. Era quase como se pudesse ver seu pai ali, puxando uma rede de pesca em um barco parecido com o que ele pilotava agora. Os peixes pulavam e Kai ria, tentando segurá-los. Ele e Sidney guardavam dentro de caixas de isopor os que não conseguiam se salvar, e depois Kai sempre acabava conseguindo liberação para um salto de uma das pedras.

Ele piscou depressa, espantando aqueles fantasmas. Olhou em volta e percebeu algumas lanchas espalhadas ali perto. Pelos altos coqueiros reconheceu a praia da casa de Mariano. De longe, pôde perceber uma lancha luxuosa encostada no pequeno cais. Não parecia ser tão longe. Ele precisaria atracar na Prainha.

A traineira envelhecida de seu pai atraía olhares, mas Kai pilotava com o queixo erguido, como um capitão experiente.

Essas lanchas vão ajudar Mariano a despistar qualquer coisa. Vai ver até foi ele que colocou toda essa gente aqui.

Kai levou o barco até a praia e a embarcação parou ao chocar com a areia e algumas pedras. Desligou o motor e pulou.

Tropeçando nos próprios pés, chegou à mata. Suas pernas eram mais velozes que o próprio pensamento, e ele ora abria os braços para empurrar folhagens, ora desviava a cabeça para não bater em algum galho protuberante. O latejar da urgência não lhe permitia pensar com clareza. Não tinha ideia do que faria. Só precisava chegar lá. O mais rápido possível.

Em alguns minutos, avistou a mansão e, ao se aproximar da cerca, diminuiu o ritmo. Pé ante pé, parou próximo ao lugar onde ele e Arthur haviam ficado da última vez. Abaixado atrás de alguns arbustos, Kai entrecerrou os olhos em direção à casa. A varanda estava vazia. Não tinha ninguém trabalhando nos jardins e nenhum barulho de obra ou reforma. Tudo parecia estranhamente tranquilo.

Ele ficou agachado, o coração batendo nos ouvidos como uma melodia sufocante. Será que não apareceria ninguém? De onde ele estava, não conseguia ver a praia. Não sabia se a lancha continuava lá ou se tinha alguém na areia. *Tique-taque. Tique-taque.*

— Ah, quer saber, eu não vim até aqui para me borrar de medo agora — Kai levantou-se e, esgueirando-se pela vegetação, procurou um ponto da cerca que ficasse completamente escondido pelas árvores. Curvando o corpo, passou uma perna entre os arames e olhou para todos os lados antes de atravessar o restante do corpo.

— Ai — resmungou baixinho ao ver que a mochila, havia ficado presa. — Mas é um imbecil mesmo — Kai chacoalhou as alças da mochila, jogou-a no chão e enfim conseguiu chegar do outro lado. As palmas das mãos pareciam ter sido mergulhadas na água, tamanha a tensão que seu corpo sentia. Ele as esfregou na bermuda e já se embrenhava entre as árvores na busca por uma boa posição quando ouviu uma risada.

Kai congelou. Por alguns segundos, evitou até respirar. Seus olhos, correndo de um lado para o outro, procuravam nas frestas entre as árvores de onde vinha aquele burburinho crescente de conversa. Não demorou muito, embora a sensação fosse de horas, para que ele enxergasse um trio de homens batendo papo como velhos amigos enquanto caminhavam pelo jardim. Mariano estava no meio deles. E era o que mais sorria.

Kai virou a cabeça para o lado e esticou o pescoço, tentando ouvir melhor o que diziam, quando avistou seu pai se aproximar com uma bolsa de couro atravessada no tronco, vindo pelo sentido da praia. Foi então que percebeu, no pequeno cais construído sobre a areia amarelada a poucos metros dali, um dos homens armados que tinha visto naquele dia. Ele entrava e saía do gigantesco e luxuoso iate, falando ao telefone, quando o segundo capanga se aproximou com uma caixa nas mãos. Caixa essa igual às que ele e Arthur viram.

O carregamento com o contrabando está ali dentro. Certeza.

Olhou para o pai novamente e conteve o impulso de ir até ele, aguardando com o cenho franzido. Sidney disse algo a Mariano, apontando em direção ao iate, e Mariano segurou o ombro dele em aprovação. Em seguida, pegou a bolsa que Sidney carregava e tirou algo de dentro, entregando aos dois homens desconhecidos. Kai demorou um pouco a entender o que estava acontecendo, até que a ficha caiu.

Gordos pacotes de notas dobradas e amarradas com elástico. Dois para cada um. Somente Sidney não recebeu.

— Que porcaria é essa? — Suas sobrancelhas se uniram. O peito de Kai começou a subir e a descer como se tivesse corrido uma maratona quando viu quatro pares de olhos virados em sua direção. *Opa*. Tinha falado um pouco alto demais.

— Quem está aí? — Sidney se achegou devagar, o rosto austero de sempre ainda mais fechado.

Kai trincou os dentes e começou a andar para trás, até que seus olhos bateram no símbolo lustrado na carteira que um dos homens que acompanhavam Mariano havia tirado do bolso. Ele parou. E, em um segundo, a certeza do que estava se desenrolando à sua frente se chocou contra seu peito como uma pancada. E fez seu sangue ferver como água numa chaleira.

— É assim que gente como você resolve os problemas, não é, Mariano? — Kai, sem ouvir nada além de seu senso de justiça, passou pelas árvores e colocou os pés sobre a grama bem aparada, deixando o queixo de seu pai quase bater no chão. Ninguém dizia nada. Ninguém conseguia falar nada. Mariano abriu a boca algumas vezes, os olhos semicerrados, a cabeça parecendo a ponto de sair fumaça.

— Que palhaçada é essa? — Sidney se recuperou do choque com mais rapidez.

— Eu é que te pergunto — Kai fitava o pai com desgosto. — Onde está aquele homem que um dia me disse que precisávamos proteger o lugar em que vivemos? Pelo jeito agora está ajudando esse aí — ele indicou Mariano com a cabeça — a fazer o exato oposto disso.

O rosto de Sidney se contorceu à medida que enrubescia.

— Ora, ora — Mariano deu uma risada zombeteira. — Nunca foi tão fácil descobrir o autor de uma denúncia anônima.

O homem que tinha tirado o distintivo policial junto com a carteira e o outro concordaram, rindo.

— Corruptos — Kai lançou uma rajada de cuspe nos pés deles e Sidney o agarrou pelo braço, arrastando-o pela grama. Seu pai segurava com tamanha força que começou a doer. Ele levou Kai para um canto da varanda e chegou o rosto tão perto que o garoto conseguia sentir o odor acre de saliva velha invadir suas narinas.

— O que você está fazendo aqui? — Sidney grunhiu.

— Como você teve coragem? — Kai olhou dentro dos olhos do pai. — Precisava de mais dinheiro para continuar enchendo a cara? — Ele parou um instante, o rosto transformado pela repulsa. — Eu tenho nojo de você.

Kai viu algo se apagar no rosto de Sidney. Ele piscou devagar, sem tirar os olhos do filho. Mas logo sua ira se reacendeu e Sidney apertou mais um pouco o braço de Kai, que prendeu os lábios, sufocando um gemido.

— Você se acha o espertinho, não é? Mas a verdade é que é um idiota. Um completo idiota. Você tem ideia de quem é essa gente e do que eles são capazes? — Sidney esbravejou baixinho.

— Cometer crimes e fazer subornos?

Kai sabia que não era apenas sobre isso que seu pai falava. O olhar de Sidney era tão sinistro que um frio percorreu sua espinha.

— Como você descobriu? — o homem perguntou entredentes. — Foi a filha do Mariano? Vocês estão saindo, não estão?

— Estávamos. Eu terminei com ela, mas então encontrei... — Kai parou. Por que estava falando detalhes para seu pai? — Eu vi a Chloe hoje e ela disse que vocês estariam aqui fazendo "algo importante". Até então eu não sabia que era o Mariano por trás disso tudo. E muito menos que você estava com ele nessa. Eu já tinha descoberto sobre o esquema todo quando estive aqui na ilha com meus amigos. Nós vimos o carregamento das aves e ouvimos algumas conversas dos seguranças.

— E o que deu na sua cabeça para vir até aqui e se entregar desse jeito?

— Queria te avisar que a polícia poderia chegar a qualquer momento. Sei lá, pensei que você corria o risco de ser preso — Kai arrependeu-se de ter revelado o real motivo assim que as palavras lhe saíram da boca. Sem jeito, desviou o olhar. Antes, porém, conseguiu ver as feições de Sidney suavizarem. O pai soltou um xingamento enquanto a mão que segurava o braço de Kai afrouxou um pouco. Alguns segundos silenciosos se passaram até que Sidney falasse:

— Essas pessoas envolvidas no mundo do crime, Kai, quando alguém entra no caminho delas, não mostram piedade nem misericórdia. — Algo no tom de voz de Sidney quebrou sua posição ameaçadora. O coração do garoto acelerou. — Você está entendendo o que eu quero dizer?

Kai ergueu a cabeça e deparou com um par de olhos arregalados cravados nele. Balançou a cabeça para cima e para baixo.

— Por que você foi se meter nisso? — Kai questionou. Sidney observou-o por alguns instantes e a voz de Mariano ecoou pelo gramado, despreocupada:

— Deixa o garoto, Sidney. Nosso horário está apertado.

Sidney soltou o braço do filho e voltou para onde o patrão e os policiais estavam. O coração de Kai ainda não havia diminuído o ritmo. *Quando alguém entra no caminho delas, não mostram piedade nem misericórdia.* Será que ao invés de tentar livrar a pele do pai, no fim, o tinha jogado aos leões?

Kai engoliu com dificuldade e seguiu atrás de Sidney.

— Meus camaradas aqui precisam ir embora e nós temos um transporte a fazer — Mariano disse a Sidney com tranquilidade, agindo como se o filho dele não tivesse assumido que havia denunciado seus crimes poucos minutos antes. O peito de Kai agitou-se. Olhou para o pai e sentiu que alguma coisa não estava certa.

— Sr. Mariano — ele chamou, a voz estável nada compatível com suas emoções à flor da pele. — Foi mal por ter denunciado você. Na verdade eu não sabia que era você por trás disso tudo. E meu pai, ele não teve nada a ver com isso. Eu... eu descobri sozinho enquanto fazia uma trilha aqui em Apoema.

Mariano passou os olhos do pai para o filho e vice-versa. Um olhar que fez os pelos da nuca de Kai se arrepiarem. Porém, em seguida, sorriu.

— Eu sei que você não estava sozinho. Régis e Luís me contaram sobre o grupo que esteve bisbilhotando aqui no dia primeiro.

Eles deixaram vocês ir embora, afinal curiosidade é coisa comum entre a garotada.

Um fio gelado percorreu Kai desde o dedo do pé até o alto da cabeça.

— Pelo menos a gente sabe que, além dos meus amigos aqui — o homem apontou para os agentes da polícia ambiental —, ninguém mais ficará sabendo do nosso trabalho. Posso confiar em você, Kai? — Mariano pôs as mãos na cintura e ergueu a barra da camisa, deixando à mostra uma pistola.

A cor sumiu do rosto de Kai e ele concordou apenas com a cabeça, os olhos a ponto de saltar das órbitas.

33

O VERDE PASSAVA COMO um borrão à medida que Kai cortava a floresta com velocidade. Seus batimentos faziam seu interior vibrar. *"Ninguém mais ficará sabendo... posso confiar em você, Kai?"* As palavras de Mariano ecoavam mais forte em sua mente do que seus passos firmes no chão.

Ele não tinha visto a equipe do jornal no mar quando deixara a mansão, mas eles poderiam estar em qualquer um daqueles barcos passando-se por turistas. Não precisavam ficar tão perto para registrar tudo.

"Ninguém mais ficará sabendo..." Se ele não se encontrasse com Giovana logo, na manhã seguinte o Brasil inteiro saberia. Os olhos esbugalhados de seu pai piscaram na mente de Kai. *"Quando alguém entra no caminho delas, não mostram piedade nem misericórdia".*

Eu tô muito enrascado.

Dez minutos depois, Kai teve a certeza de que *enrascado* poderia se tornar seu sobrenome. Depois de girar a chave da embarcação cinco vezes e receber apenas ruídos esganiçados de um motor pedindo socorro, Kai levou as mãos à cabeça. O barco não ligava de jeito nenhum.

O que faria agora? Pensou em pedir ajuda em alguma das lanchas próximas dali. O som alto e as bebidas deixavam aquelas pessoas alheias a tudo em volta delas. O que poderiam fazer por ele? O barco provavelmente precisava de um mecânico.

— Droga — resmungou ao perceber a única saída que tinha.

E então, pulou de novo para a praia e voltou a correr.

Quando chegou à Praia da Ponta, teve a sensação de estar em uma ilha deserta. Além dos casebres fechados, não havia nenhum sinal de vida humana. Laércio, pelo jeito, cumprira o que tinha dito, ficando longe dali. Kai soltou um riso nervoso. Foi embora à toa. Mariano sabia que a denúncia não tinha vindo dele.

Ele foi até as pedras no canto da praia e desamarrou um caiaque cheio de lodo que tinha visto da outra vez em que estivera na ilha. Pelo estado dele, Laércio não o utilizava havia muito tempo. Kai tirou umas folhas que se ajuntavam dentro do compartimento do remador e se acomodou dentro. Em seguida, pegou o celular — já havia sinal ali — e viu as dez chamadas perdidas, oito mensagens e três caixas postais de Arthur, Gio e Ervilha. Lembrou-se do dia em que esquecera de ir estudar para ficar com Chloe.

— Atende, Gio — mordeu o canto do lábio enquanto escutava o *tu-tu-tu* sem fim. Depois de três tentativas sem sucesso, seu celular vibrou. Era Arthur ligando.

— Onde a Gio está? Preciso falar com ela! Código VS! — Kai despejou quase sem respirar.

— Onde você se meteu? Estamos há mais de duas horas tentando falar com você!

— Tô em Apoema. A Gio está aí?

— Conseguiu chegar na ilha como? E seu pai, você o encontrou?

— A Gio, Arthur! Me responde!

Kai ouviu um ruído abafado e, depois, a voz imperiosa de Giovana invadiu seu ouvido:

— O que você fez? Estamos preocup...

— Gio, escuta! Você já falou com a sua prima? Ela conseguiu material para a reportagem?

— Sim — Gio respondeu devagar. Kai podia jurar que o cenho dela estava franzido. — Por quê? Você está preocupado que a matéria exponha seu pai?

— Ela falou o que exatamente conseguiram fotografar ou filmar? — Kai coçou a testa com o polegar e o indicador, a tensão retesando seus ombros.

— A Débora e o cinegrafista estavam em uma lancha no meio de outras, para despistar. Eles conseguiram capturar algumas imagens distantes das caixas enquanto eram colocadas em uma lancha enorme. Não foram muitas, a maioria já devia ter sido colocada antes. Posso pedir a ela que me envie as fotos e a gente vê se seu pai está em alguma delas.

— Não, Gio. Com ou sem meu pai, essas fotos não podem ser publicadas. Essa matéria não pode ir ao ar! — Kai balançou a mão livre, como se Gio pudesse vê-lo.

— Como assim, Kai? A equipe do jornal veio do Rio pra cá, quatro horas de viagem, arrumaram uma lancha e ficaram disfarçados em pleno domingo de manhã simplesmente porque acreditaram na história de cinco adolescentes metidos a detetives! Como vou dizer à Débora, que a essa altura já está a caminho da redação com um furo jornalístico interessantíssimo, que ela não pode mais publicar?

Kai cerrou o punho sobre a boca e soltou um arquejo sufocado, fechando os olhos. Quando as coisas iam começar a ficar mais fáceis? Bendita hora — para não dizer o contrário — que decidiram sair daquela trilha.

— Você conseguiu falar com seu pai? O que aconteceu aí, Kai? — a voz de Gio começava a ficar angustiada. Como ele não respondeu nada, ela continuou: — Você viu a polícia? Eles prenderam seu pai?

— Não.

— Não prenderam ou você não viu a polícia?

— Não prenderam.

— Então a suspeita da Débora está correta. Ela viu dois homens chegarem lá e desconfiou que eles fossem policiais. Segundo ela, eles não pareciam nem um pouco determinados a prender ninguém. Mariano deve ter subornado os policiais e...

— Sim, ele fez isso — Kai cortou-a mais uma vez. — E você precisa falar com a sua prima *agora* e pedir que ela não escreva nada para o jornal.

— Não tem como, Kai. Eu peço a ela para tirar seu pai das fotos, mas impedi-la de publicar já é demais.

— Por favor, Gio, você precisa tentar.

— Alguma coisa aconteceu. Me conta o que foi.

— Eu explico depois. Estou saindo da ilha agora — Kai respirou fundo. — Só preciso que você tente. Por mim.

Gio ficou um instante calada.

— Tá — respondeu. — Encontre a gente na praia. Estamos na árvore perto da Sunshine.

Kai desligou, desacoplou o remo na lateral e começou o seu caminho de volta.

※

— O cara te ameaçou com uma arma! — Ervilha esbugalhou os olhos.

— Psiu! — Gio colocou o dedo indicador sobre os lábios.

— Fala baixo, Ervilha — Kai olhou para o lado. Eles estavam debaixo da amendoeira que proporcionava uma bela sombra sobre a areia, próxima ao calçadão, e viu Bernard e Pitbull vindo na direção deles. Kai tentou fazer a melhor cara de estamos-falando-sobre-qualquer-coisa-aleatória. *O que é que aqueles caras queriam justo agora?*

— E aí, beleza? Amanhã vai rolar uma festa lá em casa. Estão a fim de ir?

Kai e os amigos se entreolharam. Bernard era famoso por suas festas. Muito álcool, cigarro e coisas proibidas para menores de dezoito anos em um lugar cheio de gente menor de dezoito anos.

— Eu quero! — Íris respondeu de imediato. — Que horas vai ser?

Ervilha olhou para ela.

— Você acha que a mãe vai deixar você ir?

— Se você for, é claro que sim.

— E o que leva você a pensar que ela vai *me* deixar ir?

— Vai começar oito horas. Piscina. Música. Churrasco — Bernard deu de ombros.

Bebidas, drogas...

— Sei que vocês são da igreja, mas, apesar do meu apelido, a gente não morde — Pitbull soltou uma risada. Seus olhos pequenos e claros, a pele morena, o corpo malhado de quem fazia crossfit todos os dias eram a demonstração óbvia do apelido que recebera. Ele parecia gostar.

— Valeu pelo convite. A gente vê — Kai respondeu, querendo se livrar deles logo. As batidas de seu coração continuavam reverberando nos ouvidos. A ansiedade dos últimos acontecimentos pulsando sem parar. Bernard e Pitbull se despediram e foram até uma galera que se arrumava para jogar tênis de praia. Pelo jeito aquela festa ia bombar.

Eles esperaram um tempo em silêncio até que os dois estivessem longe o bastante e Arthur voltou para o assunto como se apertasse o play numa cena pausada de um filme.

— Não sei o que é mais bizarro — disse ele, quase aos sussurros. — Você descobrir que trabalha na casa do homem que a gente denunciou, que seu pai está envolvido no esquema ou que o cara te ameaçou-sem-ameaçar. E, além de tudo, você ainda foi pilotando sozinho um barco até Apoema e deixou o barco lá! O barco do seu pai! — Ele levou as duas mãos à cabeça, inclinando-a para trás.

— Inacreditável — Gio sussurrou. Ela não largava o celular. Já tinha feito algumas ligações para Débora, antes e depois de Kai chegar à praia e contar tudo que acontecera na ilha. Gio tinha implorado e continuaria implorando, mas a prima disse que não havia como voltar atrás. A matéria já tinha ido para o redator-chefe e ele não aceitou cancelar.

— O buraco era mais embaixo do que a gente imaginava. E agora estou soterrado nele — Kai sentou-se numa das raízes da amendoeira e levou as mãos unidas à boca. Seu olhar perdeu-se em algum ponto da areia remexida. Agora, com todo o impacto dos acontecimentos na ilha diminuindo, ele se sentia esgotado, como se enfim o peso esmagador e real do que havia acontecido começasse a assentar em seus ombros.

— No que fomos nos meter? — Ervilha apoiou os cotovelos nos joelhos e afundou a cabeça nas mãos. Pelo jeito, o peso não caía só sobre Kai.

— Eu só não vou dizer que avisei para não ser a chata da situação — Íris mordeu um pedaço de seu picolé de uva.

— Pode dizer à vontade, Íris — Arthur suspirou, olhando para a dança despreocupada das águas à frente deles. — A gente merece.

— Essa provavelmente não foi uma das vinte maneiras que você imaginou que nossa aventura pudesse dar errado, não é, Gio? — Kai riu, mas não havia humor em suas palavras. Sem responder, Giovana se levantou e caminhou até a beira do mar, parando de braços cruzados.

— O que deu nela? — Íris ergueu uma sobrancelha.

Arthur começou a se mover em direção a Gio quando Kai ficou de pé num pulo e deu dois tapinhas no peito do amigo, contendo-o. Ele correu pela areia, sem esperar a resposta de Arthur.

— Chateei você com o que eu disse? — Kai parou ao lado de Gio. — Desculpe, foi só um sarcasmo com a proporção que a coisa toda tomou. Não com você.

Ela olhou para as ondas que lambiam seus pés devagar.

— Você tem razão. Eu não consegui imaginar um desfecho como esse. E também nem tinha como, não sou o Dr. Estranho, né? — Os dois riram, mas Gio logo voltou a ficar séria. — Eu não deveria ter incentivado a gente a entrar nessa loucura.

— Você não incentivou.

— Mas concordei. E depois mergulhei de cabeça. Logo eu, que detesto entrar em qualquer lugar onde a água ultrapasse minha cintura — ela revirou os olhos, zombando de si mesma.

— Vai dar tudo certo — Kai soava tão seguro quanto um graveto agitado pelo vento.

Gio virou-se, ficando de frente para ele.

— O homem te mostrou uma arma, Kai. Uma arma! E amanhã quando a notícia sair ele vai saber que foi você. E sabe-se lá o que ele vai fazer — o rosto dela se contraiu. — Eu implorei tanto à Débora... Não devia ter falado com ela, contado sobre o que descobrimos. Eu sei que muitas pessoas desse meio podem fazer de tudo para ter um bom furo de reportagem. Ainda mais a equipe da Débora, que é meio doida.

— Foi justamente por isso que contamos pra ela — Kai disse em tom de lamento.

— E o tiro saiu pela culatra — Gio levou as duas mãos aos olhos soltando um murmúrio queixoso. — Se alguma coisa acontecer com você, eu não vou me perdoar.

— Fica tranquila, Gio, eu nem sou isso tudo mesmo — Kai

sorriu e ela deu um empurrão de leve no ombro dele, mas logo desviou a vista para o mar.

Kai fitou aquele par de olhos condoídos e se sentiu agradecido por Gio e os amigos não terem ido com ele a Apoema mais cedo. Tinha ficado irado. Se sentido um tanto traído. Mas, agora, saber que Mariano não tinha visto o rosto de nenhum deles era um alívio.

Uma brisa um pouco mais forte trouxe do mar algumas gotas geladas sobre eles, e Kai viu Gio estremecer. O sol estava intenso, como em quase todos os dias do verão. Ela não sentia frio.

E foi então que ele percebeu o brilho transparente lutando para não cair de seus olhos aflitos.

— Gio... — Kai deu um passo e apertou os lábios enquanto a encarava sem saber o que dizer. Não queria que ela chorasse. Não queria que ela sofresse. Uma mecha do cabelo de Gio dançou em seu rosto e ele, com cuidado, quase como se pegasse uma peça de cristal, colocou-a atrás da orelha dela. Gio ergueu o queixo e o encarou de volta.

Além do olhar entristecido, ele notou algumas coisas novas naquele rosto tão conhecido. A pele de Gio não estava pálida, como costumava ser. O tom bronzeado que as férias conferiram a ela caía-lhe muito bem. Era como se seu rosto reluzisse. Uma ruga suave surgiu entre as sobrancelhas dele. Como não havia percebido isso antes? Ele a via praticamente todos os dias.

— Estou com tanto medo, Kai — ela suspirou com os lábios levemente contorcidos. O autocontrole bem treinado, evitando que as lágrimas despencassem. Kai engoliu em seco e decidiu que não precisava se esconder. Não dela.

— Eu também estou, Gio. Você não imagina quanto — e passou os braços ao redor dela, beijando seus cabelos. Gio ficou ali, escondida no abraço de Kai por alguns segundos, até se soltar de repente e começar a voltar para onde os outros estavam. Kai foi ao lado dela, em silêncio.

Ao chegarem à amendoeira, seus amigos os olharam sem dizer nada. Íris começou a mexer no celular, ignorando-os, embora de vez em quando desse algumas olhadelas. Ervilha trocou um olhar significativo com Kai, que franziu a testa. Tinha sido tão estranho assim abraçar a Gio na frente de todo mundo?

Por último, Kai viu Arthur. Seu rosto não tinha expressão alguma quando perguntou em um tom gentil:

— Está tudo bem?

— Sim — Gio respondeu. — Só estou um pouco... abalada. E com medo do que pode acontecer.

Todos trocaram olhares apreensivos, e Kai sentiu como se uma bola de algodão estivesse presa em sua garganta. Não tinha outro jeito. Eles teriam que esperar para ver.

34

SEUS DEDOS TREMIAM AO LEVAR a chave ao portão de madeira desbotada. Checou o relógio de pulso. 22h01. Tinha postergado ao máximo sua ida para casa. Havia passado o restante da tarde com os amigos na praia, lanchado na casa do Arthur e lá mesmo recebido uma toalha e uma peça de roupas do amigo para tomar banho e ir para o culto. Vó Dalva praticamente o obrigou a ir.

— Tem certeza de que não quer dormir lá em casa? — Arthur perguntou ao final do sermão. Kai havia passado a pregação inteira lutando para manter os olhos abertos. Todo o frenesi do dia estava cobrando seu preço.

— Preciso ir para casa. Minha mãe mandou uma mensagem.
— O que ela disse?
— Só para eu ir embora. Nada demais. Mas como ela nunca me manda ir para casa, eu sei que ela já sabe o que aconteceu — Kai sentiu uma lufada fria invadir seu estômago.

A mesma lufada que sentia agora, diante do portão aberto. Será que seu pai estava em casa? O medo transpassava seu interior como uma lança. Além de ter causado tudo aquilo em Apoema, ainda havia praticamente abandonado o barco que Sidney mantinha guardado havia anos.

Inspirou o ar com força e entrou no quintal. As luzes estavam apagadas. *Menos mal*. Sinal de que não havia ninguém na sala ou na cozinha. E nem na varanda.

Kai passou pela Brasília, tirou uma gaiola jogada no meio da varanda e, quando se dirigia à porta da cozinha, sentiu um sobressalto. Abriu os braços para manter o equilíbrio e tentou não sair correndo ao ver seu pai sentado, de costas para ele, num latão de tinta vazio virado de cabeça para baixo no quintal dos fundos. Sua silhueta imóvel banhada pela desbotada luz do luar tinha uma aparência um tanto sinistra.

Pisou, pé ante pé, até a porta da cozinha. Girava a maçaneta com todo cuidado para não fazer barulho, mas cerrou os olhos e apertou os lábios com força ao ouvir a voz seca cortar o silêncio:

— Meu pai sempre me levava a Apoema quando eu era garoto.

Kai permaneceu no mesmo lugar. Sidney continuava de costas. Vai ver estava falando sozinho.

— Seu Tião preferia a Prainha. Dava muito peixe por lá naquela época. Mas às vezes também atracava na Praia do Marisco — ele parou por um instante. — Você sabe onde fica a Praia do Marisco?

Os ombros de Kai caíram enquanto continha o desejo de chutar as tralhas perto da porta.

— Não. Não sei.

— É onde Mariano mandou construir aquela mansão.

Kai prendeu a respiração à simples menção daquele nome. E lá estava outra vez, a lufada fria, enchendo seu estômago. Ele já se preparava para o que viria em seguida. Qual seria seu castigo?

Porém, cinco segundos se passaram. Dez. Quinze. Por que Sidney tinha ficado calado de repente?

— Ele teria tido a mesma opinião que você — disse, enfim.

Kai inclinou a cabeça e crispou ainda mais a testa.

— Que opinião?

— Meu pai era caiçara. E caiçaras sempre defenderam a conservação da natureza. — Sidney abaixou e pegou uma garrafa de vidro que Kai não tinha visto antes. Deu um gole. — Ele sentiria nojo.

Somente naquele momento Kai se deu conta de que era a primeira vez que ouvia o pai falar sobre seu avô. Ele não sabia muito sobre a família paterna. Havia perguntado algumas vezes quando era mais novo, mas sempre era repreendido por sua mãe, que o mandava ficar quieto. As únicas coisas que sabia era que seu Tião já não era mais vivo e que a pesca havia sido passada de pai para filho, até que Sidney decidisse deixar o ramo.

Devagar, Kai deu alguns passos e parou próximo ao pai. Sidney olhava para o rio escuro, mas sua mente parecia estar a quilômetros dali. O cheiro do álcool pairava no ar. Em vez de agressivo, seu pai havia ficado sentimental. Uma coisa inesperada.

— Como ele era? O seu pai? — Kai também fixou os olhos no rio, receando levar um fora.

— Alto e forte, mas com uma barriga larga de chope — um quase sorriso surgiu na boca de Sidney, Kai viu de soslaio. E quase sorriu também. — Um grande cabeça-dura. Tudo tinha que ser do jeito dele.

Não me diga.

— O vô... morreu do quê? — Era estranho para Kai se referir como "vô" a alguém que sequer havia conhecido.

— Ataque do coração — Sidney entornou mais um gole na garganta e levou o antebraço à boca para limpá-la. — O barco, aquele que não está mais aqui, era do meu pai.

As pernas de Kai estremeceram.

— Pai, olha...

— Eu sei que foi você que pegou. Onde é que está?

Com o coração aos galopes, ele balbuciou até não encontrar outra saída a não ser ir direto ao ponto:

— Na Prainha. O motor não quis funcionar de jeito nenhum para voltar pra cá.

— Pelo menos você pilotou direito?

Kai arregalou os olhos e fitou o pai. Teve vontade de se beliscar para ver se aquele diálogo, todo aquele momento, era real.

— A-acho que sim. Lembrei de tudo que você me ensinou.

— Hum.

— Voltei para o continente com um caiaque velho e vou usá-lo para buscar seu barco. Vou dar meu jeito — Kai parou por um momento e disse, com um ar nostálgico agarrando seu estômago: — Você também preferia a Prainha para pescar. Assim como seu pai.

Um barulho agudo soou do outro lado do curso das águas e Sidney virou o pescoço, procurando de onde vinha. A claridade da enorme lua cheia que pairava sobre eles bateu sobre o rosto de Sidney e o lado antes coberto pela penumbra foi exposto. Kai sufocou um grito.

— O que aconteceu com seu rosto? — A pergunta era retórica. Kai já havia se envolvido em brigas o suficiente para saber que aquele hematoma grotesco da cor de uma berinjela podre veio de um soco de mão cheia — ou, muito provavelmente, mais de um. Sidney ignorou a pergunta e Kai prendeu a respiração quando a percepção desceu sobre ele como um véu. Um desagradável e incômodo véu.

— Foi o Mariano, não foi? Ou ele mandou os capangas? — sua voz saiu amarga. Sidney apoiou os braços sobre as pernas dobradas e balançou a garrafa quase vazia para a frente e para trás.

— Isso aqui é uma maldição — o homem ergueu a garrafa até a altura do nariz e bebeu o último gole. — Eu tinha entornado umas quatro dessas quando comecei a jogar. Uma única noite e estava devendo até as cuecas. Poucos dias depois Mariano me chamou para cuidar da obra na ilha e coordenar o trabalho. O dinheiro era bom, você deve imaginar. E eu precisava pagar as dívidas — Sidney mirava o chão. — Como a obra não ia durar para sempre e nem todos os dias eu precisava ir para Apoema, mantive Jorge e o Marlon fazendo os serviços no condomínio para não perder a clientela.

— Marlon?

— O rapaz que eu demiti para colocar você no lugar.

Kai abriu a boca, perplexo. A última meia hora havia revelado mais do que o último mês inteiro.

— Por que não me contou? Aposto que o Jorge sabia que seus "outros serviços" eram na ilha — Kai falou em tom ríspido.

— Não queria você envolvido nisso. Quanto menos soubesse, melhor pra você — Sidney parou um segundo, os dedos passando pelo hematoma no rosto. — No final, parece que não adiantou muita coisa.

As folhas das árvores perto dali começaram a se agitar, em um murmúrio tranquilo, e Kai sentiu como se elas o abraçassem. Seu pai tinha pensado nele. Havia tomado uma decisão a fim de protegê-lo. Uma emoção nova começou a surgir em seu íntimo. Talvez fosse... esperança?

Uma lembrança esgueirou-se dentro dele. A lembrança de como seu pai costumava ser. As idas dos dois à Prainha, o cheiro de peixe fresco, os braços de Sidney sobre os seus enquanto o guiava pela bodyboard.

— Tudo era melhor quando você era um pescador e não vivia com uma dessas na mão — Kai empinou o queixo em direção à garrafa. — O que mudou? *Por que* mudou? — Ele não pretendia que sua voz saísse tão angustiada.

Sidney não respondeu e um pensamento surgiu na mente de Kai: deveria contar sobre a reportagem que sairia no dia seguinte? De alguma forma deixar o pai preparado? Seu coração apertou. Talvez a conversa não terminasse tão pacífica quanto tinha começado. Ele começou a se afastar para entrar em casa quando a voz de Sidney o deteve:

— Não precisa voltar para buscar barco nenhum. Já tinha passado da hora de me livrar daquilo.

Kai abriu a boca para protestar, mas seu pai continuou:

— Tem algumas correntes que a gente precisa arrebentar, mesmo que a chave do cadeado já tenha sido perdida há muito tempo.

Ele aquiesceu, não sabendo muito bem o que aquilo significava, e entrou na cozinha. Antes que levasse os dedos ao interruptor, a luz da geladeira aberta destacou-se no cômodo escuro.

— Mãe?

— Ah, oi, filho.

De alguma maneira, quando sua mãe se virou, deixando a silhueta marcada pela claridade vinda do refrigerador, Kai soube que ela havia escutado tudo.

— Ele está bebendo há quanto tempo? — apontou para o quintal com a cabeça.

— Acho que desde quando chegou em casa. Por volta das sete da noite — Eva apertou o interruptor. — E desde então também não se levantou daquela lata.

Ele meneou a cabeça, a mente explodindo com tudo que tinha ouvido.

— Eu fiquei desesperada quando cheguei e o barco não estava aqui. Pensei que tinha sido roubado — sua mãe o observou de rabo de olho enquanto enchia o bule de água. — E então vi sua bicicleta jogada de qualquer jeito no quintal e entendi quem deveria ter feito aquilo.

— Você já sabe de tudo?

Ela acendeu uma boca do fogão com o isqueiro e colocou o bule em cima. Em seguida, tirou um pote escrito "Café" do armário e olhou para o filho:

— Eu sei que você não é muito de pensar antes de agir, mas, que droga, Kai, o que você tinha na cabeça?! Podia ter sido a sua cara arrebentada no lugar da do seu pai.

Kai olhou para as mãos. Eva puxou uma cadeira.

— Quero ouvir de você. Tudo. Desde o início.

35

AS COSTAS DE KAI DOÍAM como se ele tivesse carregado cinquenta quilos nelas enquanto dormia. Cruzou os braços sobre o peito e esticou os ombros, fazendo uma careta. Ele passaria o dia inteiro largado na cama, se pudesse. Mas não podia. Bem, quem sabe? Não fazia ideia de como seu pai estaria naquela manhã. Então tratou de tomar um banho, escovar os dentes e tomar o café da manhã. Ao chegar à cozinha, viu Sidney terminando de beber um copo de café. Kai observou-o de esguelha enquanto abria o pacote de pães. O hematoma parecia ainda pior à luz do dia.

— Qual o endereço de hoje? — perguntou.

— Rua Santos Dumont, 38.

Kai assentiu e, de canto de olho, tentava vasculhar no rosto do pai algum indício de lembrança da noite anterior. Será que ele havia falado tudo aquilo só por que estava bêbado? E se agora, em seu juízo perfeito, Sidney pensasse que o fato de Kai ter perdido a embarcação que herdara do seu pai fosse passível de sérios castigos? Estremeceu com a possibilidade de levar uma surra.

Com sua carranca costumeira, Sidney foi até o chaveiro pendurado na parede, pegou um gordo molho de chaves e já saía pela porta quando Kai perguntou, um pouco hesitante:

— Você também vai para o Village hoje?

— Não — Sidney virou levemente a cabeça para trás, mas permaneceu de costas. — Mariano saiu para uma viagem agora de manhã e deixou algumas coisas para eu terminar de arrumar em Apoema.

— Você vai continuar trabalhando pra ele? — Kai não tinha a intenção de que seu tom saísse tão acusatório e teve vontade de enfiar as palavras de volta na boca. Sidney ficou um tempo em silêncio e então foi para a Brasília, ligou o carro e saiu de casa sem dar resposta.

Quando Kai era criança, sua mãe tinha um rádio toca-fitas que ficava sobre o armário da cozinha. Ninguém mais usava aquele tipo de velharia para escutar música, mas ela gostava. Os sucessos de Whitney Houston e Céline Dion embalavam as atividades da casa quase o final de semana inteiro. Sempre que as faixas chegavam ao fim, Eva pedia ao filho que rebobinasse a fita. E, mais uma vez, os ouvidos recebiam uma enxurrada de melismas e vibratos.

Naquela manhã de segunda-feira, enquanto limpava as calhas da Santos Dumont 38, Kai se sentiu em um daqueles fins de semana. Só que, em vez de rebobinar fitas, ele rebobinava repetidamente os acontecimentos do dia anterior. Seu interior se remexia ao pensar na conversa com o pai e na reação que ele teria ao saber sobre a reportagem. E, pior, na reação que Mariano teria. Kai tinha a péssima sensação de que não seriam apenas alguns socos no rosto dessa vez. Pequenos tremores correram pelo seu corpo escorado na escada.

— É impressão minha ou hoje você está mais distraído que o normal?

Kai agarrou-se ao telhado com o susto que levou ao escutar a voz de Jorge.

— Distraído e assustado.

— Estou normal — Kai resmungou.

— Sei... — Jorge balançou a cabeça. — E eu sou o Super-Homem.

Kai jogou a mangueira de água no chão e desceu a escada com cuidado. Colocou o primeiro pé no gramado e ouviu o toque de mensagens chegando no celular. Pegou o aparelho e seus olhos saltaram na tela.

Arthur: Tem televisão perto de onde vc tá?
Ervilha: Se não tiver procura uma agora!! Canal 3!
Gio: Fica calmo. Tudo vai ficar bem.

— Jorge, vou dar um pulo na Lanchonete do Alemão e já volto — Kai cruzou o gramado e chegou à calçada em dois segundos.
— Mas a gente não acabou aqui, cara. Tem que limpar a bagunça.

Jorge falou mais alguma coisa, mas Kai não ouviu. Caminhava apressado pelas calçadas até o pequeno centro comercial do condomínio. O jornal que Débora trabalhava era impresso e on-line. Até onde ele sabia, não havia reportagens em telejornais. Por que Gio disse que ele deveria ficar calmo? Aquilo, por si só, já o deixava nervoso.

Sem parar de avançar, mandou mensagens ao grupo perguntando o que estava acontecendo. No entanto, não precisou mais de respostas ao cruzar a pequena praça que havia no centro do conjunto de estabelecimentos. A smart TV que devia ter mais polegadas que a idade de todos os seus amigos juntos estava ligada e anunciava aos curiosos que haviam parado para assistir que uma operação da polícia federal acontecia naquela manhã numa ilha no litoral sul do Rio de Janeiro.

— ... Apoema é uma ilha cheia de belezas naturais, aves raras e exóticas, uma fauna e flora riquíssima, e isso atraiu olhares de homens ambiciosos. Estima-se que, além do desmatamento de dezenas de hectares de árvores nativas, mais de dez espécies de aves foram capturadas para o esquema de contrabando coordenado por Sidney Fernandes.

Um baque nauseante pareceu abrir um buraco em sua barriga e Kai teve vontade de vomitar, o que de fato fez ao ver na tela em HD a imagem de seu pai encurvado e com as mãos algemadas nas costas. Ao se enfiar no banheiro com aroma de Pinho Sol, ele segurou as bordas da pia enquanto via todo seu café da manhã escorrer pelo ralo. A decidida e confiante narração da repórter transpunha as paredes e penetrava os ouvidos de Kai.

— ... Ainda não se sabe há quanto tempo o contrabando era realizado, mas a polícia federal investigava o caso há mais de três meses, de acordo com o comandante Alberto Michelli. Mariano Smicht, também envolvido no esquema, não foi encontrado na ilha esta manhã. Ele está foragido...

— Esse é o cara que mora ali na Avenida do Atlântico!

Kai ouviu uma voz sobressair no burburinho de telespectadores.

— Mariano! Você não reconheceu o comparsa dele? É faz-tudo aqui do condomínio — outra voz respondeu.

— Minha nossa, ele trabalhou na minha casa mês passado!

— Olha que perigo, vai saber em que outras coisas erradas ele está metido.

E assim vários comentários ecoaram como fagulhas que logo se transformaram em um fogaréu. Kai não saberia dizer quanto tempo havia ficado no banheiro, congelado diante da pia, o coração ecoando com violência nas têmporas, até ouvir três batidas na porta.

— Tá tudo bem, rapaz?

Ele aprumou o corpo e balançou a cabeça, como se quem tivesse batido pudesse vê-lo. Lavou as mãos e fez um bochecho com água para tentar tirar o gosto azedo da boca. Abriu a porta ainda secando as mãos com o papel-toalha e viu a expressão cheia de dúvida do homem calvo atrás do balcão. Kai já tinha ido ali com a equipe de seu pai algumas vezes, o dono da lanchonete devia tê-lo reconhecido.

Olhou de esguelha para as várias pessoas vidradas na tevê e apertou o passo, dando o fora dali. Quando estava na calçada, a alguns metros do centro comercial, ligou para Arthur.

— Cara, que loucura é essa que está acontecendo? — Kai teve de se controlar para não gritar. — Foi a prima da Gio que denunciou para a polícia federal?

— Nós achamos que não. A repórter disse que os caras estavam investigando há três meses.

Kai soltou todo o acervo de palavras feias que sua mente conseguiu lembrar. Arthur não falou nada por alguns segundos, como se se certificasse de que o amigo tivesse terminado.

— Estamos na Sunshine. Você pode nos encontrar aqui?

— Tô indo.

36

ENQUANTO KAI CORRIA da entrada do condomínio até a Sunshine, teve a sensação de que essa era a única coisa que vinha fazendo nos últimos dias: correr. Quando é que tudo aquilo chegaria ao fim? Cada novo dia parecia trazer consigo vários socos no estômago.

Desenfreado, atravessou a porta da lanchonete e viu os quatro amigos sentados a uma mesa no canto, as expressões de quem havia acabado de ver um fantasma. Além deles, só havia mais três pessoas numa mesa distante. Por sorte, muito movimento não era o forte da Sunshine numa segunda-feira às onze da manhã.

Gio foi a primeira a vê-lo. Seus olhos encheram-se de lágrimas. Ela se levantou e, antes que ele alcançasse a mesa, enlaçou-o em um abraço apertado. Kai foi pego tão de surpresa que demorou alguns segundos para retribuir o gesto. Quando sentiu o coração de Gio galopar contra seu peito, passou os braços pelas costas dela devagar. Ergueu os olhos para o televisor pendurado na parede e viu as imagens de seu pai, de Fábio e outros funcionários de Mariano algemados se repetir sem parar, enquanto um especialista explicava sobre os impactos ambientais que o desmatamento e a caça ilegal causavam ao ecossistema.

O corpo de Gio começou a liberar pequenos espasmos, e Kai soube que ela estava chorando.

— Psiu — ele sussurrou. — "Fica calmo. Tudo vai ficar bem." Não foi o que você me disse?

Kai sabia que nada ficaria bem, mas se sentiu na obrigação de consolá-la. Beijou o lugar onde a testa dela encontrava o cabelo e não sentiu nenhuma vontade de acompanhá-la nas lágrimas. Na verdade, Kai não conseguia sequer se lembrar da última vez em que havia chorado. Naquele momento, raiva, decepção e até uma boa dose de desespero remexiam-se dentro dele, mas aquela mistura estava longe de se traduzir em soluços.

Os braços de Gio se afrouxaram e, com a cabeça baixa, ela voltou para a mesa passando as mãos sob os olhos. Kai puxou o ar e sentou-se em seguida. Arthur e Ervilha apertaram seus ombros em um cumprimento solidário e Íris, que estava do outro lado da mesa, esticou o braço e segurou sua mão por alguns segundos.

— Não consegui falar com a Débora — a voz de Gio estava um pouco trêmula, embora não estivesse mais chorando. — Ela não me atende e nem responde minhas mensagens. A matéria saiu no site do jornal agora há pouco. Você quer ver? Seu pai não apareceu em nenhuma foto. Pelo menos nisso ela me ouviu.

— O que é uma foto perto disso aí? — ele apontou para a televisão. — Pelo amor de Deus, gente, como isso foi acontecer?

— Um pouco de maracujá para acalmar os ânimos — Gabriel chegou segurando uma bandeja com cinco copos de suco e os distribuiu sobre a mesa. — Reconheci seu pai no jornal.

Kai baixou a cabeça. Todo mundo que ele conhecia tinha reconhecido, provavelmente. Àquela altura, as redes sociais do pessoal da região deviam estar bombando com as notícias.

— Como você está?

Kai engoliu com dificuldade e fixou a atenção nas unhas.

— Depois de ter corrido como um louco por aquela ilha ontem para tentar impedir que ele fosse preso... acho que me sinto um idiota.

— Como você sabia que...? — Gabriel olhou para os cinco e franziu o cenho. — Por que vocês estão com essas caras terríveis?

Arthur suspirou. E, então, contou tudo.

※

— Vocês o quê?! — Gabriel falou um pouco alto demais e atraiu o olhar curioso dos outros poucos clientes que estavam ali. O grupo, ressabiado, observou em volta. — Me contem essa história direito. Vocês invadiram aquela propriedade em Apoema?!

— Não! — eles responderam em uníssono, as cabeças quase coladas umas às outras.

— Não chegamos a entrar. Fomos atrás do barulho das pedras sendo implodidas e vimos as placas que proibiam fotos ou vídeos — explicou Kai —, e depois escutamos a conversa dos capangas... e aconteceu tudo que Arthur falou.

Gabriel colocou os cotovelos sobre a mesa e cruzou as mãos.

— O que deu em vocês para fazerem uma coisa dessas?! Andar no meio do mato sozinhos e bisbilhotar lugares suspeitos! Vê se pode!

Só se ouviu o som de goles durante alguns segundos.

— Você gostou da cachoeira que descobrimos no meio da floresta nas últimas férias — Ervilha finalizou seu copo.

— A cachoeira era a dez minutos do acampamento! — Gabriel abriu os braços. — E vocês levaram uma boa bronca depois. Deveriam ter vergonha por terem feito a mesma coisa outra vez. Não lembram como eu fiquei preocupado naquele dia?

Eles curvaram a cabeça e evitaram olhar para Gabriel.

— Vocês tiveram um livramento dos bons naquela ilha. E o Kai duas vezes, ainda por cima. Quando a luz vermelha acende em nossa cabeça, precisamos parar. Vocês não pararam.

Um pedido de desculpas soprou dos lábios envergonhados. A chamada do jornal ressoou como um despertador e todos olharam para a tevê. Alguém tinha mudado o canal e outra repórter dava mais detalhes sobre a investigação em Apoema.

— Após meses de investigação, a polícia federal decidiu efetuar o mandado de prisão depois que um jornal entrou em contato para denunciar, antes de publicarem a matéria, o que haviam descoberto.

Os cinco se entreolharam.

— Débora! — disseram ao mesmo tempo.

— Quem é Débora? — Gab perguntou.

— Minha prima, que é repórter no Rio. Contamos a ela o que descobrimos antes de saber que o pai do Kai estava envolvido. Ela veio ontem e tirou fotos no momento do carregamento do contrabando.

— Uau! Vocês são inacreditáveis — Gabriel olhava para Gio quase sem piscar.

— Gio, o jornal em que a Débora trabalha é apenas impresso e on-line, pelo que você disse — falou Kai. — Como esse canal de tevê foi fazer a cobertura?

— O jornal dela deve ter vendido o furo para a televisão — disse Gabriel.

— Isso só fica pior! — Gio afundou o rosto nas mãos.

— Você já falou com a sua mãe? — Gabriel perguntou a Kai.

— Não — ele mantinha os olhos fixos em uma migalha de pão perdida sobre a mesa.

— Liga pra ela. Vocês precisam se apoiar agora, ver qual será o próximo passo.

Kai soltou uma risada curta e seca.

— Eu já sei qual será o próximo passo. Deixar meu pai mofar na cadeia enquanto a gente mofa na fila da defensoria pública. Eu lembro quando o irmão da minha mãe foi preso. Demorou um século para conseguir um advogado.

Lembrar a época em que seu tio havia ido para a cadeia fez Kai suar frio. As infindáveis ligações de sua mãe para sua avó, os choros abafados, a luta da família para conseguir levar itens de higiene mínimos. Sua mãe dizendo entre lágrimas que ele nunca se envolvesse com "coisa errada", porque aquele era um dos melhores fins que um traficante poderia ter. Que saco. Eles reviveriam aquele pesadelo todo.

O rosto de Kai começou a se fechar, e foi como se uma cortina nebulosa caísse sobre seus olhos. Enfim, sua ficha caiu. Era real. Aquilo estava mesmo acontecendo.

— ... meu pai pode representar o seu. Ele não vai se negar, tenho certeza.

Kai levantou os olhos, voltando para a conversa. Embora pegasse apenas o final da fala de Arthur, foi o suficiente para entender o que ele estava propondo.

— Obrigado, mas a minha mãe e eu não temos como pagar — respondeu Kai, a amargura escorrendo pelo canto da boca.

— Ele não vai cobrar nada. Sua mãe era muito próxima da minha quando trabalhou lá em casa, meu pai sabe disso. E você é praticamente da família, cara.

— Você disse certo. Praticamente.

Arthur ergueu as mãos abertas e, num movimento, deixou-as cair nas coxas, incrédulo.

— Fala sério, Kai!

— Eu não vou aceitar.

O pai de Arthur era um dos advogados criminais mais renomados da região, os honorários dele eram a preço de ouro.

— Olha, eu entendo como você deve estar se sentindo agora, mas não é hora de...

— Não. Você não entende — seu tom saiu tão duro que causou um silêncio incômodo na mesa. Kai se lembrou da conversa que tivera com o pai na noite anterior e um sentimento de perda invadiu seu peito. Ele continuou a falar, mais para si mesmo do que para os outros. — Por que isso foi acontecer? Logo agora que... — Kai emudeceu, o olhar, que misturava raiva e mágoa, fixo outra vez na migalha de pão.

— Logo agora...? — Gio perguntou baixinho. Ele não respondeu.

— Kai, eu sei que você não pediu meu conselho, mas vou dar mesmo assim — Gabriel colocou uma mão sobre o ombro dele. — Ninguém chega a lugar algum sozinho. E você, com esse grupo fera de amigos que Deus te deu, devia saber disso melhor do que ninguém. Aceite a oferta do Arthur.

Kai mordeu o lábio inferior com força.

— Eu não vou ter como pagar o tio Lúcio de volta. Nem tão cedo. E eu não quero nada de graça.

— A necessidade geralmente é mais importante que a vontade.

Foi como ter levado um soco. *Gab tem razão. Eu não tenho escolha.*

37

AS PRÓXIMAS HORAS PASSARAM como uma névoa cinzenta. Arthur não precisou de muitos minutos para ter seu pedido atendido pelo pai. Lúcio sabia sobre os crimes que vinham sendo cometidos não só em Apoema, como em outras ilhas ao redor. Ele já imaginava que alguma investigação da polícia federal estouraria em breve. Só não imaginava que o pai de Kai estaria envolvido. *E quem é que imaginaria?*

Lúcio estava voltando do Rio e iria direto para a delegacia. Eva faria o mesmo. A mãe de Kai, como ele, havia descoberto no dia anterior sobre o buraco em que o marido estava metido. Kai pensou em como ela não parecia nada surpresa ao telefone. Talvez fosse o tipo de casca endurecida que a vida colocava sobre algumas pessoas para que não se abalassem facilmente. Uma espécie de proteção, quem sabe.

— Aqui, coma mais um pouco — Dalva acrescentou um pedaço de lasanha à bolonhesa no prato em que Kai havia acabado de almoçar.

— Obrigado, vó, mas eu já estou cheio.

— Com aquele tantinho que comeu? — ela parou com uma mão na cintura. — Eu sei a quantidade que você costuma comer. Pode ir tratando de filar mais esse pedaço, você precisa ficar forte.

Forte. Aquilo o fez lembrar do que Gabriel dissera antes que eles deixassem a Sunshine para almoçar na casa de Arthur. "Você não precisa ser forte o tempo todo. O poder de Deus se aperfeiçoa na fraqueza. Lembre-se disso".

Duas frases diametralmente opostas. E Kai sabia que os dois se referiam a coisas diferentes: força física e força do coração. *Como a fraqueza poderia aperfeiçoar alguma coisa?*

Ele engoliu o pedaço de lasanha, sob os olhos escrutinadores de vó Dalva. Ela já sabia de toda a história e do que eles haviam encontrado em suas andanças pela ilha. O sermão veio. Mas a dor preocupada nos olhos dela falou muito mais alto.

O sol quente e brilhante havia se escondido atrás das nuvens, tornando aquele início de tarde nebuloso e abafado como uma estufa. Kai, Arthur, Ervilha, Gio e Íris atravessavam a rua com uma sensação de peso no estômago típico de um almoço caprichado.

— Ei, esperem um pouco! — Dalva saiu apressadamente pela garagem, com Naná em seus calcanhares. Eles olharam para trás, parando no meio da rua quase sempre deserta. — Para adoçar um pouquinho a tarde de vocês — as mãos pequenas dela seguravam saquinhos transparentes com alguma coisa que Kai não conseguiu identificar.

— Ah, não precisava, vó Dalva — Gio agradeceu com um sorriso, sendo a primeira a receber. Kai foi o último e, quando pegou o saquinho com bombons caseiros de chocolate, foi surpreendido por outro. A avó de Arthur disfarçou e o abraçou pela cintura, abrindo um sorriso travesso. Kai retribuiu o sorriso, guardando os chocolates no bolso da bermuda.

O grupo seguiu para a praia. Kai não sabia a que horas sua mãe e tio Lúcio chegariam da delegacia com notícias, então a melhor escolha, claro, era surfar. Àquela altura, Jorge já havia ligado, preocupado com ele, e suspendido o restante dos serviços do dia.

Os dois, de repente, se viram desempregados. Kai sentiu um pesar no coração. Seus trocados semanais lhe fariam falta.

Kai havia deixado sua prancha na casa de Arthur no dia anterior, mas Ervilha e Íris montaram em suas bicicletas para buscar a deles em casa. Enquanto os esperavam, Gio estirou uma canga bem perto do mar e pegou o caderno com capa kraft de dentro da bolsa. Kai puxou o bloco espiralado das mãos dela.

— Olha, olha, quem resolveu aparecer — ele deitou a prancha na areia e já ia começar a folhear o caderno quando Giovana o puxou de volta.

— Andei meio sem tempo de desenhar ultimamente.

— Ah, sério? Numas férias monótonas como essas? — Kai observou enquanto Gio apertava o caderno ao peito como se ele pudesse escapar a qualquer segundo, o que era bem verdade. — Por que você não me deixa mais ver seus desenhos?

— Deixo, sim — ela se sentou na canga e começou a mexer no estojo cheio de lápis, ainda sem soltar o caderno.

— Deixa nada. O último foi aquele que você fez aqui da praia, no início das férias.

— É como eu disse, não desenhei muita coisa nessas últimas semanas.

Arthur, que havia ficado ali como mero espectador, enfim disse:

— Quero ver quando você vai fazer um desenho nosso.

— Nosso? — ela franziu o cenho.

— É. Da galera junta. Eu, você, Kai, Ervilha, Íris.

Kai riu.

— Ela entrou mesmo para o grupo, hein?

— Pois é — Gio soltou um suspiro resignado e abriu o caderno em uma folha em branco.

Arthur e Kai correram ao encontro do mar cinzento.

— Você sabe por que a Íris se aproximou da gente, né? — Arthur deitou sobre a prancha e começou a remar. Kai fez o mesmo.

— Para aprender a surfar? — Ele sabia a resposta. E não era essa. Arthur apertou o canto dos lábios e olhou para Kai com deboche.

— Faltava pouco para ela pular em cima de você. Não sei o que aconteceu, mas Íris parece ter começado a segurar um pouco a onda.

Kai pensou no dia em que se perderam na floresta. Íris deve ter entendido a mensagem quando ele não quis andar de braço dado com ela. Ou talvez Ervilha tivesse falado com a irmã. Tanto faz. Kai fitou o amigo, os lábios formando um "o" risonho.

— Ficou com ciúme, Tutu?

Arthur revirou os olhos.

— Do jeito que você anda na seca, a atenção da Íris te cairia bem, hein? — Kai provocou.

— *Escolher* não namorar ninguém é diferente de *andar* na seca — Arthur enfatizou as palavras.

— E quem aqui está falando de namorar?

Uma série de ondas pequenas começou a quebrar enquanto eles esperavam que as maiores chegassem, o que, pela experiência deles, aconteceria logo.

— A Fabi lá da igreja me disse que a Laila gosta de você. Já te falei que ela é bonitinha. Por que não investe?

— Ela não faz o meu tipo — Arthur foi breve, economizando a parte que Kai sabia de cor: ele não saía por aí investindo em ninguém.

— E quem é que faz o seu tipo?

Arthur empenhou mais força nas braçadas e, sem responder, subiu na prancha para logo em seguida deslizar sobre uma onda, com tranquilidade. Uma nova ondulação se formava, Kai também subiu na prancha e, de relance, capturou Giovana na areia, concentrada em seu caderno de desenho. No mesmo instante se arrependeu de ter feito aquela pergunta a Arthur. O tipo de garota de que ele gostava era muito óbvio.

38

— O QUE VOCÊ ESTÁ ESCUTANDO? — Kai puxou um fone do ouvido de Giovana. Ela passou a mão sobre a orelha, onde os dedos molhados dele tinham acabado de esbarrar.

— Você vai espirrar água no meu caderno.

Ele sorriu ao perceber os traços que ela estava fazendo com o lápis. Três garotos e uma garota deslizando sobre as ondas. Fitou Arthur, Ervilha e Íris, que ainda estavam na água, e enganchou o fone em sua orelha. As vozes gritadas da música em questão irromperam em sua cabeça.

— Nunca tinha escutado essa.

— E você já escutou alguma dessa banda?

— Claro. É a sua preferida.

Gio olhou para ele por um momento.

— Nem é muito o estilo de música de que você gosta.

— Eu queria conhecer o que você tanto escuta.

Ela abriu a boca para responder, mas não disse nada. Em vez disso, pegou o celular que Kai havia deixado em cima de sua canga e abriu o Spotify.

— Salvei as minhas preferidas deles aqui — ela balançou o celular dele. — Depois escuta com calma.

— Tá bom.

Kai tinha o olhar perdido na rebentação que quase chegava a seus pés. O som ruidoso e ao mesmo tempo calmante era absorvido junto com a música. Um bom tempo no mar sempre era o suficiente para que Kai se sentisse revigorado. Sua vida estava uma completa bagunça. Seu pai estava preso. Ele ainda esperava respostas do tio Lúcio. Mas, depois de surfar, as coisas pareciam um pouco menos pesadas.

Bem, pelo menos até Otto aparecer.

Kai viu o filhote de Johnny Bravo desfilar em sua roupa neoprene com a *Fish Wave* do Fred Schmidt debaixo do braço, prêmio pelo primeiro lugar no concurso, e teve vontade de socar alguma coisa. Como o mundo podia ser tão injusto? Kai e os amigos, que tinham saído do mar, deliciavam-se com os bombons da vó Dalva na beira do mar, e fingiram não ver o garoto se aproximar com Luiz e Caio, seus guarda-costas inseparáveis.

— Hoje tá igual ao primeiro dia do campeonato. Ondas perfeitas.

Kai jogou um bombom inteiro na boca, começando a ficar irritado com o papo de Otto. Porque, sim, ele sabia que alguma provocação viria. E a jato.

— Arthur e Ervilha competiram bem — Otto fitou Kai. — Você deve ter visto da plateia. Fiquei sabendo que seu pai não te deixou faltar no trabalho naquele dia e por isso não chegou a tempo de participar.

Kai olhou para o outro lado, a bochecha no formato do bombom que mastigava devagar.

— Falando em seu pai, a gente viu a reportagem mais cedo, lá em casa. Que belo trabalho ele estava fazendo com o pai da Chloe, hein!

O chocolate era ao leite, mas desceu amargo pela garganta de Kai. Ele evitou olhar para Otto. Se visse aquela cara debochada, não sabia se conseguiria responder por seus atos.

— Fazer mutirão de limpeza na praia, e ter o pai desmatando área de reserva e contrabandeando espécies logo ali do lado. Isso é o que eu chamo de ironia do destino.

— Cara, dá um tempo — Arthur pediu, a educação deixando a entonação ponderada.

— O que você tá fazendo aqui, Otto? — Kai indagou, não tão polido quanto Arthur.

— Ué, comentando os últimos acontecimentos. Na verdade, foi uma surpresa te encontrar aqui. Pensei que você estivesse na delegacia com sua mãe. Ela saiu lá de casa às pressas.

— Ah, é? E deixou a louça do almoço suja? — o tom de Kai saiu azedo pela ironia.

— E o resto da casa também. Acho que a minha mãe não ficou muito feliz com isso.

Não olha. Não olha.

Ele olhou. E aquele meio sorriso na cara do Otto fez seu punho coçar. Kai sentiu a mão da Gio segurar a sua e, por ela, tentou manter a calma.

— Não sei se Eva vai durar muito tempo lá em casa depois de hoje. Ser casada com um presidiário tem um certo peso, não é?

Gio apertou a mão de Kai com mais força. Ele passou os dentes pelo lábio inferior, deixando um rastro ardente na pele.

— Vamos embora? Minha avó deve estar preparando algum lanche pra gente — Arthur puxou a prancha que estava fincada na areia e os outros se levantaram, o clima pesado, a raiva pairando tão sombria quanto as nuvens acima deles.

— Já vão? — Otto ergueu as sobrancelhas em sua melhor cara de inocência. — Eu disse alguma coisa demais?

— Se enxerga, Otto. Quem você acha que é para vir aqui importunar o Kai? Ninguém é obrigado a ficar ouvindo o esgoto que sai da sua boca, não.

Kai precisou abrir mais os olhos para checar se era aquilo mesmo que estava vendo. Que a Giovana era brava, ele já sabia — tinha sofrido de sua ira diversas, e merecidas, vezes. Mas era uma ira regada com amor. Ele sabia disso. Agora, vê-la despejar algo assim sobre alguém que não era amigo, e certamente não havia amor regando nada por ali, era algo novo. Totalmente novo.

Kai sorriu por dentro. E esse sorriso quase chegou ao seu rosto, mas a voz do Otto fez o espanto alegre ser quebrado ao meio.

— Eu é que me pergunto quem é você — Otto olhou Gio de cima a baixo, parando na mão que segurava a de Kai. Virou-se para ele, antes de finalizar. — Para quem costumava pegar a Chloe, seu nível de exigência diminuiu bastante.

Menos que um segundo. Esse foi o tempo necessário para que o punho fechado de Kai acertasse em cheio o olho direito de Otto. Gio e Íris gritaram. Antes que caísse na areia, Otto se reergueu e devolveu o golpe, acertando com um baque surdo o nariz afilado de Kai, que voou para cima dele. Em poucos segundos, os dois rolavam pela areia, os sons de grunhidos e socos misturando-se às súplicas de Giovana.

Ervilha e Arthur correram e, cada um segurando um braço de Kai, conseguiram tirá-lo de cima de Otto, que foi erguido por Luiz e Caio. A visão de Kai estava um pouco turva, os cabelos emaranhados caindo sobre os olhos. Ao sentir o gosto metálico na boca, cuspiu uma mistura de areia e sangue e olhou para o rosto de Otto, preenchido por manchas molhadas e vermelhas.

É. Talvez ele tivesse exagerado um pouco.

Arthur e Ervilha o levaram pela areia, e Kai puxou os braços, desvencilhando-se.

— Eu consigo ir sozinho — murmurou e andou mais depressa, indo à frente deles. Com o dorso da mão, limpou um fio de sangue que lhe escorria pela narina esquerda. Seu peito ainda subia e descia, a recente ira, sem trégua, sacudindo tudo dentro dele.

— Acho que você pode precisar disso.

Ele ouviu a voz dela atravessar o som do fluxo de água que despencava da ducha próxima à Sunshine. Kai deixava a água escorrer por seu corpo, procurando um meio de esfriar os ânimos, e também de desfazer o emaranhado de areia que havia se formado em seu cabelo. Tirou a cabeça de sob a água e pegou o saco plástico com pedras de gelo que Gio havia trazido.

— Obrigado — respondeu tão baixo que sequer ouviu o que tinha dito. Colocou o saco gelado sobre o nariz, evitando olhar para Gio. Naquele momento, o vermelho em sua pele não era apenas da raiva. Um senso de constrangimento ardeu dentro dele mais do que o nariz machucado. Gio o tinha visto se atracando com Otto pela areia. E não deve ter sido nada bonito.

— Um momento — ela disse, pegando o saco plástico da mão dele com delicadeza. Em seguida, depositou o gélido e incômodo pacote sobre seu olho esquerdo. Kai suavizou o rosto, a expressão denunciando o alívio. Toda sua face queimava e, além do nariz, ainda não tinha conseguido identificar onde exatamente o estrago havia sido maior.

— Tem um roxo enorme aí, não tem? — ele perguntou. Gio meneou a cabeça.

— Vai sarar rápido. É só continuar colocando gelo.

Kai fixou o olhar na areia molhada e remexida ao redor da ducha, a água ainda caindo em suas costas.

— Por que você foi fazer aquilo? — Gio inquiriu com a voz mais firme. — Não sabe que o Otto é um imbecil? Não precisava ter caído na provocação dele.

— Minha cara tá toda esfolada, Giovana, e é isso que você me diz?

— Não estou querendo ser dura com você — ela sugou o ar e soltou devagar. — É só que... não queria vê-lo assim por minha culpa. Eu não deveria ter falado daquele jeito com Otto. Desculpe.

Kai fechou os olhos e balançou a cabeça.

— Você não fez nada de errado. O Otto que é um ridículo.

Ela continuava a pressionar levemente o gelo sobre seu olho esquerdo. E assim permaneceu por longos segundos, preenchidos apenas pelos ruídos da praia e da ducha.

— Obrigada por ter me defendido — disse ela em um murmúrio. — Mas nunca mais faça isso de novo. Não desse jeito.

Gio abaixou a mão que segurava o gelo que havia virado água quase por completo e começou a se afastar. Antes, porém, que Gio se distanciasse mais, Kai deu um passo e segurou o pulso dela. Não queria que as palavras maldosas de Otto ficassem na cabeça de Giovana.

— A vó Dalva leu um trecho da Bíblia na igreja uma vez — disse ele, sem saber muito bem como terminaria aquilo. — Acho que era aniversário do grupo de mulheres, algo assim. Não sei por que ficou na minha cabeça. Talvez seja porque eu tenha achado muito bonito. "Mulher virtuosa, onde ela está? Ela vale muito mais que joias preciosas" — enquanto Kai falava, Gio virou-se aos poucos. Ainda segurando o pulso dela, ele finalizou. — Ela está aqui, bem na minha frente.

O rosto dele ardeu, mais do que já estava ardendo. Sob seus dedos, o pulso de Gio acelerou. E Kai percebeu que o dele também estava acelerado. Ela ficou quieta por um tempo e, então, soltou uma risada baixa e contida. Kai chegou o rosto para trás, sem entender.

— Não é "onde ela está?", e sim, "quem a achará?" — os olhos de Gio brilharam, divertidos.

— Eu lembrei de um versículo inteiro. Releva aí! — Kai sorriu. Os dois ficaram em silêncio por um tempo, os olhos fixos um no outro. — Gio, eu... — ele não sabia bem o que ia dizer, mas antes que pensasse ela puxou o braço e disse, depressa:

— Vamos para a Sunshine. Precisamos repor o gelo derretido — e soltou-se da mão de Kai, e o braço dele, sem reação, caiu junto ao corpo. Ele ficou parado observando-a enquanto ela se dirigia à Sunshine. E, sem muita opção, também seguiu para lá.

39

— **PASSA ISSO AQUI** — Luara estendeu um tubo cor azul. — Vai ajudar nesse inchaço do olho. Gab deixou cair uma caixa no dedo ontem e começou a usar essa pomada. Ajudou bem.

Kai esfregou a pasta esbranquiçada ao redor do olho esquerdo. Ele estava de frente para o espelho do banheiro da Sunshine. Luara o havia mandado direto para lá quando viu o estado do rosto dele. Kai lavou as feridas com um sabão antisséptico que ela levava na bolsa, e a ardência fez sua pele parecer duplicar de tamanho.

Gabriel se aproximou segurando um copo de suco e cruzou o olhar com o da esposa. Luara voltou para a cozinha, deixando os dois a sós.

— Queria trocar uma ideia com você.

E lá vamos nós. Kai segurou a vontade de suspirar fundo. Gabriel não esperou resposta. Sentou à mesa próxima deles, mas longe o suficiente de seus amigos. Kai não teve opção a não ser puxar uma cadeira ao lado dele.

— Pra você — Gabriel empurrou o copo com o líquido branco salpicado de pontinhos verdes. — Seriguela com hortelã.

Kai suspirou. Era o seu preferido. *Talvez eu possa sim aguentar alguns puxões de orelha.*

— Obrigado.

— Quer conversar sobre isso? — ele apontou para o rosto de Kai.

Sempre essa pergunta.
— Eu tenho escolha?
— Sempre tem — Gabriel assentiu, os lábios unidos em um sorriso tênue. — Mas talvez seja a hora de parar de fugir.
— Não estou fugindo. Só não gosto de... ah, deixa pra lá — Kai balançou a cabeça, tirando os olhos de Gabriel e colocando-os na televisão atrás dele.
— Aquela parada de não precisar ser forte o tempo todo não funcionou, né? Está estampado na sua cara. Perdão pelo trocadilho.
Um riso rápido e duro escapou-lhe. Por que Gabriel não falava de uma vez? Escutaria quieto sobre as consequências de suas impulsividades sem dar um pio e iria embora. Era tudo que queria. Dar o fora dali e se afastar de todos aqueles olhares enviesados que as pessoas lançavam sobre ele.
— Você está passando por um daqueles momentos que chamo de fase de teste da vida. Quando os obstáculos pulam para cima com tudo e as coisas parecem tão difíceis que você se questiona se vai conseguir chegar ao estágio seguinte. Mas as fases de teste estão aí por um motivo. E todos passamos por elas. — Gabriel pensou um pouco. — Deus usa esses momentos para nos amadurecer, Kai. Amadurecer nossa fé. Para nos mostrar que não estamos sozinhos.
Kai agora olhava para o suco intocado. Por que não o bebia logo?
— O que você faz com o que está enfrentando hoje é que vai determinar a sua vida amanhã — Gabriel prosseguiu. — Se a sua resposta for se revoltar, jogar suas frustrações em tudo e todos, e correr para longe de Deus, ok. Você colherá os frutos disso. Mas, se escolher crescer, os frutos também virão. E serão bem mais agradáveis. — Colocou os antebraços sobre a mesa e inclinou-se aproximando-se de Kai. — Está na hora de escolher, cara. Que tipo de homem você quer ser?

As palavras de Gabriel formaram um nó incômodo dentro dele. Os dois ficaram em silêncio por tempo suficiente para começar a causar desconforto. Gabriel tinha dito que Kai estava livre para ir embora, se quisesse. E foi o que ele fez.

— É um crime inafiançável — Lúcio apertou os lábios. — Detenção de seis meses a um ano e multa. E a pena é acrescida de metade quando o crime foi praticado contra espécie rara ou ameaçada de extinção. Isso se refere ao contrabando, mas seu pai provavelmente também vai responder pelo desmatamento em unidade de conservação. Nesse caso, ele pode pegar de um a cinco anos de reclusão. E as penas são cumulativas.

Kai jogou as costas contra o encosto da cadeira e passou as mãos pelo cabelo.

— Ou seja, ele está completamente ferrado.

Lúcio abriu as mãos sobre a mesa de madeira da varanda de sua casa. Ele estava cercado por sua mãe, seu filho e os amigos dele, que ouviam com atenção cada detalhe da situação de seu mais novo cliente.

— A audiência de custódia acontecerá dentro de quarenta e oito horas. Vamos tentar o melhor para ele dentro das possibilidades — o pai de Arthur suspirou. — Mas preso em flagrante, após investigação da polícia federal... a situação dele não é muito favorável.

— Tio, o pai do Kai vai responder por desmatamento mesmo que ele não seja o dono da mansão? — Gio perguntou. — O responsável por aquilo tudo é o Mariano, não é?

Os olhos de Lúcio se moveram para Kai. Eram os mesmos olhos de seu filho Arthur. Pretos como a noite, arredondados, cheios de gentileza — ou quase sempre cheios. Naquele momento, por exemplo, embora Arthur evitasse olhar para Kai, quando o fazia, uma névoa encobria seu rosto. Desde quando se encontraram no calçadão após a briga, Arthur se esquivava dos assuntos e falava nada mais que o necessário, mantendo a expressão enrijecida. Kai escolheu ignorar.

— É que tem um detalhe que complica ainda mais a situação — Lúcio disse. — Sidney assinou vários documentos sem saber do que se tratava. E descobriu hoje que Mariano usou o nome dele em situações que o comprometem. É como se ele fosse o responsável por quase tudo que aconteceu na ilha. Até abrir conta no nome do Sidney para repasse de dinheiro sujo, Mariano abriu. Vamos tentar provar que ele foi usado como laranja.

— Laranja? — Ervilha questionou.

— É quando uma pessoa tem seus dados, como nome, documentos, conta bancária etc., usados por outros para realizar movimentações financeiras fraudulentas. Às vezes de forma consciente, às vezes não.

O ar fresco de fim de tarde de repente pareceu denso, pesado. Kai teve vontade de ir embora.

— Aquele Mariano é o pior tipo — Ervilha bufou. — Só por ter colocado capangas armados na propriedade já ficou claro quanto é perverso. Não me admira nada...

— Por que vocês se referem ao Mariano como se o conhecessem? — Lúcio interrompeu Ervilha. O garoto arregalou os olhos. O pai de Arthur moveu o pescoço, analisando o grupo silencioso ao seu redor. — Galera, o que vocês não me contaram?

— É que... eu estive na ilha ontem e vi algumas coisas.

Lúcio colocou os dedos nos cantos internos dos olhos e suspirou.

— Eu ainda nem superei o fato de vocês, sem me consultar, terem chamado um jornal para denunciar a casa em Apoema, e agora vêm com essa de terem voltado à ilha ontem? — Ele se voltou para o filho. — Arthur, quando é que você começou a ficar irresponsável desse jeito?

— Não, tio! — Kai falou às pressas. — Eu fui sozinho. Eles não tiveram nada a ver com isso.

Kai começou a contar o que tinha feito e Lúcio ficou um tempo olhando para seu rosto marcado pelos socos de Otto.

— Quando você vai criar juízo, Kai?

40

A CASA ESTAVA SILENCIOSA. Kai entrou pela porta da cozinha se preparando para encarar o olhar exausto da mãe, e também para ouvir a repreensão por causa do olho de beterraba podre. Seria a terceira do dia. Além do sermão de Gabriel, tio Lúcio, como bom advogado que era, juntou a briga de Kai e todas as informações recebidas sobre o que descobriram na ilha para desenvolver um eloquente e bem estruturado discurso que, no final, fez Kai se sentir ainda pior — se é que isso era possível.

Ele escutou tudo em silêncio, prometendo a si mesmo que pararia de ser tão impulsivo. E sabendo que falharia. Com total certeza.

Que tipo de homem você quer ser?

Engoliu com dificuldade a pergunta de Gabriel que ecoava como um grito em um corredor vazio. Sua mãe não estava na cozinha, como de costume. O chuveiro não estava ligado. Kai entrou no cubículo dividido por uma cortina de plástico e ligou a torneira. Enquanto lavava as mãos, deu uma boa olhada no estado de seu rosto no espelho acima da pia. Estava igual a seu pai na noite anterior. O arroxeado no olho dizendo "olá" alto e bom som. E, só naquele momento, de frente para sua deplorável imagem, é que Kai se deu conta de algo. Ele havia agredido o filho dos patrões de sua mãe.

Seu pensamento se uniu a um som baixinho vindo do quarto ao lado. Kai sentiu a respiração sufocar na garganta. Sua mãe estava chorando.

Juntando toda a coragem que tinha — e que não era muita — segurou a maçaneta do quarto dos pais. A fresta inicial revelou a mulher de olhos inchados. Eva não disse nada quando Kai parou aos pés da cama onde ela estava sentada.

— Seu pai vai ficar preso por anos, você sabe, não é? — ela disse após longos e tensos minutos. — Lúcio disse que ia conversar com você. Os crimes que Sidney cometeu não têm direito a fiança.

Kai evitou os olhos dela.

— Não vamos receber aquele auxílio que as famílias de presidiários recebem, porque ele não trabalhava de carteira assinada — sua mãe engoliu um soluço. — E eu acabei de ser demitida.

Um buraco. Essa foi a sensação que Kai teve. Como se um buraco enorme tivesse se aberto no chão e o engolido.

— Você sabe qual foi o motivo. É claro que sabe — Eva passou a base das mãos embaixo dos olhos e fungou.

— Mãe, eu não pensei que...

— É óbvio que não pensou. Porque esse é o problema: você não pensa. Nunca pensa!

— Mas o Otto me provocou e distratou a Gio...

— "Fulano me provocou", essa é sempre a sua desculpa! — O semblante de sua mãe agora estava encoberto pela raiva. — A dona Cíntia só não vai denunciar você por agressão porque meu marido já está preso e ela não queria ser a responsável pelo filho também ir para a cadeia. Apesar de, nas palavras dela, não ter dúvidas de que isso vai acabar acontecendo um dia.

— Ridícula.

— Ridícula ou sincera? — Eva gritou, levantando-se da cama. — Eu sou obrigada a concordar com ela! Você viu o estado em que deixou o rosto do Otto?

— E o estado em que ele deixou o meu?! — Kai estendeu as duas mãos entreabertas para si.

— Você não é o filho de quem paga meu salário! Aliás, pagava — Eva balançou a cabeça. — Anda tão difícil conseguir emprego. Não sei o que vou fazer. Ainda mais agora que a cara do seu pai apareceu na tevê para quem quisesse ver.

Uma pressão encheu o peito de Kai, e o quarto de mobília simples pareceu menor do que já era. Respirar ficou difícil. Ele começou a puxar o ar devagar, para não fazer muito alarde. Mas estava ficando cada vez pior. Precisava sair dali.

A claridade tênue do fim de um dia nublado deixava as nuvens com aquele aspecto escuro e sombrio. As lâmpadas públicas acenderam-se, prenunciando a escuridão da noite. Kai pedalou pela rua sem planejar seu destino. Como se fosse necessário. Em menos de dez minutos ele cortava a entrada do condomínio Praia da Parada. Sua cabeça explodia. Os pés trabalhavam sozinhos. A respiração já havia abrandado, mas seu peito ainda parecia carregar o peso de um navio.

Quase virou na rua de Arthur, mas não queria causar mais comoção em tio Lúcio e na vó Dalva. E Arthur não parecia exatamente feliz com ele. Então, seguiu para a praia. Encontrou um banco vazio no calçadão, numa altura em que a agitação da Sunshine e da galera jogando vôlei não atrapalhasse seus pensamentos.

Depois de cinco minutos, Kai desejou que algo interrompesse aquele fluxo frenético em que sua mente se havia transformado. Não conseguia colocar nada em ordem. Não conseguia bolar nenhum plano. Talvez porque não houvesse planos a fazer.

— Você não tinha ido pra casa?

Kai virou-se, percebendo que seu desejo havia sido atendido. Arthur diminuía o ritmo da corrida sacudindo a camiseta suada.

— Voltei há alguns minutos.

Arthur tirou os fones sem fio do ouvido e guardou-os no bolso do short.

— Tá tudo bem?

— O que você acha? — cruzando os braços, Kai olhou a imensidão escura a sua frente.

Com um suspiro, seu melhor amigo sentou ao seu lado no banco cimentado. Sem olhar para Kai, Arthur disse:

— Sua mãe foi demitida — a certeza no tom dele deixou Kai um pouco irritado.

— O que vai dizer agora? "Eu avisei"?

— Não — Arthur encolheu os ombros. — Eu não avisei nada.

— Sua cara era o próprio aviso.

A imagem do alarme acionado nos olhos de Arthur antes que Kai voasse para cima de Otto voltou à mente dele com clareza.

O estrondo das ondas quebrando com força foi o único som entre eles durante longos minutos. Kai balançava o calcanhar direito sem parar.

— Diz logo o que você está guardando a tarde inteira.

Arthur permaneceu de boca fechada.

— Anda, cara! — Kai insistiu e Arthur olhou para ele, os lábios rijos numa linha fina.

— Se a minha cara era o aviso, então por que não me ouviu? — ele, enfim, falou. — Caramba, Kai! Não é possível que você não tenha pensado em sua mãe antes de partir para cima do Otto.

— Você tem sangue de barata ou o quê? Esqueceu o que ele falou pra Giovana?

— Eu também não gostei. Achei desrespeitoso. Até minha mão coçou de raiva. Mas, obviamente, havia outras coisas em jogo ali. A Gio não teria se importado se você a defendesse apenas com palavras!

— Você sabe que não consigo.

— Então precisa aprender a conseguir. Você vai fazer dezoito anos daqui a alguns meses. Vai continuar agindo por impulso até quando?

Que tipo de homem você quer ser?

Uma centelha. A fala de Arthur foi uma centelha de fogo em um monte de entulho encharcado por álcool. E Kai não se importou em deixar queimar.

— Você é sempre o bom, não é, Arthur? — ele inclinou a cabeça, os olhos semicerrados, o tom aumentando. — O senhor zero defeitos!

— Kai, eu não quero discutir com você.

— É óbvio que não quer. Isso estragaria a sua imagem imaculada de príncipe de Jesus!

— Ah, fala sério — Arthur soltou um riso cético.

— Fala sério? Arthur, você mudou, cara. Mudou muito. Entrou nesse negócio de igreja e virou fanático! Sabe que às vezes eu sinto saudade de quando você era mais normal? Aposto que se fosse antes você teria enfiado um soco no Otto junto comigo.

Uma vermelhidão começou a subir pelo pescoço de Arthur e tomar todo seu rosto.

— Claro que não! Eu nunca fui disso.

Uma risada rouca escapou de Kai. Ele balançou a cabeça de um lado para o outro e tentou sufocar o impulso de gritar.

— Olha, eu entendo que a situação pela qual você está passando é muito difícil — continuou Arthur.

— Você sempre vem com essa de que entende — Kai interrompeu. — Entende porcaria nenhuma. É seu pai que foi preso um dia depois de você ter tido a primeira conversa decente com ele em anos? É você que não sabe por que se importa tanto com um pai que não te dá a mínima? É você que está perdido porque sua mãe foi demitida por sua causa? — Uma veia saltou de seu pescoço. — Pra você falar é fácil... nunca passou por dificuldades, nunca sofreu na vida.

Arthur hesitou.

— Minha mãe morreu quando eu era uma criança. Isso é nunca sofrer na vida?

— Pelo menos você teve o amor dela até lá.

Arthur permaneceu parado como uma rocha, o calor da mágoa emanando por sua respiração. Silencioso, colocou-se de pé e foi embora. Kai jogou os braços sobre as pernas dobradas e esfregou o rosto, xingando a si mesmo.

41

O PORTÃO ESTAVA FECHADO. Como sempre. Não dava para ver nada lá dentro. Kai pensou se não deveria ir embora. O relógio já marcava mais de oito da noite e, embora não fosse tão tarde, o pai de Giovana costumava colocar limites bem claros a suas interações sociais na parte escura do dia.

Depois de alguns intermináveis minutos pensando se deveria ou não tocar a campainha, um estampido leve e metálico foi seguido pela abertura apressada da portinhola embutida no imenso portão galvanizado. Kai parou boquiaberto.

— Eu vi pela câmera do interfone que você estava a ponto de fazer um buraco na calçada de tanto andar pra lá e pra cá — Giovana encostou a portinhola atrás de si. Kai sorriu. E aquilo soou até meio estranho, como se não combinasse com seu rosto. Ver Giovana fez metade do peso de seu coração se transformar em plumas.

— Estava pensando se deveria incomodar você — confessou ele.

— Você não me incomoda — ela pensou por um instante. — Bem, às vezes sim — e riu. Kai também riu até ficar aquela reticência entre eles. Uma moto passou estalando o motor e os dois se encolheram. Gio abriu um pouco mais a portinhola e assentiu, olhando lá para dentro. Alguém havia falado alguma coisa. Kai não viu quem nem o que tinha dito. Ela voltou a atenção para ele, e Kai viu as desculpas em seu olhar antes que ela abrisse a boca.

— Ah, tudo bem, você precisa entrar. Eu sei — ele ergueu as mãos, se afastando. — Eu só vim... acho que... conversar. Mas a gente faz isso amanhã.

E então algo se apagou nos olhos dela. Gio sempre falava olhando nos olhos das pessoas. Nunca tinha medo do que precisava ser dito. Mas, naquele momento, seu olhar parecia desesperado para se fixar em algo que não fosse Kai. E sua boca não parecia ter força suficiente para se abrir. Ele apenas esperou. Até que ela falou. E suas palavras pareceram gelo deslizando pelas costas dele.

— Meu pai viu no jornal da noite a reprise da reportagem sobre Apoema e reconheceu o seu. Perguntou sobre nossa ida à ilha. Eu não tinha contado sobre o que fizemos por medo que ele e minha mãe brigassem comigo por eu ter me colocado numa situação de perigo daquelas. Contei tudo, e ele ficou muito decepcionado. Mas ficou bravo mesmo quando mencionei a Débora. Ela meio que não é muito admirada na família, sabe — Gio apertou o canto dos lábios, os olhos piscando além do normal. — E eu preciso dizer que... que...

O suor brotava na testa dele enquanto esperava que ela continuasse.

— Já faz algum tempo que meu pai vem reclamando porque passo muito tempo na companhia apenas de meninos. E, depois de tudo isso, quer que eu me afaste de vocês.

Kai só conseguiu ouvir sua pulsação nas têmporas.

— Por quanto tempo? — perguntou devagar. — A gente ainda pode se falar pelo celular, certo?

Gio ergueu o rosto contraído, cada músculo parecendo fazer um esforço enorme para não deixar nenhuma lágrima escorrer.

— Não podemos. Meu pai me disse para procurar outras amizades, principalmente de garotas. E ele não fixou tempo. Só disse que não queria que a gente tivesse um contato maior que um cumprimento.

Colocando as mãos na cintura, Kai virou o rosto para o lado. Em um trecho da rua, a iluminação do poste estava queimada, fazendo as casas parecerem vazias. Tudo ali parecia uma grande mancha sombria. Antes e depois dela, a luz amarelada brilhava normalmente. Kai piscou algumas vezes. A vida dele agora era como aquele trecho. Será que em algum momento a luz brilharia de novo?

— Kai?

Ele voltou a atenção para Gio. Seu coração ficou do tamanho de uma ameixa seca. Como ficaria sem ela?

— Perguntei se está tudo bem — disse ela, sabendo claramente a resposta. Kai inspirou todo o ar que pôde e em seguida lançou-o fora.

Gio deu um passo à frente, ficando perto o suficiente para que o cheiro de seu cabelo recém-lavado invadisse as narinas de Kai. Ele tentou, sem sucesso, não sorver a fragrância adocicada. Gio ergueu a mão e, com cuidado, passou os dedos pelo hematoma que latejava em seu rosto. Kai fechou os olhos, deixando o cheiro e o toque dela abraçarem sua alma.

— Preciso entrar — ela sussurrou e se afastou, voltando para o portão. — Se cuida, Kai. Eu nunca vou deixar de orar por você.

Subindo na bicicleta, Kai fez um aceno de cabeça e colocou as rodas em movimento, escutando o som da portinhola sendo fechada atrás dele. Sentiu como se uma imensa bola de papel amassado preenchesse seu estômago, e engoliu a náusea que subia pela garganta.

Carros passavam rente a ele, ciclistas apressados atravessavam as ruas, motos barulhentas ziguezagueavam em meio ao trânsito, mas Kai mal se dava conta do que ocorria ao redor. Girou os pés nos pedais sem rumo por quase uma hora. Tinha pegado o celular no bolso apenas uma vez. Chegou a digitar uma mensagem para Ervilha, mas apagou-a em seguida. A essa altura, os pais dele já saberiam da prisão de seu pai e da briga com Otto. Para que entrar em contato? Era bem provável que ele tivesse de se afastar também.

Cansado, parou em um ponto de ônibus numa rua em que não costumava passar. A penumbra cobria a pequena construção em madeira, e quase não havia movimento. Kai sentou no canto e, de olhos fechados, encostou a cabeça na estrutura cheia de cartazes meio rasgados. Não haviam passado nem cinco minutos quando ouviu o som de uma freada brusca.

— Qual é, cara! Nem chegou na festa e já tá chapado? — Pitbull berrou da janela de uma caminhonete prata. Lá dentro também estavam Lucas e Marcão. Eles gargalharam.

— Que festa? — Kai permaneceu como uma estátua colada ao banco.

— A do Bernard, pô. Esqueceu? Ele chamou vocês lá na praia.

Ah, sim. Agora ele lembrava. Em meio a tanta coisa acontecendo, aquela informação havia sido deletada de sua mente. E, mesmo que ele não tivesse esquecido, não faria diferença. Ele e seus amigos nunca iam a essas festas.

Mas, pelo que parece, você não tem mais amigos.

— Dá pra colocar minha bike na caçamba? — Kai levantou-se. — Bernard mora longe.

— Uau! — Pitbull desceu do carro, deixando a porta aberta. — Ninguém vai acreditar quando virem você chegando. Depois dos rumores de hoje, você vai ser venerado. Bernard não suporta o Otto, você sabe — ele deu uma boa olhada no olho esquerdo de Kai.

Com todos os seus músculos de anos no crossfit, Pitbull ergueu a bicicleta de Kai como se fosse um bambolê e colocou-a na parte de trás do veículo. Lucas estava no banco do carona, Marcão, que ocupava um dos assentos traseiros, chegou para o lado, e Kai pulou para o banco de couro preto. Não conhecia aqueles caras mais do que conhecia o atendente da padaria perto de casa. Eles sempre se esbarravam pela praia, trocavam uma ideia, pegavam umas ondas ao mesmo tempo, mas nada mais.

Kai bateu a porta e sentiu os olhares dos garotos sobre seu rosto. Olhou para a frente, evitando contato visual, e Pitbull deu partida, cantando pneus sobre o asfalto empoeirado.

42

A CASA DE BERNARD ficava quase dentro da Mata Atlântica. As últimas ruas de Ponte do Sol mostravam suas luzes a certa distância quando Pitbull parou o carro.

O portão alto abriu de forma automática e estacionaram dentro do quintal, ao lado de outros carros. Kai já tinha ouvido falar em como, apesar de não morar em nenhum condomínio de luxo, Bernard não ficava nem um pouco atrás de quem morava. A casa era como uma daquelas que aparecem nas capas de revista de corretoras de imóveis.

Atrás da casa, que era cercada por um grande espaço gramado, luzes em neon brilhavam na área da piscina. Um minibar fornecia drinks dos mais variados, e muita gente conversava, dançava, ou ambos, dentro e fora da piscina.

— Os pais do Bernard estão em casa? — Kai perguntou quando se encaminharam para lá. Pitbull meneou a cabeça.

— Só o irmão mais velho. Acho que ele tem uns vinte e poucos anos, mas é doido igual à gente.

A gente. Kai sentiu vontade de rir. A coisa mais doida que ele já tinha feito na vida tinha sido jogar uma lagartixa de brinquedo no copo d'água da professora na quinta série. Ou, talvez, pilotar um barco sozinho e confrontar bandidos em uma ilha.

— Estou vendo isso mesmo ou já bebi tanto que é uma alucinação? — o dono da festa berrou da beira da piscina, e todos olharam para Kai. *Valeu, Bernard*. Ele deu a volta, desviando de algumas pessoas, e alcançou Kai, apontando um dedo para o peito dele. — Valeu por ter acabado com a raça do Otto hoje, irmão. Todo mundo tá comentando que você arrasou com ele. Aquele babaca tava precisando.

Kai apertou os lábios e aquiesceu com um movimento de cabeça quase imperceptível. Bernard enlaçou o pescoço dele e virou-se para a piscina, abrindo a boca na maior altura de novo:

— É a primeira vez que o Kai aparece em uma festa minha, então ele tem que experimentar o quê?

— Piña Colada Suprema! — os outros gritaram em resposta.

Kai foi levado até o minibar, onde dois caras mais velhos — um muito parecido com Bernard, provavelmente seu irmão — preparavam os drinks. Bernard, do lado de fora, pegou um copo de plástico comprido e começou a entornar líquidos diferentes dentro dele, pedindo ao irmão que pegasse uma ou outra coisa no freezer. Depois de dois minutos, estendeu o copo decorado com um pedaço de abacaxi na borda.

— Essa é uma piña colada diferente. Receita minha — Bernard piscou. Kai analisou bem o copo antes de pegar.

— O que tem aqui dentro?

— O de sempre. Só acrescentei meu segredinho: um licor à base de chocolate branco que faz o gosto ficar de outra galáxia!

Kai olhou para o líquido branco que enchia o copo, perguntando-se o que seria o de sempre. Diante da hesitação dele, Bernard analisou-o por alguns segundos.

— Brother, você definitivamente precisa andar mais com a gente — apontou para Pitbull, Lucas e Marcão, que esperavam suas bebidas ali perto.

— Isso é o que dá não desgrudar daquela galera da igreja — Marcão disse. — Daqui a pouco você vai virar um zé-pega-ninguém igual ao Arthur.

Os outros gargalharam como se ele tivesse contado a melhor

piada do mundo. Um músculo saltou em seu maxilar e Kai continuou olhando para eles, sério. Bernard limpou pequenas lágrimas no canto dos olhos e, ainda rindo, falou:

— Tudo bem, tudo bem, ninguém vai falar mais nada do seu amiguinho.

Sua mão movimentava o copo com leveza. Kai olhou em volta e ninguém, exceto o pequeno grupo, parecia prestar atenção nele agora. Só tinha experimentado bebida alcoólica duas vezes na vida. A primeira quando pegara um copo escondido do pai aos doze anos — e jogou tudo para fora no mesmo instante, detestando o gosto. E a segunda aos quinze, quando deu um gole na cerveja de um conhecido na festa de aniversário de um garoto da escola.

O álcool sempre provocava nele certa repulsa. O cheiro ardente evocava imagens de seu pai quebrando coisas dentro de casa, xingando a ele e sua mãe, caindo pelos cantos da varanda. O odor da perdição. No entanto, aquele plástico transparente contendo o líquido nevado em suas mãos parecia uma perdição brilhante e sedutora.

A voz de Gio irrompeu, como um sussurro, dentro de sua cabeça. *Não faça isso*, ela dizia. *E o que posso fazer, se até você eu perdi?*, ele respondeu e levou o copo à boca, entornando todo o conteúdo de uma só vez, a garganta movendo-se enquanto engolia com ânsia. Os garotos soltaram palavrões, estupefatos. Kai depositou a base arredondada sobre a bancada do minibar e ouviu o uivo da plateia.

— E aí, aprovado? — indagou Bernard. Kai abriu bem os olhos, sentindo como se o chão sob seus pés fosse areia movediça. Colocou a mão espalmada sobre a bancada e sorriu, tentando não demonstrar que por dentro parecia a ponto de cair.

— Bom. Muito bom — foi o que respondeu.

— Bernard, prepara um *cosmopolitan* pra ele — Pitbull pediu e virou-se para Kai — Você vai ver o que é bom de verdade.

— Tá desfazendo do meu drink, cara? — Bernard abriu os braços. Os dois começaram uma discussão sobre qual bebida era a melhor e Kai, um pouco menos tonto, perguntou:

— Seus pais não se importam de vocês beberem desse jeito?

— Ih, cara — Bernard gargalhou. — Eu bebo *com* o meu pai desde os quinze anos.

— Os meus não falam muita coisa. Eu só bebo em festas — Marcão respondeu.

— Eu já tenho dezoito — Pitbull deu um gole, e Lucas não pareceu interessado em responder à pergunta. Bernard terminou o drink avermelhado e entregou a Kai. Agora que a tontura inicial havia passado, certa euforia começava a se expandir dentro dele, fazendo-o se sentir mais desperto, animado... feliz. Bebeu o segundo drink em doses mais contidas e continuou conversando com os garotos.

Não muito tempo havia passado quando Kai começou a gargalhar com qualquer coisa que ouvisse. Ele não sabia ao certo quantos copos vieram após o segundo, e também não estava muito preocupado com isso. Todo seu corpo vibrava com entusiasmo. Era como se todos os seus problemas tivessem evaporado. E Kai gostou disso.

As luzes coloridas agitavam-se diante de seus olhos. Um grupo começou a dançar no gramado ao som de música eletrônica e, com um novo copo em mãos, ele foi para lá. A euforia brilhante tomou sua visão, fazendo-o movimentar-se com alegria repentina e exagerada. Sentia que poderia continuar ali a noite toda quando Pitbull se aproximou, as luzes policromáticas refletindo em seu rosto:

— Você vai? — apontou com o polegar em direção ao portão. Lucas e Marcão, perto da piscina, pareciam prontos para partir.

— Já? — Kai questionou. — Há quanto tempo estamos aqui? Uma hora só?

— Cara, já são uma e meia da manhã. Minha mãe vai surtar se eu não chegar em casa em trinta minutos.

— E tu vai dirigir doidão?

— Eu só bebi dois copos. Prometi aos meus pais, por causa do carro.

— Então tá.

Eles caminharam lado a lado e, quando se aproximavam da piscina, Pitbull precisou segurar o braço de Kai para evitar que caísse nela com celular e tudo.

— Pô, valeu — agradeceu e seguiu os três pelo gramado. Tudo ao seu redor começou a parecer meio desconexo, distorcido. Era como se estivesse dentro de um sonho maluco e seu corpo funcionasse em câmera lenta.

— Acho que não estou legal — ele disse antes que suas pernas fraquejassem outra vez. Foi despencando como um tecido leve e molenga e, antes que beijasse o chão, mãos o ergueram e arrastaram até o carro da mãe de Pitbull.

— O primeiro porre a gente nunca esquece — Marcão riu. Largado no banco atrás do motorista, Kai sentiu quando o carro começou a se movimentar.

— Pitbull disse que só bebeu dois copos — ele falou com os olhos fechados, a voz arrastada. — Mas vocês dois eu vi beberem tanto quanto eu. Como estão inteiros desse jeito?

— Acho que ninguém aqui bebeu tanto quanto você — Lucas respondeu.

Ainda de olhos fechados, Kai sentiu a náusea revirar seu estômago. *Ai, não.* Ele fecharia a noite com chave de ouro enchendo o carro dos outros de vômito? Abaixou um pouco mais o vidro da janela, deixando o vento inundar seu rosto e ricochetear seu cabelo. Ajudou um pouco. Lembrou que o fone de ouvido estava no bolso de trás de sua bermuda e decidiu escutar um pouco de música. Talvez, se se concentrasse bastante, conseguisse convencer seu estômago a aguentar até chegar em casa.

Clicou no modo aleatório no aplicativo de músicas e deixou a cabeça encostada no apoio do banco, o olhar perdido na cidade vazia e silenciosa. As casas e comércios passavam como um borrão confuso. Não sabia se era o efeito do álcool, misturado aos ritmos alternativos no fone de ouvido, mas em poucos segundos Kai foi assaltado por um sentimento de melancolia que parecia comprimir tudo dentro dele. A força daquela segunda-feira intensa agora caía sobre seu peito como um dos navios cargueiros sempre avistados no horizonte da Praia da Parada.

Uma nova melodia começou. Desta vez, em batidas rápidas e vozes gritadas. *Melhor.*

And I'm good, good, good to go
I got to get away
Get away from all of my mistakes
So here I sit looking at the traffic lights
The red extinguishes the hope that the green ignites
I want to run away I want to ditch my life
Cause all of my mistakes keep me awake at night
And after all of my alibis desert me
I just want to get by
I don't want nothing to hurt me
I had no idea where my head was at
But if my heart says I'm sorry can we leave it at that
Because I just want for all of this to end

[E eu estou pronto, pronto, pronto para ir
Eu tenho que ir embora
Fugir de todos os meus erros
Então aqui estou, olhando para as luzes do trânsito

O vermelho extingue a esperança de que o verde acenda
Eu quero fugir, quero enterrar minha vida
Porque todos os meus erros me mantêm acordado de noite
E depois que todos os meus álibis me abandonaram
Eu só quero superar
Não quero que nada me machuque
Não tenho ideia de onde minha cabeça estava
Mas se meu coração diz que sinto muito, podemos deixar por isso mesmo
Porque eu só quero que isso tudo acabe]

De quem era aquela música? Kai checou o nome da banda. *Ah. Giovana.* Ela havia salvado aquela música no aplicativo dele mais cedo, quando estavam na praia pouco antes da briga. Pouco antes de as coisas terminarem de sair dos trilhos.

I had no idea where my head was at
But if my heart says I'm sorry can we leave it at that
Because I just want for all of this to end

[Eu não tenho ideia de onde minha cabeça estava
Mas se meu coração diz que sinto muito, podemos deixar por isso mesmo
Porque eu só quero que isso tudo acabe]

À medida que ouvia, suas emoções iam se alojando na coincidência daquelas palavras com sua vida. *Eu só quero que tudo isso acabe.* O pedido mudo e suplicante se repetia dentro dele, em um rodopio, quando outro som ressoou em sua mente. Algo suave e profundo. Diferente de qualquer coisa que já tivesse escutado.

Filho.

Kai abriu os olhos.

— Quem falou isso?

Os garotos pararam o assunto sobre o qual conversavam e olharam para Kai com expressão interrogativa.

— Falou o quê? — Pitbull, do volante, perguntou.

Ele não podia dizer. Os três achariam que ele estava delirando. E quem sabe não estivesse mesmo? Ainda sentia como se tudo ao redor se movesse em câmera lenta.

Filho.

— Ah! De novo! — Kai levou as mãos à cabeça.

— Você provou algo além do álcool? — Lucas frisou as sobrancelhas.

— Não!

— Será que alguém colocou alguma coisa na bebida dele? — Marcão questionou os outros dois.

— Aqueles primos do Bernard sempre andam carregados, vocês sabem — Pitbull respondeu. — E não são as melhores pessoas do mundo...

— Coitado. Vai ficar com a mente ferrada por um tempo, se for isso mesmo — Lucas parecia realmente com pena.

— Ei, eu ainda estou aqui! — Kai protestou. — Ninguém colocou nada na minha bebida, não sou tão besta assim.

O carro cortava uma nova rua ao mesmo tempo que a voz ecoava dentro dele mais uma vez. Kai dirigiu o olhar para fora da janela e avistou a fachada verde-água, com uma cruz de madeira entalhada na pequena torre à direita do edifício. Era a igreja que costumava frequentar.

E, então, escutou de novo.

Filho.

43

— **PARE O CARRO!** — Kai abriu a porta com o carro em movimento e Pitbull freou bruscamente, fazendo todos dispararem para a frente no assento.

— Tá maluco? — Pitbull gritou. Lucas e Marcão o acompanharam nas exclamações. Kai mal escutava o que eles diziam. Já estava na calçada em frente à igreja, a atenção fixa na cruz de madeira. Aquela simples palavra que vinha ouvindo ao longo do caminho continuava doce, mansa, irresistível. E agora ele estava ali, em frente ao lugar a que já tinha ido inúmeras vezes, sentindo como se algo o tivesse atraído e prendido ao chão. Sua mente estava limpa agora. Alerta. Os olhos desanuviados. Era como se não tivesse colocado uma gota de álcool na boca.

— Cara, preciso chegar em casa! Você vai ficar aí dando uma de doido até que horas? — questionou Pitbull. Kai permaneceu calado. Não ligava para Pitbull. Só queria saber de onde vinha aquele anseio louco que agora chacoalhava seu coração.

— Não vai responder?

— Podem ir — Kai enfim falou. Pitbull deu uma risada incrédula, desceu do carro, tirou sua bicicleta da caçamba e colocou-a encostada ao meio fio.

— Tem *certeza* de que vai ficar aí? — ele tentou uma última vez.

— Tenho. Obrigado.

Então o carro se afastou, e as vozes dentro dele puderam ser ouvidas até certa distância. Depois que o automóvel virou a esquina, Kai se viu em uma quietude completa. Havia uma pequena luminária presa um pouco abaixo da cruz, banhando-a com uma claridade amarelada. Ficou um tempo olhando para a luz e pensou em todas as vezes que ouvira Gio ou Arthur dizer que Deus havia falado com eles. Aquilo sempre soara estranho.

Deus, afinal, falava mesmo com as pessoas? Ele se importava a esse ponto? Não, Kai achava que não. Bastava olhar para a vida dele. Deus não se importava.

Acaso, pode uma mulher esquecer-se do filho que ainda mama? Mas ainda que esta viesse a se esquecer dele, eu, todavia, não me esquecerei de ti.

Piscando repetidamente, Kai tentou entender como aquilo — que provavelmente escutara em alguma reunião da igreja — havia surgido assim, de forma tão inesperada, em sua mente. Mas o que estava acontecendo? Não era a primeira vez naquela noite.

— É você, Senhor, que está falando comigo? — indagou, olhando para a cruz iluminada. O ar estava parado. Não se percebia o menor movimento na rua. E Kai ouviu o silêncio como resposta. Andou de um lado para o outro na calçada e chegou à conclusão de que devia estar muito bêbado.

— O que o Senhor quer? Hein? — Ele olhava para o alto outra vez. — Eu estraguei tudo. Como sempre faço. Nunca vou conseguir ser perfeito como Arthur ou Giovana. Não há jeito para mim — e Kai ficou ali, como uma estátua, durante longos minutos. — Ah! O que eu estou fazendo aqui? — Trincando os dentes, grunhiu e marchou até a bicicleta. Sentou-se no banco, encaixou os fones no ouvido e saiu devagar. A música de Giovana continuou de onde havia parado.

And I so hate consequences
And running from You is what my best defense is

Consequences
Oh God, don't make me face up to this
And I so hate consequences
And running from You is what my best defense is
Cause I know that I let you down
And I don't want to deal with that

[Eu odeio tanto consequências
E correr de ti é minha melhor defesa
Consequências
Ah, Deus, não me faça encarar isso
Eu odeio tanto consequências
E correr de ti é minha melhor defesa
Porque eu sei que te decepcionei
E não quero ter de lidar com isso]

Kai apertou o guidão até os nós dos dedos ficarem brancos. Então ergueu o celular e o jogou longe. Pedalou por mais dois minutos, questionando de onde havia saído aquela madrugada estranha. Olhou para trás e viu o celular largado no meio do asfalto. Era o único que tinha e não sabia quando poderia comprar outro. Deu meia-volta e resgatou o pequeno aparelho, com a tela trincada quase que por completo. Apertou o botão lateral e havia brilho em apenas um canto da tela. O resto estava arruinado.

Kai enfiou o aparelho no bolso e, rosnando, girou os pedais, colocando a bicicleta em movimento mais uma vez.

A escuridão o engolia. Suas pernas já estavam dormentes de tanto pedalar pela cidade. Gotas de suor brotavam aos montes em seu rosto e ele olhava para trás, o terror gritando de cada célula de seu corpo. Do alto, uma espécie de gongo era tocado de minuto em minuto, e cada vez que a baqueta encontrava a chapa de metal, um estrondo grave e ensurdecedor se fazia ouvir, penetrando nos ouvidos de Kai e estremecendo cada neurônio.

Era como se o efeito de rufo estivesse dentro da cabeça dele. E ele corria e corria. Sem parar para respirar, sem pensar. Ele só precisava fugir. Não contava, porém, que uma pedra aparecesse no meio do asfalto limpo e reto. Kai não a viu a tempo. Capotou, sendo lançado no ar, e aterrissou raspando os joelhos na rua quente e áspera. Seu sangue paralisou nas veias. Não conseguiria mais fugir. Teria de enfrentar o juízo.

— Você precisa comer — uma fala bem distante escoou devagar. Kai se remexeu sob o asfalto. Algo parecia tocá-lo, mas ele não sabia o que ou quem era. E nem de onde vinha.

— Anda, já são uma da tarde — a voz ergueu-se de novo, seguida por um chacoalhão em seu braço. Com dificuldade, abriu os olhos. E deu de cara com a parede azul caneta coberta de pôsteres de surfe. O alívio percorreu seu corpo: tinha sido um pesadelo. Então a badalada soou dentro de sua cabeça outra vez e Kai percebeu que nem tudo tinha sido tão irreal assim.

— Ai! — Ele pressionou as mãos abertas contra a cabeça e, antes que conseguisse fazer qualquer outra coisa, a acidez subiu desgovernada pela garganta projetando-se em um jato amarelado e malcheiroso no piso de seu quarto. Ouviu sua mãe suspirar com desgosto.

— Como se eu já não tivesse problemas o suficiente! — Ela saiu do quarto e logo estava de volta, com um balde com água e pano de chão nas mãos. Kai, ainda deitado, colocou o antebraço na testa e olhava para as telhas onduladas do teto acima dele. Sua boca estava seca, uma sensação generalizada de desconforto e incômodo o envolviam. Cada membro de seu corpo parecia pedir socorro.

— Então essa é a tal da ressaca de que tanto falam? Nunca mais quero sentir isso — murmurou.

— Acho bom mesmo. De bêbado dentro de casa já basta seu pai — Eva terminou de limpar o chão e estendeu um copo de café para ele. Kai levantou o tronco dobrado, ancorando-se em um dos cotovelos. Levou o café à boca e quase cuspiu.

— Tá frio!

— Estou há um tempão tentando acordar você — ela segurou a alça do balde. — De qualquer forma é bom você levantar e comer alguma coisa com sustância. O almoço está pronto.

— Não estou com fome — ele entregou a caneca com o líquido marrom.

— Faça como quiser. Mas, se vomitar de novo, você é quem vai limpar — Eva disse e saiu do quarto.

Kai passou o resto do dia jogado na cama. As badaladas demoraram a parar de soar e só no início da noite é que seu corpo começou a dar indícios de bem-estar. Jantou um prato cheio e sentiu as forças renovadas, pelo menos um pouco.

Era horrível estar sem celular. E esse era só mais um dos ingredientes amargos no enorme bolo azedo que era sua vida. Acabou por ligar a tevê e ficou assistindo a programas de surfe até tarde da noite, quando sua mãe entrou no quarto e, avisando que no dia seguinte seria a audiência de custódia de seu pai, perguntou se ele queria ir com ela e Lúcio.

— Eu vou — respondeu. E, menos de uma hora depois, entrou em sono profundo.

44

O SOL BRILHAVA ALTO quando Lúcio estacionou em frente à delegacia. Como a audiência começaria em poucos minutos, o advogado correu para dentro do prédio. Kai e Eva entraram logo depois e ocuparam duas cadeiras no fundo da recepção. Não poderiam participar do ato processual, e ali esperaram durante algumas horas.

— Muito boa pessoa o Lúcio — Eva comentou, após ficarem calados durante quase uma hora assistindo à tevê pendurada na parede. — Está sendo muito prestativo, ainda que a gente não tenha condições de pagar. Mesmo assim vou fazer um esforço e dar algum dinheiro a ele.

— Como? Você não tem mais trabalho — Kai se arrependeu de falar assim que as palavras saíram de sua boca.

— Sidney me disse que tem algum dinheiro escondido no guarda-roupa. Ainda bem, porque parece que a conta bancária dele foi congelada. O Mariano usou o nome do seu pai para criar outras contas e lavar dinheiro. A justiça bloqueou tudo — a expressão de Eva carregava desgosto. Kai se remexeu na cadeira. Seu pai estava pagando pelos próprios erros, mas era revoltante saber que outros pesos foram colocados sobre ele. Sua mãe continuou: — E também andei juntando um pouco na poupança. Não tem muito, mas deve dar para nos mantermos até eu arranjar um emprego. Lúcio disse que poderia me encaminhar para uma amiga dele, que é advogada trabalhista, já que eu trabalhei por anos naquela casa e não tive minha carteira assinada. Saí com uma mão na frente e outra atrás.

Kai esbugalhou os olhos.

— Achei que sua carteira era assinada.

— Eu fui boba. Eles me pagavam um pouco mais por não assinarem — Eva suspirou. — No final quem saiu perdendo fui eu. Mas não quero saber de mais advogado agora, ainda mais com aquela mulher tendo falado que poderia denunciar você.

Ele, sempre ele, trazendo problemas.

— Mãe, eu andei guardando uma grana que recebia trabalhando para o pai. Vou transferir pra você.

— Não vai porque não é sua obrigação. O que eu tenho guardado vai nos manter até eu dar meu jeito de conseguir nosso sustento.

— Qual é o problema? Eu quero ajudar. — Era o mínimo que podia fazer.

— Pois eu não quero sua ajuda — Eva abraçou a bolsa que estava sobre o colo e olhou ao redor, evitando os olhos do filho.

— E se você não conseguir um trabalho logo? Talvez seja melhor não usar agora esse dinheiro que o pai guardou e esperar para pagar o tio Lúcio quando as coisas estiverem tranquilas...
— Ele não gostava muito dessa ideia, pois não queria que Lúcio trabalhasse de graça. Mas não via muita opção.

— Não vou fazer isso. O trabalhador é digno do seu salário, como dizem. E, além do mais, o Lúcio já nos ajudou tanto nessa vida. Fico sem graça de depender dele mais uma vez.

Kai suspeitou que um ponto de interrogação havia se formado em seu rosto porque sua mãe, com um suspiro, começou a explicar:

— Você lembra da Bárbara, a mãe do Arthur? Quando me contratou para trabalhar na casa dela, de carteira assinada, diga-se de passagem, seu pai estava numa época bem ruim na pesca e a nossa situação era difícil. Bárbara contou ao Lúcio e ele, além de me pagar o salário, ainda reformou o telhado da nossa casa, que toda vez que chovia guardava mais água que um rio. Eles formavam um bom casal. Generosos demais — Eva apertou o canto dos lábios. — Uma pena que Bárbara tenha se perdido no final.

— Como assim?

— Nem era para eu estar te contando isso — sua mãe estalou a língua. — Mas enfim. A Bárbara conheceu um homem no trabalho que fez a cabeça dela virar. Lúcio descobriu e tentou de todas as formas fazê-la lutar pelo casamento deles, mas já não tinha mais volta. Ela estava muito determinada a pedir o divórcio e ir embora com o amante. Ele era da Alemanha e tinha vindo trabalhar na região por uns tempos... — Eva parou por um instante, seu olhar perdido nas lembranças. — Bárbara morreu num acidente de carro quando estava a caminho do aeroporto.

O estômago de Kai revirou. Será que Arthur sabia disso?

— Quase morri de pena do Arthur, pobrezinho — sua mãe continuou, parecendo ler seus pensamentos. — Também tinha dó da Naná, mas ela ainda não entendia nada. Era só um bebezinho. Arthur já era maior e ouvia as brigas, compreendia muito bem o que estava acontecendo. Bárbara foi embora e deixou tudo para trás, inclusive os filhos.

— Ele nunca me falou disso — a última conversa que tivera com Arthur invadiu a mente de Kai e um gosto amargo encheu sua boca. O sabor da culpa.

— Muitas pessoas não gostam de falar sobre o que lhes causa dor — Eva refletiu por um minuto. — E, além de tudo, ele ganhou uma mãe e tanto quando a avó chegou para cuidar deles. Talvez a lacuna tenha sido bem preenchida.

Kai pensou no olhar esperançoso, na alegria pura e nas palavras de conforto que sempre saíam da boca do Arthur. Talvez a lacuna tivesse sido preenchida e transbordada por Alguém maior que a vó Dalva, no final das contas. As lembranças da madrugada de terça-feira começaram a fluir lentamente pelos becos de seus pensamentos. Ele não tinha pensado muito sobre aquilo. Havia passado o dia anterior bem ocupado lidando com uma ressaca terrível. Na verdade, a discussão com Arthur na praia, a conversa com Giovana no portão, as bebidas extasiantes na festa e aquele momento esquisito na calçada em frente à igreja agora pareciam um emaranhado confuso e embaraçoso.

Após refletir por um tempo, chegou à conclusão de que o que acontecera após a festa não poderia ter sido uma espécie de intervenção do Alto. Não, sem condições. Ele estava no ponto mais baixo de sua vida, bêbado, sozinho, degradado. O que o Criador ia querer com ele? Kai era uma vergonha.

Um tédio colossal fazia Kai contar os minutos daquela espera por obter alguma resposta de tio Lúcio e então dar o fora dali. Quando, finalmente, a silhueta engravatada colocou os pés de volta na recepção, não mostrava uma expressão muito feliz.

— Como eu disse a vocês, um dos crimes é inafiançável, logo não tem direito a liberdade provisória. Ele vai responder ao processo, preso.

Eva e Kai não responderam. O que havia para dizer?

— Sidney quer falar com você antes de ir para a penitenciária, Eva — Lúcio deu meia-volta e a mãe de Kai o seguiu. O garoto fez o mesmo. O advogado parou de repente. — Kai, você não pode entrar.

— Por quê?

— Seu pai só quer ver sua mãe — ele pediu desculpas com o olhar e seguiu com Eva pelo corredor. Kai virou-se depressa e, pisando duro, trombou com um homem na porta da delegacia.

Balbuciou um pedido de desculpas e sentou-se no meio-fio, lá fora, com a respiração pesada e os lábios comprimidos.

Quase uma hora depois, Lúcio estacionava na rua poeirenta em frente ao pequeno portão desgastado da casa de Kai. O garoto não havia falado uma só palavra durante todo o caminho de volta, embora sua mãe e Lúcio conversassem sobre o que aconteceria dali em diante. Kai não estava interessado em nada daquilo. Um estado de torpor parecia consumir seu corpo, levando-o para longe, para uma terra de desgosto e ira. Desceu do carro e despediu-se de Lúcio, que o observava com bondade. Não era um olhar de pena. Seu rosto parecia carregar a empatia de quem também já havia enfrentado grandes problemas.

— Quer ir lá pra casa? Arthur disse que está tentando falar com você desde ontem.

Desviando os olhos para o muro descascado, Kai respondeu que estava cansado e ia tentar dormir um pouco. Após um aceno de cabeça, Lúcio deu ré e deixou a travessa com a velocidade de um advogado atarefado. O garoto passou pelo portão, entrando na varanda. Será que agora sua mãe cumpriria a promessa e jogaria toda aquela quinquilharia fora?

Com aparência cansada, Eva entrou para tomar um banho, enquanto Kai observava a lata de tinta virada que três dias antes havia sido ocupada por seu pai, no meio do quintal dos fundos.

Como podia sentir tanto por alguém que mal ligava para ele?

Uma chama de memórias, limitada e fraca, começou a queimar em sua mente. Momentos em que se sentira com medo. Rejeitado. Humilhado. Situações em que tudo o que queria era ter ouvido uma mínima aprovação do pai, e ela não viera. Em que, em lugar do afeto, recebera olhares carregados de hostilidade.

Não demorou muito para que a chama se transformasse em incêndio. Erguendo a perna para trás com velocidade, Kai deu impulso e acertou a lata, que aterrissou do outro lado do quintal.

Por que as coisas tinham de ser daquele jeito? Seu pai havia estragado tudo. Tudo.

Cerrando os lábios, Kai notou a inquietação crescer em seu peito. Caminhou até a cerca que separava o quintal do rio e olhou para as águas que se movimentavam devagar. Virou-se para o espaço onde o barco de seu pai costumava ficar e lembrou que o abandonara. A herança de seu avô, jogada numa praia deserta.

Inclinou a cabeça para trás e olhou para o céu, passando as palmas das mãos no rosto, caminhando pela grama sem direção. Não sabia o que fazer. Para onde ir. Por mais que sua mãe estivesse a poucos metros de distância, dentro de casa, a sensação de abandono que tomava seu interior era tão sufocante que ele levou a mão fechada ao peito, na tentativa de aplacar a angústia que se apoderava dele.

Seus olhos pousaram sobre a prancha que Arthur lhe dera. *Preciso do mar. É isso.* Kai tomou a prancha nos braços, avisou a mãe que estava saindo e partiu em sua bicicleta. Nunca havia chegado tão rápido à Praia da Parada. A maré subia trazendo força às ondas, e o vento as esculpia em paredes longas e tubulares. *Melhor impossível.* Largando a bicicleta em um canto da calçada, passou pela areia com pés velozes e caiu na água salgada, desesperado por um alívio, ansiando por um abraço na alma.

45

ERA UMA COISA ESTRANHA. Nunca tinha se sentido assim. E o mar parecia entender isso, presenteando-o com ondas perfeitas. Kai deslizava por elas sem parar. Por mais improvável que fosse, naquela tarde só havia ele naquele trecho do mar. Sabia, no entanto, que a notícia das ondas perfeitas se espalharia logo e não demoraria até que uma legião de surfistas brotasse ali. Alguns segundos depois, a confirmação veio na forma de uma silhueta que cruzava a praia com uma prancha debaixo do braço. Mas foi só quando a pessoa começou a remar que Kai prestou atenção em quem era.

Arthur não ergueu um braço para cumprimentá-lo. Não disse nem "oi". Contudo, surfou ao lado de Kai até que a luz cintilante do sol poente banhasse tudo ao redor, misturando os rastros alaranjados de seus raios com os tons púrpuras do crepúsculo. Os dois saíram do mar juntos. Contrariando as expectativas de Kai, não havia muita gente na praia àquela hora. Os surfistas pareciam ter ido para o canto da praia, onde as ondas costumavam ser ainda mais convidativas.

Arthur passou os dedos pelo cabelo molhado, chacoalhando os fios curtos, e cravou a prancha na areia. Kai fez o mesmo, observando o amigo de esguelha. Todas as palavras pareciam escapar de sua língua antes que ele conseguisse pronunciá-las. Colocou, então, as mãos dentro dos bolsos da bermuda encharcada e observou a paisagem à frente, digna de um quadro. Pensou em Giovana e na representação perfeita que ela faria daquele pôr do sol com seus lápis de cor. Lembrar dela fez que ele sentisse um aperto ainda mais forte no peito. Kai pensara que o mar poderia entregar a ele o que tanto queria, trazer paz ao turbilhão que se formara em seu interior — só que tudo continuava exatamente igual.

O que está acontecendo comigo, Deus?, foi sua prece silenciosa. E inesperada.

— Estava preocupado com você — Arthur falou pela primeira vez naquela tarde. — Tentei te ligar várias vezes ontem. Fiquei mais tranquilo quando meu pai disse que você tinha ido à delegacia hoje e parecia bem, dentro do que é possível nesse momento. Ele contou que você não quis ir lá pra casa e então eu fui até a sua. Tia Eva falou que você tinha vindo surfar.

— Meu celular quebrou.

— Sua mãe disse — Arthur hesitou por um instante e, suspirando, voltou a falar. — Kai, eu me senti péssimo por ter saído daquele jeito na última vez que conversamos. Você está passando por vários problemas e eu fui meio egoísta. Desculpa.

A mente de Kai vagou por um tempo, estacionando alguns anos antes. Com o canto da boca erguida em um quase sorriso, ele respondeu:

— Lembra quando aqueles seus primos malas de São Paulo vieram passar as férias na sua casa? A gente tinha, sei lá, dez anos. Eu fiquei mordido de ciúme e resolvi pregar uma peça. Escondi todos os álbuns de figurinhas de que eles tanto se gabavam. Só que não sabia que debaixo da pia do banheiro tinha um vazamento, o que estragou tudo. Você assumiu a culpa, dizendo que você é quem tinha deixado lá, para que eles não brigassem comigo... — O sorriso cresceu em seus lábios. — E quando você veio me perguntar por que eu tinha feito aquilo, nós brigamos. E logo depois você pediu desculpas e, de alguma forma, entendeu que eu estava me sentindo excluído e prometeu nunca mais deixar que isso

acontecesse. Naquele dia eu soube, lá no fundo do coração, que mesmo se a gente brigasse você nunca deixaria de ser meu amigo...
— Kai parou por um momento. — Isso ficou meio meloso, né?
Arthur deu risada.
— Você me desmentiu depois e assumiu a culpa.
— Que, por acaso, é a mesma coisa que preciso fazer agora — Kai coçou a sobrancelha. — Você não tem que me pedir desculpas por nada. Eu que fui um babaca por falar daquele jeito. Só você sabe das feridas que guardou no coração. — A conversa que teve com a mãe saltou na mente de Kai.
— Fica em paz — Arthur colocou o braço sobre o ombro dele e o puxou para perto. Eles ficaram um tempo nesse meio abraço, e Kai baixou os olhos, mirando a areia brilhante alisada pela água.
— Estou no fundo do poço — Kai confidenciou, de repente.
— É um lugar muito ruim para estar — Arthur pensou um pouco. — Mas, se você chegou ao fundo do poço, o lado bom é que o único caminho é para cima.
Kai abriu um sorriso triste, apagado.
— Como se fosse fácil.
— Não é. Mas há luz brilhando e um braço forte estendido para você. Não precisa sair dessa sozinho.
— Você está falando de Jesus? — Kai ainda observava o vaivém das ondas.
— Sim. Aquele de quem você tanto corre — havia um sorriso na voz de Arthur.
A lembrança da madrugada de terça-feira fez os pelos da nuca de Kai se arrepiarem.
— Arthur... e-eu acho que ele falou comigo.
— Sério? E como foi isso? — Arthur tirou o braço do ombro de Kai e encarou o amigo com curiosidade.
— Eu ouvi... como se ele me chamasse. Mas não foi uma voz normal. Eu senti aquela palavra ecoando dentro de mim.

— Palavra?

— Filho. Ele me chamou de filho — dizer aquilo em voz alta deixou Kai desconcertado. E não aliviou a aflição. Pelo contrário, parecia ter feito doer mais.

— E você é filho dele?

Kai chegou o queixo para trás e franziu o cenho.

— Todos são filhos de Deus, não são?

— "A todos que creram nele e o aceitaram, ele deu o direito de se tornarem filhos de Deus." Isso está em João capítulo um, versículo doze — Arthur declarou. — Não, meu amigo. Todos somos criação de Deus, assim como esse mar à nossa frente. Agora, entrar na família do Senhor como filhos, somente através da fé em Cristo.

— É só ter fé? Eu acredito que Jesus existe.

— O diabo também crê. E estremece.

— Credo, cara. Que papo é esse?

Arthur riu.

— Kai, é o seguinte: as pessoas pecam o tempo todo, não é? — Arthur se virou para o amigo, os braços dobrados, as mãos abertas. — Todos pecamos. Sem exceção. E o pecado é uma ofensa a Deus, é o que nos afasta dele. Portanto, já que o ser humano sempre peca...

— ... Sempre está longe de Deus — Kai completou baixinho.

— A não ser que se arrependa e se volte para ele, crendo que o sacrifício de Jesus é o que torna isso possível.

— Ele morreu pelos nossos pecados — Kai falou quase que para si mesmo, lembrando-se da frase que havia escutado tantas vezes.

— É, meu irmão. Cristo levou sobre si a culpa pelos pecados de toda a humanidade. E, assim, abriu o caminho que nos leva a Deus. Que leva você a Deus — Arthur suspirou. — Você é amado, Kai. Esse amor foi demonstrado naquela cruz. E continua sendo derramado sobre sua vida dia após dia, por mais que você não perceba.

Aquelas palavras bateram em seu peito com tamanha força que Kai segurou o fôlego. Os questionamentos que antes disparavam em sua mente como foguetes em noites de réveillon, os porquês revoltados que o perseguiram por tanto tempo, de repente se tornaram como a brisa salgada que os envolvia. Vapor. E apenas uma frase, fraca e permeada pela vergonha, saiu de seus lábios:

— Eu não sou digno.

— Nenhum de nós é.

Kai ergueu os olhos para Arthur.

— Ah, você *sim*. Sem dúvida.

— De onde tirou isso?

— Não preciso nem responder, senhor faço-tudo-certinho.

— Ah, Kai, se você pudesse ver dentro de mim... os pensamentos que às vezes tenho, as lutas que travo... — Arthur balançou a cabeça. — Buscar viver de um jeito que agrade a Deus não me torna digno de nada, é apenas o que acontece quando somos alcançados pela graça. A luta contra o pecado continua aqui. E todos os dias eu preciso me agarrar a Deus para poder vencer.

Kai evitou olhar para Arthur quando perguntou, quase num sussurro:

— E como se faz isso?

— Se rendendo.

Seu coração pesou no peito, e Kai passou as mãos pelo cabelo, desamparado.

— Não sei, Arthur. É como se eu tivesse uma escuridão dentro de mim o tempo todo, me sufocando, me puxando para baixo.

— Você ainda não entendeu? — Arthur abriu as mãos. — Se você impedir que a luz entre, como a escuridão vai embora?

Erguendo o rosto para o alto, Kai apertou os lábios com firmeza. Dentro dele travava-se uma briga ferrenha. E ele percebeu o lado vencedor assim que a emoção tomou seu peito e uma ardência incomum lhe subiu aos olhos. Tudo a que tinha resistido por tanto tempo ganhou-o por completo.

Um soluço, vindo de algum canto esquecido de sua alma, irrompeu no peito de Kai. E, como se uma barragem enfim tivesse se rompido, lágrimas escaparam aos montes. Os ombros dele sacudiam com a força do choro aprisionado havia tempos. Quando se deu conta, estava com os joelhos enterrados na areia, repetindo a oração que Arthur fazia ao seu lado. Seu amigo também havia se ajoelhado e abraçava seus ombros com firmeza, as lágrimas de alegria perpassando cada palavra que saía de sua boca.

A angústia no peito de Kai havia aplacado. Um novo sentimento enchia seu interior. Algo leve, suave, *vivo*. Naquele momento, ouviu mais uma vez a voz dele chamá-lo: **Filho**.

Sim, Pai, eu estou aqui.

E então Kai compreendeu que a rota havia mudado. Sua vida nunca mais seria a mesma.

When I got tired of running from you
I stopped right there to catch my breath
There your words they caught my ears
You said, "I miss you son. Come home"
And my sins, they watched me leave
And in my heart I so believed
The love you felt for me was mine
The love I'd wished for all this time
And when the doors were closed
I heard no I told so's
I said the words I knew you knew

Oh God, Oh God I needed you
God all this time I needed you, I needed you

[Quando eu me cansei de fugir de ti
Eu parei para recuperar o fôlego
Tuas palavras alcançaram meus ouvidos
Tu disseste: "Sinto sua falta, filho. Volte pra casa".
E meus pecados, eles me viram partir
E em meu coração eu acreditava tanto
O amor que tu sentiste por mim era só meu
O amor que tenho desejado por todo esse tempo
E quando as portas estavam fechadas
Eu escutei um não e pedi ajuda
Eu disse as palavras que eu sabia que tu conhecias
Oh, Deus, oh, Deus eu precisei de ti
Deus, todo esse tempo precisei de ti, precisei de ti]

46

PELA PRIMEIRA VEZ NA VIDA, Kai sentiu alguma empolgação ao iniciar um novo ano letivo. Talvez fosse a gratidão por ter conseguido passar de ano, ou a expectativa pelo último ano na escola, ou ainda, quem sabe, ele estivesse confiando na probabilidade de encontrar uma garota de cabelos castanhos volumosos de segunda a sexta nos corredores do colégio.

— Fala aí, beleza? — cumprimentou um grupo de conhecidos ao deixar o bicicletário. Eles o olhavam como se Kai fosse uma mistura de celebridade e aberração. Àquela altura, quase todo mundo sabia sobre seu pai. E sobre a briga que lhe tinha rendido aqueles rastros amarelados no olho esquerdo. O hematoma estava quase sumindo, mas quem olhasse com atenção ainda poderia perceber as marcas.

Olhares continuavam disparando sobre ele à medida que avançava pelo corredor abarrotado. Com o rosto imperturbável, que só acenava levemente quando via algum colega, Kai chegou ao mural com a relação das salas e turmas. Depois de verificar seu nome, procurou pela letra *g* e, para sua surpresa, descobriu que ela estaria na turma dele. Embora fossem da mesma série, nunca tinham dividido a mesma sala. E, agora, ali estavam.

Com uma injeção de ânimo, Kai se apressou até a classe e sentou na última fileira, como sempre. Ele dividia a atenção entre a porta aberta e o celular velho — que Arthur lhe emprestara até que pudesse comprar outro. O sinal soou, indicando o início da primeira aula, e o professor de história entrou na sala. Naquele momento Kai soube que Gio não iria à aula aquele dia. Ela nunca chegava atrasada. O que estaria acontecendo? Gio também não tinha ido à igreja no dia anterior. E ela também nunca faltava aos cultos. Kai acessou o contato dela no celular e mexeu o polegar em cima da tela, decidindo se enviava ou não uma mensagem.

Quatro semanas. Esse era o tempo em que os dois não trocavam mais do que um mísero "oi". Kai mal a tinha visto durante aquele mês, para falar a verdade. Gio não ia mais à praia, e na igreja sentava ao lado dos pais. Acenou de longe ao final de um culto, enquanto ia embora, como se fosse uma fugitiva, e só.

Kai suspirou enquanto guardava o celular no bolso. Mordeu levemente o lábio inferior e tirou o caderno da mochila, tentando aplacar a decepção de saber que não a veria. De novo. Nunca pensou que sentiria tanto a falta dela. Sua ausência era como um buraco fundo e permanente. Ao mesmo tempo que vinha experimentando uma paz até então desconhecida — que o fazia sentir-se *vivo* de verdade — havia ainda esses pontos de tristeza em seu coração, querendo lembrá-lo de que as coisas não seriam perfeitas, que problemas nunca deixariam de existir. E consequências muito menos. Mas havia Alguém que zelava por ele.

"As aves do céu não semeiam, nem colhem, nem armazenam em celeiros; contudo, o Pai celestial as alimenta. Não têm vocês muito mais valor do que elas?", Arthur havia lido na areia da praia um dia, após terem surfado a tarde inteira. Kai guardou aquele trecho em um lugar especial dentro de si e percebeu sua fé sendo fortalecida. Naqueles dias, seu coração vinha parecendo uma esponja, absorvendo tudo que o amigo, Gab, vó Dalva e o pastor da igreja falavam. Nunca tinha ido aos cultos com tanto interesse.

Era tudo tão novo! E ele queria tanto contar isso a Giovana. Dizer-lhe que o Deus que ela tanto amava agora era também era o seu Deus.

O primeiro dia de aula passou rápido. Kai pedalou sem pressa até sua casa e, ao cruzar o portão empurrando a bicicleta, teve uma surpresa. Pela primeira vez em anos, a varanda de sua casa estava limpa. Sem tralhas. O chão brilhando.

— Era tão grande assim? — perguntou a si mesmo ao encostar a bicicleta na parede. Inspirou o ar com cheiro de desinfetante. O vento trazido pelo rio parecia até circular com mais facilidade. — Para onde você levou aquilo tudo? — Kai entrou na cozinha e deu um beijo na bochecha da mãe, que mexia em uma panela, no fogão.

— O dono do ferro-velho mandou uma carroça aqui. O coitado do carroceiro fez umas três viagens, mas levou tudo.

— Ficou rica, né? — as sobrancelhas dele se levantaram, seguidas por uma risada.

Eva estalou os lábios.

— Mal deu pra comprar um quilo de carne. A maioria das peças não valia mais do que poucos centavos.

O sorriso de Kai se fechou aos poucos. Ele foi até a pia, lavou as mãos e o almoço foi servido. Uma panela pequena de arroz, outra de feijão e um bife para cada um. Está certo que a quantidade de comida havia dimunuído em casa, já que havia uma boca a menos para ser alimentada, mas Kai sabia que não era esse o único motivo para a pequena quantidade de comida. Na última semana, vez ou outra ele chegou a desejar repetir, mas encheu a barriga com água, em silêncio.

— Mãe, da última vez que o Gabriel e a Luara estiveram aqui, eles perguntaram se estávamos precisando de alguma coisa. Será que não seria hora de falar com eles?

Gabriel finalmente tinha conseguido ir à casa de Kai. Ele e Luara os visitaram duas vezes naquele mês, leram as Escrituras juntos, oraram e se dispuseram a ajudar no que fosse preciso. Eva recusou qualquer ajuda.

— Tenho um pouco de dinheiro na conta — ela começou a se preparar para sair. — Não vai durar muito tempo, mas também não precisamos de caridade ainda. Vou tentar conseguir alguma coisa.

— Como?

— Catando recicláveis — ela passou a alça da bolsa pela cabeça, deixando o acessório cruzado sobre o peito. — Por que essa cara? É algo digno. Tá muito difícil conseguir emprego, já bati em tantas portas nas últimas semanas... — Eva concluiu com um suspiro, saindo pela porta em direção ao quintal dos fundos e reaparecendo na varanda com um carrinho velho de supermercado.

— Não vendeu esse para o ferro-velho? — Kai questionou. Eva balançou a cabeça.

— Ele vai ser útil — ela deu dois tapinhas no puxador desbotado do carrinho. — Quer empurrar pra mim? Vou ganhar mais tempo se não fizer tudo sozinha.

Um riso incrédulo escapou pelos lábios de Kai.

— Claro que não. Que mico! Eu é que não vou passar essa vergonha.

— Você não vive fazendo isso na praia? — rebateu ela com rispidez.

— É diferente.

Sem falar uma única palavra, Eva puxou o carrinho e desapareceu portão afora. Kai permaneceu sentado, olhando a cozinha vazia. Dois minutos. Esse foi o tempo necessário para que ele se levantasse, suspirasse, resignado, e seguisse em direção à rua. Encontrou a mãe na esquina da travessa que moravam, esticando-se toda para tentar pegar algumas garrafas pets por cima de uma pilha alta de sacos de lixo.

— Deixa que eu faço isso — Kai esticou os braços e com facilidade pegou as garrafas e colocou-as dentro do carrinho. Ele viu, de relance, o brilho voltar aos olhos da mãe. E um sorriso tímido formou-se no canto dos lábios dele.

Os dois seguiram pelas ruas próximas à procura de mais garrafas, pedaços de papelão, latinhas de refrigerante e tudo que pudesse ser reciclado. Às vezes alguém da idade de Kai passava por perto e ele virava o rosto, tendo vontade de se jogar em algum buraco e ali ficar.

— Vou visitar seu pai semana que vem — Eva anunciou enquanto os dois dobravam algumas caixas que encontraram em frente a uma padaria. Kai colocou um papelão dobrado dentro do carrinho e fixou a atenção na mãe.

— Você vai ter dinheiro? Quero dizer, a penitenciária é no Rio e a passagem não é tão barata.

— Lúcio vai até lá para conversar com Sidney sobre o processo, e eu vou com ele. Aproveitar para levar algumas coisas de que seu pai está precisando. Sabonete, chinelo, escova de dente, alguns biscoitos...

Kai percebeu o *eu* vou. A visita à delegacia no dia da audiência de custódia lhe veio à mente. Ele não resistiu e perguntou:

— Posso ir?

— O que você tem pra fazer lá, meu filho?

— Visitar meu pai? — Ele encolheu os ombros. Eva evitou encará-lo enquanto dobrava mais uma caixa. — Mãe, olha, eu quero falar com ele. De alguma forma ajudei a desencadear tudo isso e...

— Kai, pare com isso. Você não teve culpa alguma no rolo em que seu pai se enfiou!

— Eu sei, mas...

— Tire essas ideias da cabeça. Cada um colhe o que planta.

— Tá. Tudo bem. Eu só quero ir. Vai ter vaga no carro, não vai?

Eva recomeçou a andar após terminarem com as caixas. Kai a seguiu, empurrando o carrinho já cheio quase até a metade.

— Hein? — insistiu ele.

— Só pode entrar na penitenciária quem tiver carteirinha de visitante...

— Como posso fazer a minha?

— ... e quem o preso autorizar — Eva não olhou para ele ao dizer isso. Kai demorou um tempo a entender. Porém, quando entendeu, foi como se tivesse sido acertado com um soco no estômago.

— Meu pai não me autorizou — afirmou, trincando a mandíbula.

— Kai, olha...

— Não tem problema, mãe. Se é assim que ele quer.

Eva não insistiu no assunto. Kai também não. E, empurrando o carrinho por aquelas ruas, decidiu que respeitaria o desejo do pai. Não o procuraria. Nunca mais.

47

SEGURANDO AS ALÇAS DA MOCHILA, Kai atravessou a porta da sala de aula. E empacou quando seus olhos pousaram nela. Gio devia ter ouvido alguma coisa muito engraçada, porque gargalhava com Duda, sua amiga do colégio. O canto da boca de Kai se ergueu, sorrindo também. Alguém empurrou de leve sua mochila, e só então ele percebeu que devia estar parecendo um pateta parado na entrada da sala. Entrou depressa e colocou a mochila sobre a mesa na última fileira do lado esquerdo. Gio estava em pé perto das primeiras carteiras do lado direito e ele foi até ela antes que o professor chegasse.

— E aí, tudo certo? — Kai cumprimentou, como se ela fosse uma colega qualquer. Sem abraço, sem grandes sorrisos, sem tom brincalhão. Ele acenou para Duda, que olhou rapidamente para Gio antes de responder.

— Tudo certo. E com você? — ela replicou, no mesmo tom reservado.

— Eu estava preocupado — Kai olhou o chão. — Você não foi à igreja domingo, não veio à escola ontem...

— É que minha avó ficou muito doente e meus pais decidiram ir vê-la no sábado. Ela mora em Minas Gerais, a viagem é bem longa. Chegamos na madrugada de segunda-feira, aí fiquei muito cansada para vir à aula.

— Ela está bem?

— Mais ou menos — Gio baixou o rosto. — Deus está cuidando dela.

Kai deu um passo para a frente, mas se forçou a permanecer onde estava antes que erguesse os braços para envolvê-la em um abraço.

— Vou orar por sua avó — ele se sentiu meio desajeitado ao dizer isso. Uma faísca saltou dos olhos de Gio.

— Você? Orar?

Kai riu.

— Muita coisa aconteceu nos últimos tempos. Queria tanto poder te contar.

Gio não respondeu. Kai olhou para os vincos que se formavam nas pontas internas das sobrancelhas dela, para os lábios comprimidos e os olhos que mais pareciam duas xícaras de café frio. Ele queria poder sentir raiva dela por não dar uma trégua nem ali, na escola. Talvez no fundo Kai nutrisse alguma esperança de que, agora que as aulas tinham voltado, Gio ignorasse a ordem do pai e conversasse com ele pelo menos enquanto estivessem atrás dos muros do colégio.

Ele balançou a cabeça. Não, Gio não faria isso. E ele não conseguia nem sentir raiva, porque isso só fazia aumentar sua admiração por ela. Sempre firme, sempre convicta, sempre fazendo o que devia ser feito. Essa era a Gio.

O professor de matemática anunciou sua chegada com um "bom dia!" enérgico. Gio desviou os olhos e puxou sua cadeira. Mergulhando as mãos nos bolsos da calça jeans, Kai deu meia-volta e ocupou seu lugar na última fileira.

O mês de fevereiro passou rápido como o vento. E março já estava quase no fim quando os primeiros testes e simulados começaram. Kai havia decidido que, se era para estudar mais um ano, que fosse direito. Isso lhe trouxe bons resultados, com boas notas em quase todos os testes.

— Acho que alguém começou a levar a escola a sério. Já não era sem tempo — a diretora Fátima deu dois tapinhas amigáveis no ombro de Kai quando o encontrou em frente ao mural com as notas do simulado bimestral. Ele sorriu. Era a primeira vez que ouvia um elogio dela.

Em casa, a situação financeira vinha se complicando. Quando tinha sorte, sua mãe conseguia bicos como faxineira, e continuava catando reciclagem. Kai a ajudava, embora na maioria das vezes não conseguissem um valor significativo. Isso o levou a deixar seu pobre currículo em várias lojas e, finalmente, teria uma entrevista de emprego no dia seguinte — a primeira, após mais de um mês de tentativas.

Quando não estava procurando emprego ou ajudando a mãe na reciclagem, Kai dividia seu tempo entre estudar e treinar. Não só o surfe, como também investia em seu preparo físico. Ele, Arthur e Ervilha vinham participando de um treino funcional gratuito na areia da praia, além de fazerem corridas pelo calçadão quase todos os dias.

— Vocês não acham estranho ser só nós três de novo? — Arthur questionou quando pararam para beber água na metade de uma corrida. Era início da noite e a brisa fresca beijava com suavidade a pele suada e quente deles.

— Nunca pensei que fosse dizer isso, mas também acho — Ervilha coçou a testa. — Nada a ver esse negócio do pai da Gio ter afastado ela da gente. Ele vive trocando ideia com meu pai na igreja. Isso não faz sentido!

— Ele também conversa muito com o meu. Até foram pescar um dia, acredita? — Arthur bebeu mais um gole de sua garrafinha. Kai chutou uma pedra para longe e virou-se para os amigos:

— O problema não são vocês. De quem é o pai que está preso, quem é que brigou na rua? — Kai abriu as mãos. — Quem é uma péssima influência?

— Eu não acho que...

— Pode poupar as palavras, Arthur. Eu já aceitei isso.

— Você também achava que minha mãe não ia querer que a Íris e eu andássemos mais com você. — Ervilha retrucou. — E estava redondamente enganado.

— No caso da Íris, ela mesma que não quis, né?

— Depois que a novidade de se infiltrar no grupo de amigos do irmão mais velho passou, vocês perderam o brilho.

— Vocês nada. O Kai perdeu — Arthur debochou, risonho.

Os três voltaram a correr. Mais tarde, passaram na Sunshine para dar um "oi" ao Gabriel, e a barriga de Kai deu um ronco. Olhou para os lados, mas ninguém parecia ter ouvido. Ainda bem.

— Como seu pai está? — Gab quis saber, após conversar um pouco com eles.

— Acho que bem — Kai desviou os olhos para a tevê. Gab analisou-o por um instante.

— Vocês têm conseguido falar com ele, visitá-lo e essas coisas?

— Minha mãe foi umas duas vezes — Kai disse secamente, e Gabriel olhou para ele com aquela cara de pesar com que as pessoas costumavam olhá-lo quando falavam de seu pai, o que ele detestava.

— Se vocês precisarem de algo, por favor, me avisem. Estou sempre aqui, você sabe — Gabriel apertou seu ombro e Kai teve vontade de avisar mesmo. Como sua mãe não aprovaria, ficou quieto. — Agora, mudando da água para o vinho, vocês viram que as inscrições para a primeira etapa do circuito profissional de surfe vão abrir agora em abril? Tem uma galera aí da região se movimentando para participar.

É claro que Kai sabia. Como não ia saber?

— Eu vi, vai ser em Alagoas, não é? — Ervilha coçou a cabeça. — O nível vai ser altíssimo.

— Como sempre é — Arthur disse. — Esse tipo de campeonato é pra galera que tem treinador, pra quem está focado nessa estrada profissional.

— São quantas etapas? — Ervilha cruzou os braços. — Umas seis?

— Isso — Gabriel confirmou. — Cada uma em um estado diferente.

— Fiquei sabendo que o Otto mudou de treinador agora e vai se inscrever. Acho que até conseguiu patrocínio. Como se ele precisasse... — resmungou Ervilha olhando para Kai.

Com o dinheiro que os pais de Otto tinham, conseguiriam mandá-lo para todas as etapas, bancar tudo que fosse necessário sem afetar o nível de vida. Kai sentiu a amargura azedando seu humor.

— Você sabe quando vai ter outro campeonato como o *Sea Wave* por aqui, Gab? — Arthur quis saber. — Daqui a uns três anos, né? Pretendo competir só nesses amadores. Não daria pra conciliar o surfe profissional com a universidade.

— Pois é. Eu também — Ervilha concordou. — Meu pai me mataria se eu não fizesse engenharia. E, para falar a verdade, nem tempo de surfar a gente vai ter direito agora. O pré-vestibular começa semana que vem.

Kai fitou os amigos com certo desânimo. Se eles desejassem encarar o surfe como algo além de hobby, teriam toda a estrutura para isso. E ele? Se não conseguisse um patrocínio continuaria nadando, nadando e morrendo na praia. E, para ganhar um patrocínio, precisava estar onde os olheiros estavam, ou seja, nos campeonatos. Mas como chegar lá?

Se tivesse conseguido participar do *Sea Wave* três meses antes — e ganhado —, isso não seria mais um problema. Aquela teria sido *a* oportunidade de sua vida. Poderia, assim como Otto, ter conseguido atrair os olhares das marcas. Kai balançou de leve a cabeça, espantando aqueles pensamentos. Tinha decidido parar de lamentar. Mesmo assim, volta e meia alguns porquês ainda o perturbavam, embora não quisesse mais perder seu tempo e energia com eles.

Desde que soubera da abertura do circuito nacional, fez uma oração simples e direta, entregando a Deus esse sonho. Talvez fosse isso que faltasse: buscar a direção do céu sobre sua vida. No mesmo dia, movido por um ânimo novo, resolveu traçar um plano. Ainda tinha algum dinheiro guardado de quando trabalhara para seu pai. E se a loja onde faria a entrevista no dia seguinte o aceitasse por meio-período, poderia tentar guardar uma pequena quantia todos os meses antes de dar o restante para sua mãe. No ano seguinte, talvez tivesse o mínimo para começar.

Kai percebeu três duplas de olhos parados sobre ele. Alguém havia falado alguma coisa e ele não tinha prestado atenção.

— Hum? — questionou, meio sem graça.

— Os meninos disseram que você tem vontade de competir no profissional — Gab passou o polegar e o indicador no queixo. — Embora eu achasse que você só surfasse por diversão, como a maioria da galera daqui, sempre disse à Luara como você era talentoso.

— Obrigado, Gab. É que você sabe como é caro ter uma carreira profissional, então sempre foi uma parada meio distante da minha realidade — ele tentou soar como se aquilo não fosse grande coisa. — Amanhã tem reunião dos adolescentes, né? Estarei lá.

Gab concordou.

— Espero vocês.

Uma hora mais tarde, Kai saía do banheiro de casa secando o cabelo com uma toalha. Passou pela cozinha para pendurá-la no varal da varanda e encontrou Eva mexendo dentro do armário ao lado da geladeira.

— O que tem de janta hoje? Estou morrendo de fome.

Sua mãe demorou tanto para falar, que Kai voltou alguns passos e parou atrás dela, esticando o pescoço para dentro do armário. Só tinha ali um saco pequeno de fubá fechado por um pregador e um pote quase vazio de arroz. Kai engoliu o bolo que surgiu em sua garganta.

— Deu pra comprar alguma coisa com os recicláveis que pegamos ontem? — perguntou.

Eva fechou a porta do armário, parecendo despertar de seu torpor, e andou até o fogão.

— Eu guardei para pagar a conta de luz. Não deu muita coisa, mas vou juntar com os trocados que conseguirmos juntar. — Ela acendeu o fogão e destampou as panelas. — Tem arroz, feijão e salsichas. Ah, e alface. A dona Zizi ali da esquina me deu um pouco da horta dela.

Kai permaneceu de pé no meio da cozinha.

— E para amanhã?

— Amanhã o quê?

— Comida, mãe. Só tem o que está no armário?

— Desde semana passada não tem aparecido nenhuma faxina. Vou precisar fazer mais dias de reciclagem — Eva mexia a comida sem olhar para o filho.

— Você não me respondeu.

Ela permaneceu em silêncio. Kai saiu para a varanda, jogou a toalha no varal e, enrijecendo as costas, colocou as duas mãos na cintura. Mirou as águas escoando tranquilas do outro lado da cerca e, após alguns segundos, pegou o celular no bolso da bermuda. Entrou no aplicativo do banco, fez o que deveria ter feito desde o início e voltou para dentro de casa.

— Fiz uma transferência para sua conta — disse ele. — Deve dar para fazer uma compra boa para o mês.

Eva voltou-se para ele, com a boca aberta, e já ia começar a protestar quando Kai a interrompeu:

— Mãe, eu sei que você sempre levou essa casa nas costas praticamente sozinha, mas não precisa mais fazer isso. Agora somos só nós dois aqui. Eu tenho quase dezoito anos e vou te ajudar.

Eva puxou uma cadeira e desabou sobre ela. Levou as mãos pequenas ao rosto e deixou escapar um soluço. Kai sentiu o coração diminuir. E as lágrimas, antes tão raras, agora encontravam o caminho de saída sem dificuldade alguma. Ele puxou outra cadeira e colocou-se em frente à mãe. Com cuidado, puxou as mãos dela do rosto e segurou-as entre as suas.

— E seu sonho, Kai? Eu sei que você estava juntando dinheiro para seguir carreira no surfe — a voz dela tremeu. — Amanhã vou sair para catar um pouco mais de recicláveis e consigo garantir o almoço e jantar.

— Eu só não vou com você porque recebi a resposta de uma das lojas onde deixei currículo. Eles me chamaram para uma entrevista depois do colégio.

— Deus te abençoe, meu filho — o sorriso dela era tão triste que Kai ficou ainda mais arrasado.

— Ele está vendo a gente, mãe. Eu sei que está.

48

ÀS VEZES ERA DIFÍCIL ACREDITAR que ele via. Principalmente quando tudo o que tinha pela frente eram portas fechadas. Não atrás de não. Kai chutou a roda da bicicleta, que havia estacionado alguns metros depois da loja de roupas onde havia sido entrevistado, e soltou um uivo dobrando a perna. Talvez ele tenha usado força demais.

"Sabemos que Deus faz todas as coisas cooperarem para o bem daqueles que o amam e que são chamados de acordo com seu propósito", foi o que Gab leu na reunião dos adolescentes na noite anterior. Uma flecha que acertou seu coração desanimado naquele exato momento. Kai dobrou os dedos doloridos dentro do tênis e decidiu dar o fora dali antes que alguém aparecesse.

Os donos da loja gostaram do perfil dele, mas queriam alguém para trabalhar o dia todo — como em todos os lugares onde havia deixado currículo. A temporada de verão tinha passado e, depois do feriado de carnaval, a cidade voltara ao ritmo normal. Ninguém contratava extra. Para trabalhar meio período então? Quase milagre.

Sugeriram que Kai estudasse à noite, assim conseguiria assumir o cargo. Ele disse que pensaria, embora não estivesse em seus planos. Mas o que estava em algum plano ultimamente? Kai olhou para o céu embranquecido pelas nuvens. Talvez não os feitos por ele.

Deus faz todas as coisas cooperarem para o bem. Ainda tinha certa dificuldade em crer nisso. Mas que escolha tinha a não ser confiar?

Atravessou a rua principal da cidade e entrou em uma transversal sem muito movimento. Nos fones de ouvido, enquanto ouvia um podcast em que um famoso surfista brasileiro falava sobre o último campeonato mundial que havia ganhado, Kai avistou um homem rodeando um carro um pouco à frente.

De costas, com uma mão ele segurava o celular no ouvido enquanto a outra parecia mover-se de um lado a outro da testa. Ao chegar mais perto, Kai percebeu que um dos pneus traseiros estava furado. Mas e o estepe? O homem falava alto e não parecia muito satisfeito. Kai parou de pedalar e as rodas se moveram sozinhas, com o que restou do último impulso.

Vai pra casa, Kai. O que isso tem a ver com você?

— Quer uma ajuda? — foi o que saiu de sua boca. Kai colocou um pé no chão e parou a bicicleta por completo. Quando o sujeito virou, ele conseguiu conter a expressão de surpresa a tempo e agir como se fosse um conhecido qualquer. — Oi, seu Paulo. Não tinha reconhecido o senhor.

O pai da Giovana não teve a mesma presença de espírito. Ele ficou parado alguns segundos com a boca aberta e, por fim, estendeu a mão, bastante sem jeito.

— Ah, oi, Kai. Meu pneu furou e eu estou sem estepe. O dianteiro também furou na semana passada. Usei o pneu reserva e pedi um novo pela internet. Só não contava com a sorte de mais um furar antes da entrega — Paulo estava com duas rodelas suadas marcando a camisa debaixo das axilas e a testa com três linhas que não se desfizeram nem quando foi irônico.

— E nenhuma borracharia por aqui pode te vender um agora? — Kai indagou.

— Até consegui contato com duas lojas. Uma o dono está muito ocupado com um serviço e não pode trazer aqui. A outra, com quem acabei de falar, o cara está sem carro hoje — Paulo passou a mão aberta pelo rosto. — Eu vou lá buscar.

— A pé?

— Sim.

— E onde fica a borracharia?

— Na esquina da Juscelino Kubitschek.

Kai arregalou os olhos.

— Isso é do outro lado de Ponte do Sol! Pode deixar que eu vou lá.

— Não, claro que não. Um pneu é pesado.

— Melhor carregar o pesado na bicicleta, que faz o percurso em menos da metade do tempo.

Paulo pensou um pouco.

— Não posso aceitar. Se ao menos o Uber tivesse chegado aqui na cidade. Ou se eu andasse de bicicleta...

— O senhor não sabe andar de bicicleta? — a pergunta escapuliu antes que Kai pudesse impedir.

— É vergonhoso, eu sei.

— Não, que isso — para evitar um silêncio constrangedor, Kai se adiantou: — Estou indo lá. Liga para o borracheiro e diz que eu chego em uns quinze minutos — e, antes que o pai da Gio contestasse mais uma vez, ele virou o guidão e deu partida com velocidade.

Ok. Talvez ele tivesse subestimado a dificuldade de carregar um pneu daquele tamanho numa bicicleta. Havia levado o dobro do tempo. Ainda assim, para a alegria do sr. Paulo e alívio de seus braços, que haviam alternado entre conduzir a bicicleta e segurar o pneu durante quase trinta minutos, Kai dobrou a esquina da rua quase deserta. O homem saltou do meio-fio quando o ouviu chegar.

— Rapaz, olha a cor da sua blusa! — Os olhos cansados do pai de Giovana bateram no tecido branco cheio de manchas pretas. Kai já tinha visto. Sua bermuda cáqui também havia sido premiada. O dono da borracharia guardava os pneus novos em algum lugar que acumulava aquela espécie de pó preto. Ele só descobriu isso quando já estava na metade do caminho. Aquela era a roupa mais nova de Kai.

— Tudo bem, seu Paulo, deve sair quando lavar — ele já tinha sujado roupas o suficiente trabalhando no Village para saber que aquelas manchas não sairiam com facilidade. Talvez nunca saíssem. — Vamos trocar. Eu te ajudo.

Paulo não tentou impedi-lo dessa vez. Acionou o macaco debaixo do carro, que foi erguido em poucos segundos. Com a ajuda de Kai, um pneu foi rapidamente substituído pelo outro. Paulo terminava de encaixar o aro da roda quando deu uma olhada rápida nas roupas e no tênis do garoto:

— Atrapalhei algum compromisso seu?

Não era muito comum um adolescente andar de tênis no meio da tarde numa cidade tão perto da praia. Quase todo mundo usava chinelos de dedo. Era o calçado oficial do litoral, ainda mais para um surfista.

— Não. Eu estava voltando do compromisso quando passei por aqui.

— Ah, sim. Fico com a consciência menos pesada — Paulo fez uma pausa. — Posso te perguntar qual era o compromisso? Se você se sentir à vontade para dizer, claro.

— Entrevista de emprego.

O homem não escondeu a expressão de espanto.

— Você não estuda na mesma escola que a Giovana? Como vai trabalhar?

A menção ao nome dela fez Kai desviar os olhos.

— Vou me matricular à noite em outro colégio. — Tinha tomado a decisão durante sua longa e penosa jornada com o pneu. A escola onde estudara a vida inteira não oferecia turmas noturnas. — Até tentei um trabalho em meio período, mas é muito difícil... — Kai levantou-se batendo as mãos uma na outra para tirar a poeira. Paulo juntou as ferramentas.

— E o auxílio que o governo dá para as famílias dos presidiários? Você e sua mãe não estão recebendo?

Kai caminhou até sua bicicleta olhando para o chão.

— Meu pai nunca contribuiu para o INSS. Não temos direito.

Paulo demorou um tempo para responder.

— Na sua idade eu também trabalhava. Precisava ajudar a família — ele abriu o porta-malas e guardou o pneu furado lá dentro.

— É meu objetivo — Kai empurrou a bicicleta e parou perto de Paulo, estendendo a mão. Ele retribuiu o cumprimento e apertou um ombro de Kai.

— Obrigado. Nunca vou esquecer o que você fez hoje por mim. Fico te devendo essa.

— Já está pago, senhor. Não se preocupe.

Kai passou em casa e encontrou tudo no mais perfeito silêncio. Trocou de roupa e, menos arrumado, mas sem dúvida mais limpo, decidiu ir até a escola pública da cidade que oferecia o turno da noite. Após esperar um bom tempo na recepção, foi informado sobre os documentos e procedimentos necessários para transferir a vaga de uma escola para outra. Sua mãe precisaria fazer todo o trâmite. Decidido a adiantar aquilo o mais rápido possível, Kai voou para casa a fim de conversar com ela.

Encostou a bicicleta no lugar de sempre reservado na varanda e entrou rápido na cozinha, sem reparar em um sapato diferente que ocupava o tapete em frente à porta. Pensou que seu coração fosse sair pela boca quando seus olhos encontraram a mesa da cozinha — e quem estava sentado nela. Sorveu um pouco de ar para recuperar o fôlego que havia sido arrancado de seu peito.

— Kai, você está parecendo uma estátua parado aí na porta! — em pé perto da pia, Eva riu. — Não vai cumprimentar sua amiga?

— O-oi, Gio — ele gaguejou. — O que você está fazendo aqui?

49

— ISSO LÁ É COISA QUE SE PERGUNTE a uma visita, menino? — Eva ralhou, jogando no ombro o pano de prato que estava em suas mãos. O rosto de Giovana corou e seu olhar, encontrando o de Kai, cintilou com expectativa. As costas dela estavam encurvadas, as mãos unidas e rígidas sobre as pernas coladas uma à outra. Ela parecia nervosa. E tensa.

Kai, percebendo que não estava diante de uma visão, um devaneio ou algo do tipo, aproximou-se da mesa e puxou uma cadeira, sentando-se ao lado de Gio. Não a abraçou, não beijou o rosto dela, não apertou sua mão. Nos últimos dois meses ele a via todos os dias na escola e, nos fins de semana, na igreja. O que sempre ganhava, no máximo, era um "oi" à distância ou um aceno rápido. Vê-la sentada ali na cozinha de sua casa, tão perto dele, era no mínimo esquisito.

— Como eu vinha dizendo, Giovana — Eva virou-se para a menina —, não está nada fácil conseguir os bicos de faxina. Ando catando recicláveis para ter um dinheirinho até arrumar um emprego fixo. Kai tem me ajudado. Confesso que não esperava que ele fosse ser tão compreensivo, mas tem se mostrado um braço direito, uma bênção de Deus.

Kai estava sentado na ponta da cadeira, largado, com os ombros encostados no espaldar e os braços retos sobre a mesa, cutucando as unhas. E foi nelas que ele fixou a atenção enquanto sua mãe falava. Sentiu os olhos de Gio sobre ele e seu rosto ficou como brasa.

— Falando em bênção, como foi na loja? — Eva perguntou ao filho. Em seguida, voltou-se para Gio mais uma vez: — Depois de muitas tentativas finalmente alguém chamou Kai para uma entrevista. Ele te contou que estava procurando emprego?

— Não, tia — Gio respondeu sem olhar para Kai.

— Ué, não? Vocês são tão próximos...

— Mãe — Kai falou entredentes.

Eva puxou o ar para falar alguma coisa, mas parou com a boca aberta e moveu um olhar estreito sobre os dois.

— Giovana, se não se importa, lembrei que preciso fazer uma ligação para o Lúcio agora. Ele é o advogado do Sidney, sabe? Mas fique à vontade, tá? Vou para meu quarto e vocês dois podem conversar com tranquilidade — em dois segundos, Eva já estava fora da cozinha.

Kai e Gio permaneceram como estavam, sentados e quietos, por algum tempo. Ele pendeu a cabeça e fixou os olhos nela. Alguma coisa em sua aparência estava diferente. Analisou um pouco e, é claro, o cabelo! Não estava como de costume. Os fios agora enrolavam-se em cachos abertos e sedosos. Kai achou bonito.

Dois ou cinco minutos se passaram? Ele não saberia dizer. Apenas ficou ali, observando-a em silêncio, até Gio finalmente levantar o rosto e espiá-lo.

— Você não pode mudar de colégio para estudar à noite — disse ela.

Kai ergueu uma sobrancelha.

— Não?

— Óbvio que não! Você estudou a vida inteira na nossa escola! Vai sair quase na metade do último ano? Dizem que as turmas noturnas desse colégio aí são muito bagunçadas e que nada é levado a sério. E isso pode te prejudicar agora que... — Gio freou de súbito, após despejar tudo rápido demais.

— Agora que...?

— Você tem estudado mais e ganhado boas notas.

— Quer dizer que você fica me observando na escola? — Um sorriso travesso brincou nos lábios de Kai. O rosto de Giovana ficou tão vermelho que ele quase se arrependeu de tê-la provocado. Quase.

— Ué... n-não tem como não perceber. Até a professora de química te elogiou na última aula. Kai Fernandes ganhando elogios na escola não é algo que passe despercebido. Você não pode mudar para o noturno e correr o risco de perder isso.

— Sabe o que é engraçado? — Kai falou após soltar uma risada. — Nós estamos sem nos falar direito há quase três meses, e a primeira coisa que você faz quando chega de surpresa na minha casa é me dar ordens.

— Não estou te dando ordens! Só estou... — ela ergueu os ombros e encurvou os lábios para baixo.

— Me dando ordens — ele abriu as mãos. — Tudo bem. Até disso eu senti falta.

Ela abriu um sorriso sutil.

— Meu pai me contou o que aconteceu mais cedo.

Kai não disse nada, mas era o que vinha imaginando.

— Ele ficou muito admirado e agradecido pela força que você deu com o lance do pneu.

— E por isso permitiu que você viesse aqui?

— Por isso ele permitiu que eu voltasse a falar com você. E, consequentemente, com Arthur e Ervilha também. Então perguntei se eu podia vir a sua casa e, para meu espanto, ele permitiu. Parece que você causou mesmo ótima impressão no meu velho.

Kai baixou os olhos. Depois de passar tanto tempo recebendo olhares de repreensão, era bom ver que tinha feito uma coisa certa.

— Vamos lá atrás? — ele disse se levantando. Gio hesitou um pouco, mas por fim o seguiu. Os dois foram para o quintal dos fundos e pararam perto da cerca. Enquanto observavam o rio, foram abraçados pelo vento que os envolvia como em uma dança. Gio só tinha ido à casa de Kai uma vez, e nem havia chegado a entrar.

— Você tem uma vista e tanto aqui — os fios castanhos dela balançavam ao sabor do vento. — Kai, eu não vim até você só pra dizer que meu pai liberou nossa amizade. Por mais que esse tenha sido um dos principais motivos, claro.

Com as mãos enterradas no bolso da bermuda, ele ficou de frente para ela, esperando que continuasse.

— Comentei com meu pai sobre sua mudança de desempenho nas aulas, e ele também achou que seria uma pena você trocar de escola a esta altura. Só que a gente entende que você e sua mãe estão precisando de, sabe, uma renda a mais. E confesso que fiquei um pouco preocupada com o que ela me disse agora há pouco.

— Não era para minha mãe ter falado nada — Kai olhou para o rio.

— Eu perguntei — ela mordeu o canto dos lábios e apertou as mãos. — E, bem, pensando nessa necessidade, lembrei da Sunshine.

— Você acha que o Gab vai querer me contratar? Eu já rejeitei a vaga que ele me ofereceu uma vez — Kai soava cansado. E realmente estava.

— Você foi obrigado a rejeitar. É diferente. E, Kai, por que você mesmo não perguntou ao Gabriel? Como iria saber que ele está disposto a contratar você por meio período para ajudar na cozinha?

A boca de Kai abriu-se e ele aprumou o corpo, tentando não parecer tão empolgado.

— Sério?
— Seríssimo.
— Mas como...?
— Meu pai ligou para o Gabriel.
Kai arregalou os olhos.
— Caramba — ele pensou um pouco. — O Gab não está fazendo isso por pena, né? Porque se for...
— Você vai aceitar da mesma forma — ela cruzou os braços. — Qual é o problema em aceitar ajuda das pessoas? Não precisa ser tão orgulhoso.
Kai inspirou o ar e cruzou os dedos sobre a nuca. Ele não estava em condições de negar um ato benevolente como esse.
— Tá — ele cravou a resposta e Gio deu um grito empolgado, saltando em seu pescoço. Kai enlaçou as costas dela e os dois ficaram ali por alguns segundos, permitindo-se correr atrás do tempo que perderam ao longo daqueles quase noventa dias. Ele afundou o nariz no cabelo dela e soltou um risinho.
— O que foi? — Gio afastou-se, colocando os fios atrás das orelhas de um jeito meio frenético.
— Seu cabelo. Senti falta do cheiro.
Ela evitou olhar para Kai. Mas ele viu quando um sorriso tentou escapar e Gio conseguiu segurá-lo a tempo. Kai deu um passo à frente e pegou a mão dela, que a puxou depressa.
— Está ficando escuro aqui. Tenho que ir... — O dia dava seu último adeus por trás da Serra da Bocaina e a penumbra começava a ganhar o quintal.
— Eu ligo o refletor — Kai apontou para a caixa de metal pendurada na lateral da casa.
— Não precisa — ela se adiantou, indo para o portão. Kai foi ao lado dela.
— Eu acredito agora — ele falou ao cruzarem a varanda.
Gio fitou-o, confusa.

— Em Deus — Kai sorriu. — Não que eu não acreditasse antes, mas crer que ele existe é diferente de viver com base nisso, né?

— E agora você vive?

— Estou tentando.

— Andei desconfiando disso desde o dia em que você disse que ia orar pela minha avó. Suas notas melhoraram, você parece mais centrado nos cultos e, veja só, não arrumou nenhuma briga na escola até hoje — ela falava em tom de brincadeira, mas seus olhos reluziam mais que o normal.

— Bom saber que deu pra perceber. Arthur vive dizendo que a gente tem que ser luz, mas eu estou mais para uma fagulha, pra falar a verdade.

Gio deu uma risada e Kai sentiu um afago no peito. Como havia sentido falta daquele som.

— Seja uma faísca ou uma chama, o importante é continuar unido à Fogueira — ela abriu o portão e colocou os pés na rua. — Eu orei para que esse dia chegasse.

— Minha conversão?

Gio assentiu.

— Como foi?

— Lembra quando minha prancha quebrou e eu fui chacoalhado dentro do mar? Foi desesperador — Kai olhou para o chão, buscando a memória. — Logo depois de meu pai ter sido preso, eu ter brigado com Otto, discutido com Arthur, sido proibido de falar com você... eu me sentia do mesmo jeito. Como se estivesse me afogando sem ter nenhuma expectativa de chegar à superfície. Mas, então, no final daquele dia, a mão dele me puxou para fora.

Giovana piscou algumas vezes. Kai prosseguiu:

— Lembra aquele último dia na praia? Antes de Otto chegar e eu estragar tudo? Eu peguei o seu fone de ouvido e escutei uma música do Relient K.

— A que eu salvei no seu aplicativo depois?
Kai anuiu.
— Você acredita que comecei a escutá-la no exato momento em que Deus começou a me chamar?
O rosto dela se iluminou.
— Eu quero saber de tudo. Não deixe nenhum detalhe de fora, por favor!

50

— DEPOIS DE DEIXAR A MASSA descansar um pouco, podemos abri-la com o rolo. Um punhado assim é suficiente — Luara pegou um pouco de massa e mostrou a Kai. Em seguida colocou-a sobre a bancada no meio da cozinha e a esticou como os *chefs* fazem nos filmes.

A cozinha da Sunshine era pequena, mas bastante charmosa. E limpa. Havia armários por quase todas as paredes e também debaixo da bancada de mármore onde Luara trabalhava, no meio do cômodo. Pia, geladeira e freezers, chapa para fritar hambúrgueres e um forno espaçoso completavam o ambiente.

— Agora é sua vez — ela se afastou, abrindo espaço para Kai demonstrar todo o dote culinário que ele não tinha. A primeira massa ficou meio torta e um pouco ondulada. Luara riu um pouco. — Você vai pegar o jeito.

— Pedido novo chegando — Gabriel passou pela porta vaivém que separava a área do balcão da cozinha e prendeu a ficha em um quadro de cortiça pequeno. — Você dá conta, Kai?

O garoto olhou para Luara, que assentiu.

— Eu termino as massas. Vou congelar quando estiverem prontas e da próxima vez que eu fizer você treina mais um pouco.

Luara costumava preparar e congelar semanalmente as massas dos sanduíches de massa fina que lembravam o famoso taco mexicano. Sua ideia era passar muito em breve metade da função, que era abrir as massas, para Kai.

— Esses dias estão mais corridos porque a Jussara, nossa cozinheira, está de férias. Mas logo ela volta e vamos ficar mais desafogados — Luara abriu um sorriso breve, em tom de desculpas. Kai não se importava com o trabalho. Tinha desejado tanto ter um.

Ele foi até o quadro. Três sucos de morango com laranja e dois wraps de frango desfiado com palmito e gorgonzola, dizia o papel.

Ele cortou as laranjas ao meio e colocou-as no espremedor de fruta, que em dez segundos encheu um copo com o líquido amarelo e cítrico. Abriu o freezer e tirou os morangos congelados para batê-los no liquidificador. Era seu segundo dia de trabalho e já tinha preparado uns seis pedidos com aquele suco. Era um dos queridinhos dos clientes.

O dia anterior havia sido de muita observação. Gabriel e Luara explicaram tudo sobre o funcionamento da Sunshine e, em especial, da cozinha e preparação de pedidos. Ele ajudou com algumas coisas e aprendeu muito. No início do expediente, Gab puxou duas cadeiras para ele e Kai se sentarem, e então puxou a orelha dele:

— Eu não disse que você podia falar comigo se precisasse de alguma coisa?

— Eu acabei não assumindo a vaga que pedi ano passado e ela foi preenchida por outra pessoa. Não via você precisando de ninguém mais aqui.

— Realmente não estava nos planos contratar ninguém agora, mas já há algum tempo Luara vem dizendo que nós dois precisamos diminuir o ritmo na loja, e como a cozinha na maioria das vezes fica sob nossa responsabilidade, ter mais alguém além da Jussara para dividir a função vai aliviar bastante.

— Mesmo em meio período?

— Claro! Final da tarde e início da noite é a hora de maior movimento.

Kai já sabia disso, mas não evitou sentir um frio na barriga quando mais tarde naquele primeiro dia espiou por cima da porta e viu as mesas abarrotadas de clientes. Aprendeu a montar um wrap e aprontar vitaminas e sucos em dois minutos.

Pegava o queijo gorgonzola na geladeira para finalizar o sanduíche da vez quando ergueu os olhos e viu Luara entregar as massas prontas e embrulhadas nas mãos de Gabriel, que as colocava no freezer. Ao finalizar, ela encostou os lábios nos dele rapidamente e sorriu. O marido sorriu de volta e seus olhos ficaram perdidos nos dela, a palavra *apaixonado* impressa na testa.

Kai levou ao forno o wrap que tinha montado e, enquanto esperava esquentar, foi finalizar os sucos, evitando olhar para o casal. Gabriel agora implicava com alguma coisa e Luara fingia estar brava. Sem que percebesse, um sorriso sutil se formou no canto dos lábios. Não estava acostumado a ver um casal tratar-se daquela forma. E, pelo que já observara bem antes de trabalhar na Sunshine, era assim que Gabriel e Luara viviam a maior parte do tempo.

A primeira semana como funcionário da Sunshine terminou com um cansaço maior até do que como faz-tudo, seu emprego anterior de tempo integral com seu pai, no condomínio. Estudar, trabalhar e manter os treinos em dia consumiam bastante energia. Não conseguia tempo para ajudar a mãe na reciclagem, mas não estava sendo necessário. A mãe da Gio havia conseguido duas casas de amigas para Eva faxinar semanalmente, o que somado ao salário de Kai ajudaria a desafogá-los.

A gratidão aquecia o coração dele como uma xícara de café aquece as mãos em um dia frio. Apesar da rotina cansativa, seu coração andava mais leve do que jamais estivera. No sábado, aproveitou para pegar umas ondas pela manhã e trabalhou no horário habitual. Quando a noite chegou, Gabriel pediu que ele fizesse algumas horas extras. A loja estava lotada.

— Pô, cara, a gente se viu tão pouco esta semana — Ervilha reclamou quando encontraram Kai no balcão da Sunshine no fim do expediente.

— Ervilha, a gente se falou aqui todos os dias!

— Não é a mesma coisa que sair juntos.

— Acho que todos estamos precisando espairecer — disse Arthur. — Os professores do cursinho estão arrancando meu coro e o do Ervilha.

— Seria ótimo ir ao luau. Vocês sabem. Mas não posso deixar Gabriel e Luara na mão. Só tem eu ajudando a Luara na cozinha hoje.

— Então é você que está fazendo as delícias da Sunshine agora?

Arthur e Ervilha viraram para ver de quem era aquela voz. Assim que eles se afastaram, Kai, que estava atrás do balcão, viu Fabi e Laila, duas garotas da igreja.

— O que você faz de melhor? Quero provar — Fabi disse, encarando Kai.

— Ei, Fabi. Ei, Laila — ele ergueu a mão em um aceno rápido. Os meninos cumprimentaram com um assentir de cabeça. — Ainda estou longe de fazer algo tão bem quanto Luara, mas mando bem no suco de laranja com morango.

— Então é nesse que eu vou. Promete que vai fazer bem caprichado pra mim? — Fabi pediu.

Kai apertou os lábios e espiou os amigos. Cada um olhava para um lado. Laila fitava Arthur com brilho nos olhos, mas não tinha a mesma coragem de Fabi.

— Eu sempre faço caprichado.

Ela abriu um meio sorriso e o assunto morreu. Aquele ar constrangedor passou por eles e resolveu puxar uma cadeira para sentar.

— Você não vai fazer meu suco? — Fabi não tirava os olhos dele.
— É que eu preciso da notinha. Tem que pagar primeiro — Kai apontou para o caixa, onde João registrava os pedidos.
— Tá bom. Mas antes você pode me ajudar com essa blusa, Kai? Ela está me incomodando um pouco e Laila não conseguiu desfazer o nó apertado que fiz em casa — a menina jogou a trança negra e brilhante para o lado e se colocou de costas para ele. A blusa era presa ao pescoço por uma espécie de cordão torcido, que segurava o tecido soltinho e leve em formato de bata.

Kai ficou um tempo olhando para a nuca da Fabi, com o balcão entre eles, sem saber o que fazer, o constrangimento ainda maior. Sentiu-se meio ridículo por perceber que estava nervoso com a situação. Aquele tipo de atitude nunca o tinha incomodado antes. Muitas meninas não sabiam o significado de sutileza e ele estava acostumado a isso. Também não era de perder uma oportunidade de jogar um charme para uma garota bonita. O negócio é que desde que havia se ajoelhado ao lado de Arthur na praia, as palavras do amigo pararam de entrar por um ouvido e sair pelo outro. Agora elas entravam e ficavam ali, enchendo seus pensamentos, criando meios de permanecer. E incomodar também, às vezes.

Deus não nos chamou para a impureza e sim para a santidade. Se você quiser ser puro, vai precisar cortar os joguinhos. Garotas não são brinquedos. E você também não é. Arthur falava em voz baixa alguma coisa aleatória com Ervilha para tentar quebrar o clima de mal-estar alheio, mas as palavras que dissera algum tempo antes berraram na mente de Kai como num alto-falante. Palavras que, meses atrás, o levaram a repensar seu relacionamento com Chloe. E palavras que, agora, o ajudavam a tentar ser um tipo melhor de cara.

Querendo acabar logo com aquilo e sem ter coragem de deixar Fabi envergonhada na frente dos amigos, desfez o nó da blusa e, olhando para o movimento da loja por cima da cabeça dela, amarrou novamente com o máximo de velocidade que conseguiu.

— Deixei uma mensagem no seu WhatsApp. Depois dá uma olhada — disse Fabi, antes de se afastar em direção ao caixa. Kai permaneceu com as costas eretas, como um soldado. Ervilha soltou um assobio.

— O que tem na mensagem? — ele perguntou. — "Kai, por favor, venha se encontrar comigo no escurinho no final da praia?" — Ervilha imitou uma voz fina e afetada. Eles riram. Kai sacou o celular do bolso e leu, coçando a têmpora com o polegar. Em seguida, arquivou a mensagem. *Quem te viu, quem te vê. Olha só quem está entrando para o clube dos pega-ninguém.*

— Gente, vamos! Minha amiga disse que o luau já está bombando. O pessoal da igreja sempre arrasa nesses eventos — Íris se aproximou toda maquiada e bem vestida.

Ao lado dela estava Giovana. Kai percebeu que ela também tinha se maquiado. Não a tinha visto assim muitas vezes. O batom avermelhado lhe caía muito bem. Seus cílios pareciam maiores, a pele que já perdia a cor que ganhara no verão recebeu um tom rosado nas bochechas. Ele gostou do que viu. Gostou tanto que demorou a perceber a estranheza da situação. Giovana e Íris entrando ali juntas, como velhas amigas. Questionou Giovana com o olhar.

— Eu levei a sério a ordem do meu pai de arranjar mais amigas meninas — ela sorriu.

— E eu fui um ganho e tanto para sua vida. Olhem essa beldade, meninos. Eu que fiz tudo — Íris estendeu a mão em frente ao rosto de Giovana e mexeu em seu cabelo. Antes que qualquer um deles fosse capaz de responder, Gio se adiantou:

— Íris me ajudou a descobrir que meu cabelo não é um liso armado e sim um ondulado que precisava dos cuidados certos.

Ela entende tudo sobre esse lance de cabelos. Afinal de contas, o dela é um 3C muito bem cuidado.

— 3C? — Kai indagou.

— Tipo de curvatura do cabelo. Desde o ondulado até o crespo existem códigos para identificar e... — Gio olhou bem para os garotos e deu um tapa no ar. A cara deles de quem estava entendendo bulhufas devia ter sido bem visível. — Esquece.

— Tem certeza de que não vai aproveitar o primeiro final de semana com a mandona de volta? — Ervilha perguntou a Kai e apontou com o polegar para Giovana, que sorriu.

— Eles precisam de mim aqui.

— Não liga para a pressão do Ervilha, Kai — disse Giovana. — Teremos outras oportunidades.

Kai juntou os lábios em um sorriso sutil.

— Já gastei todo meu intervalo aqui com vocês. Vou lá porque a cozinha tá pegando fogo.

Eles se despediram e, antes de entrar na cozinha, Kai deu uma olhada para trás. Seus amigos iam em direção à saída. Ele notou que Arthur havia colocado um braço sobre os ombros de Giovana. Kai sabia que o amigo também tinha sentido a falta dela. Mas será que iriam daquele jeito até o luau?

51

KAI ENCONTROU GIOVANA DEBRUÇADA sobre os livros na mesa da cozinha da casa dela. Cada centímetro era ocupado por folhas de exercícios, cadernos, livros e canetas. A mãe de Gio, que tinha atendido o portão, depositou um jarro de guaraná natural na pia para eles e deixou-os sozinhos.

— Foi mal pela demora — ele se desculpou, puxando uma cadeira. — Viu minha mensagem?

— Você atrasou por ter ficado ajudando no trabalho. Olha só a diferença para seus atrasos do ano passado — Gio falou rabiscando fórmulas numa página sem olhar para ele.

Outra diferença do ano anterior era que Arthur e Ervilha fizeram parte da "força-tarefa antirrepetência" de Kai, mas neste ano, por frequentarem escolas diferentes e os conteúdos não seguirem a mesma ordem, não havia muito o que estudar juntos. Era segunda à noite e a semana de provas na escola em que Kai e Gio estudavam havia começado naquela manhã. A prova de química seria no dia seguinte, e Kai andava tendo dificuldade com a matéria.

— Eu só atrasei uma vez, pelo que me lembro — ele ergueu as mãos, defendendo-se.

— É verdade. Você estava com a Chloe. Falando nela, teve alguma notícia do Mariano ultimamente?

— Nada. Deve estar fora do país. Dinheiro não é problema, né? É capaz de viver a vida inteira fugindo.

— Isso é tão injusto — Gio torceu os lábios e balançou a cabeça. — E a Chloe? Vocês se falaram nos últimos tempos?

— Não falo com ela desde que tudo aconteceu.

Gio assentiu e começou a resolver as questões sem dizer mais nada. Os dois passaram as próximas quase duas horas mergulhados em conceitos e fórmulas químicas. As pálpebras de Kai se esforçavam para se manter abertas quando Lili entrou na cozinha, bocejando.

— Crianças, não está na hora de descansar? Amanhã vocês levantam cedo.

Com a palma aberta, Gio fechou o livro com um baque e suspirou.

— Tem razão, mãe.

— Com o tanto que vocês dois estudaram, vão arrasar na prova amanhã — Lili depositou um beijo no alto da cabeça da filha e passou a mão com carinho pelo cabelo de Kai. — Boa noite, Kai. Paulo já está no décimo sono e eu vou deitar também. Gio, não se esqueça de trancar o portão. Quando estiver indo pra cama, passe no meu quarto para me dar um beijo.

Eles começaram a arrumar a mesa. Gio manteve-se em silêncio, guardando canetas e livros de forma mecânica. A mente parecendo longe dali.

— Você está preocupada — Kai empilhou o último livro e guardou seu caderno na mochila. — Quem deveria estar assim sou eu. Não vi você errar um exercício esse tempo todo que estudamos. Aliás, sou um cara muito sortudo por termos voltado a nos falar um pouco antes da semana de provas. Sem sua ajuda eu estaria lascado.

Ela sorriu. Um sorriso breve.

— Não é isso. É que... ah, deixa pra lá.

— Fala, Gio.

— Não é nada importante.

— Então me conta e eu decido se é importante ou não.

Ela abriu mais um sorriso cansado e encostou o quadril na mesa. Começou a mexer nas canetas enquanto falava:

— É que é tudo tão exaustivo! Essa pressão de aprender tantas matérias e ainda assim sentir que não é o suficiente. O Enem vai ser daqui a seis meses e ainda tem tanta coisa para estudar...

— Você é a garota mais inteligente que eu conheço, Gio. Vai tirar essa prova de letra.

— Se eu ao menos soubesse que faculdade quero fazer... — murmurou ela.

— Você sabe.

— Não sei, não.

— É tão óbvio.

Ela olhou para o teto e exalou o ar com força, se rendendo.

— Não sei se quero trabalhar com arte.

— Não sabe se quer ou tem medo de tentar?

— Ah, Kai, não acho que eu desenhe ou pinte bem o suficiente para que as pessoas lá fora vejam.

— Giovana! — ele jogou o pescoço para trás. — Para de conversa fiada. Eu, Arthur e Ervilha já vimos vários desenhos seus e sempre achamos o máximo.

— Vocês não contam.

— Desculpa aí, a opinião dos ignorantes não conta.

Gio sorriu.

— Não é isso. A opinião de vocês é igual à dos meus pais, é vista pelos olhos do amor. E com amor, tudo fica mais bonito — ela suspirou. — Sempre achei que, se Deus visse minha arte, já era o suficiente.

— E é. Mas você vai privar as pessoas de serem abençoadas através do que você faz?

Ela voltou a mexer nas canetas. As rugas entre as sobrancelhas e os lábios cerrados mostrando a angústia que havia dentro de si.

— Eu vi você entrar no site da Belas Artes na escola, na sexta-feira.

Giovana olhou para ele.

— Fuxicando o que eu faço no celular?

Kai quicou um ombro.

— Você precisa tentar.

— Meus pais não têm como pagar e é superconcorrido para ganhar uma bolsa. Se pelo menos eu tivesse como fazer o único cursinho da cidade... mas também é uma nota preta.

— Ei, "não andem ansiosos por coisa alguma", esqueceu? Faz sua parte e deixa com Deus o que você não pode controlar.

A expressão aflita de Giovana se desfez e seus olhos, de repente, ganharam um brilho de divertimento.

— Por que você está me olhando com essa cara? — perguntou ele.

— É tão bonitinho ver você dando conselhos espirituais!

Kai revirou os olhos.

— Nessa faculdade aí precisa de um teste de habilidade para entrar?

— Sim — Gio cruzou os braços. — E isso é outra coisa que...

— Não vai me dizer que está com medo de ser reprovada! — Kai apertou o canto dos lábios, semicerrando os olhos. — Gio, qual é o problema? Você é sempre tão firme e convicta sobre tudo... por que não é assim quando se trata do seu dom?

Ela foi até a pia e encheu dois copos com o que restava na jarra de guaraná natural. Estendeu um para Kai e bebeu o outro de uma só vez, a garganta se movendo com rapidez. Kai esperou.

— Descobri que gostava de desenhar aos catorze anos. Eu ainda morava em Juiz de Fora. Como passava as tardes muito sozinha, resolvi me arriscar após ver uns vídeos no YouTube. Poucos meses depois, fiquei sabendo que uma ilustradora que eu acompanhava pela internet e admirava muito tinha ido lá na cidade. Fui ao evento em que ela estava participando e mostrei meus desenhos.

— E o que ela disse?

— Resumindo? Que existiam outros tipos de artes além do desenho e que eu deveria me aventurar nelas.

— Credo. Quem diz isso para uma fã de catorze anos?

— Pra falar a verdade, ela não estava mentindo. Meus desenhos eram mesmo muito ruins. Até parei de desenhar por um tempo, mas com o incentivo dos meus pais voltei. E sempre que penso em mostrar para pessoas que não conheço ou fazer um perfil no Instagram para postar o que eu faço, a voz dela volta à minha cabeça. Eu já orei sobre isso, sei que é meio bobo...

— Gio, seus sentimentos não são bobos. Algumas palavras podem marcar a gente mais do que uma cicatriz.

Gio assentiu como se entendesse bem além do que Kai disse. Ele ergueu o dedo mindinho.

— Promete que vai prestar vestibular para a Belas Artes?

Ela relutou.

— E que vai parar de se esconder atrás dos seus medos?

Inflando o peito e depois jogando o ar para fora, Giovana ergueu o mindinho também. Os dois cruzaram os dedos e Kai sorriu.

— Uma promessa de dedinho entre melhores amigos não pode ser quebrada.

— Não será.

Kai piscou e seguiu para a porta. O dia seguinte seria longo e cansativo, como todos vinham sendo, e ele precisava dormir. Gio caminhou ao lado dele até o portão.

— E você? O que vai fazer ano que vem?

— Arrumar um trabalho em período integral.

Ela ficou alguns segundos ruminando a resposta dele.

— E o surfe? O circuito nacional? Você não vai tentar?

Kai coçou a cabeça e ajeitou a mochila nas costas.

— Deixei isso pra lá.

O queixo dela caiu.

— Mas sempre foi seu sonho!

— Sonho não enche barriga, Gio — Kai colocou uma mão no guidão de sua bicicleta e a outra no banco. — Eu só quero viver minha vida e fazer o que tem que ser feito. Ajudar mais a minha mãe com as contas da casa para que ela não precise trabalhar tanto.

Que tipo de homem você quer ser?

— Mas você não pensa numa faculdade? Ser especializado em alguma coisa aumenta a chance de empregos e...

— Hoje não dá para priorizar a faculdade, Gio. Eu vou tentar quando as coisas lá em casa estiverem mais estabilizadas.

— Eva não está trabalhando para as mulheres que minha mãe indicou? — perguntou ela, um pouco ansiosa.

— Sim, o que nos ajuda bastante. Mas ainda não é nada fixo — Kai suspirou. — Parece que a mãe do Otto espalhou na Praia da Parada inteira que minha mãe é mulher de presidiário.

— Nessas horas eu sinto uma imensa vontade de falar uns desaforos — Gio bufou. — Mulher asquerosa!

— No final, a culpa é minha. Quem mandou perder a cabeça com o Otto? Acho que o pior de fazer coisas sem pensar é ver as consequências dos nossos atos respingando em quem está à nossa volta.

— Eu meio que me sinto responsável também, já que você brigou por minha causa — ela baixou os olhos.

— Você merecia ser defendida. Não precisava ter sido com socos e pontapés, mas merecia — ele apertou a bochecha dela no mesmo momento em que um toque se fez ouvir. Giovana pegou o celular do bolso.

— É a Íris — ela começou a digitar uma resposta.

— Qual é a de vocês duas?

Gio ergueu os olhos com ar de interrogação.

— Ontem na igreja eu nem consegui falar com você direito. A Íris ficou pendurada no seu ouvido o tempo todo. E no sábado ela arrumou você para o luau! Não lembrava de ver vocês assim, superamigas, antes. Na verdade, você sempre parecia a um passo de perder a paciência com ela.

Gio riu, um pouco constrangida.

— Íris foi tão amorosa um dia no banheiro antes do culto, quando eu tentava passar as mãos para abaixar um pouco o frizz do meu cabelo. Ela me emprestou um oleozinho milagroso que deu um jeito nos meus fios rebeldes em um instante. Eu perguntei onde ela tinha comprado, e então a conversa fluiu. Foi a primeira vez que me dispus a conversar com ela com real interesse.

— Quem diria, hein?

— Pois é. Acho que a minha implicância com ela tinha mais a ver com a minha chatice do que com qualquer outra coisa. Sei lá, no fundo acho que eu tinha ciúmes dela.

— Com quem?

— Vocês três — Gio olhou para o chão. — Eu sei que a Íris é irmã do Ervilha, mas em nosso grupo eu era a única menina, sabe? Demorei a admitir para mim mesma que não gostei de ter saído do "trono" — ela fez aspas com os dedos. — E ela parecia tão à vontade com vocês, aprendendo a surfar e tudo!

— Então aquelas caras fechadas eram de dor de cotovelo? — Um sorriso de lado brincou nos lábios de Kai.

— Não é para usar isso contra mim, hein? — ela deu um cutucão na costela dele.

— Só quando eu achar necessário.

— Espero que não me arrependa de ter te falado isso.

— E quando você vai se arrepender de contar algo para seu melhor amigo?

— Melhor amigo, é? Não somos um quarteto de melhores amigos? — Gio cruzou os braços, seu rosto parcialmente banhado pela luz do poste. — Aliás, quinteto agora.

— Talvez você tenha que admitir que tem um preferido — ele piscou. Gio deu uma risada.

— Você não acha que é muito convencido, não?

Sorrindo, Kai empurrou a bicicleta para o portão.

— Agora deixa eu puxar meu bonde. Boa noite e boa prova amanhã.

Eles se despediram e em pouco tempo Kai chegou em casa, louco por um banho. Eva estava lavando louça e cantarolando, o rádio sintonizado numa estação de louvores.

— Mãe?

— Oi, filho — ela teve um sobressalto. — Nem vi você chegando.

— Você parecia bem envolvida com a música. Nunca ouvi o rádio tocar esse estilo.

— Eu estava escolhendo uma estação, passei por essa e resolvi deixar tocar. Combinou bem com o estado do meu coração hoje. Tenho uma boa notícia — o rosto dela parecia brilhar. — Consegui um emprego!

Kai abriu a boca e jogou a mochila no chão. Correu para abraçar a mãe, que começou a soluçar e rir ao mesmo tempo.

— Como? Onde? — a surpresa e a alegria misturavam-se no sorriso dele.

— Uma conhecida levou meu currículo para aquela empresa de contabilidade na avenida principal. Eles me chamaram para uma entrevista hoje e já fui contratada. Vou ser auxiliar de limpeza e ter a carteira assinada! Com todos os direitos garantidos, Kai!

Ele apertou-a um pouco mais em seus braços.

— O que a gente tanto esperava enfim chegou, mãe. Vamos orar para agradecer?

— Vamos! E eu vou à igreja no domingo. Você já me chamou tantas vezes e eu sempre arranjo uma desculpa...

Kai sentiu seu coração se expandir. *Obrigado por ouvir minhas orações, Deus. Obrigado, porque no teu tempo as coisas aconteceram.*

52

AQUELA SEXTA-FEIRA ERA UM daqueles dias que parecia ter se soltado do verão e caído por engano no outono. O suor escorria pelas têmporas de Kai quando ele cruzou o portão da escola e viu um carrinho de picolé parado perto da calçada.

— Vai um aí? — perguntou a Gio, que se despedia de Duda. Ela se aproximou depois que a amiga entrou no ônibus.

— Milho verde, por favor.

— Quem toma picolé de milho verde, pelo amor? — Kai zombou e abriu o seu de limão, pagando em seguida os dois picolés ao homem de jaleco colorido.

— Falou quem só toma suco de seriguela.

— Pô, mas seriguela é uma delícia. Faço vários na Sunshine, pra você ver o sucesso que é.

— Eu sei, só estava implicando com você, mané — ela mordeu a ponta do picolé e continuou falando com a boca cheia. — Um brinde a nossa nota em química!

— Um brinde! — Kai encostou a ponta de seu picolé no dela e eles seguiram pela calçada comentando sobre as questões da prova. Ele empurrava a bicicleta com uma mão e segurava o picolé com a outra. Aquela tinha sido uma manhã de dupla alegria: além de saírem mais cedo por causa das avaliações, a professora de química ainda corrigiu as provas e deu as notas antes de eles irem embora.

— Agora precisamos brindar o novo emprego da sua mãe.

— E a ida dela à igreja domingo — Kai estendeu seu picolé, mas Gio balançou a cabeça.

— Desta vez vai ser com copos, como manda o figurino. Vamos de milk-shake?

— Só se for agora. Sobe aqui.

Gio sentou no quadro da bicicleta de Kai e encaixou a mochila no colo. Ele pedalava equilibrando a bicicleta e o picolé.

— Tem certeza de que não vamos cair? — Gio virou o pescoço, olhando para ele.

— Meu sobrenome é agilidade, Giovana. Eu fico de pé em cima de uma prancha — ao acabar de dizer isso, a roda da frente começou a balançar de um lado para o outro e Kai precisou levar a mão que segurava o picolé ao guidão. No caminho, deixou um rastro gelado no rosto de Gio.

— Agilidade, hein? — ela passou a mão no rosto e os dois começaram a rir. Kai acabou fazendo um círculo para conseguir se firmar outra vez sobre os dois pneus.

Ele não se lembrava da última vez em que havia rido até as mandíbulas doerem como naquela ida até a loja de milk-shake. Ele e Giovana pareciam duas crianças rindo de coisas sem sentido. Ao chegarem, cada um pediu um copo de meio litro, que foi consumido enquanto falavam sobre as coisas mais aleatórias possíveis.

Os dias passaram e, com eles, as semanas e os meses. Kai e Giovana se viam todos os dias na escola. E aos domingos na igreja. Estudavam juntos para os testes e provas. Trocavam memes e mensagens sempre que estavam longe um do outro.

O dia a dia dos dois foi, aos poucos, sendo entrelaçado, como fios de uma manta aconchegante e confortável. E, quando Kai se deu conta, percebeu que não poderia mais se desprender. Nem queria.

— Você sabia que estamos em um ano bissexto? — perguntou ela, pedalando ao lado dele após a escola em um dia qualquer.

— Acho que ouvi falar algo sobre isso.

— E você sabia por que os anos bissextos são chamados assim?

Kai deu risada.

— Não faço ideia.

— Os dias não têm 24 horas, mas sim, aproximadamente, 23 horas e 56 minutos. Por isso, a cada quatro anos, um dia é adicionado ao mês de fevereiro. É o ano bissexto.

— Imagina quem nasce nesse dia? É como se só fizesse aniversário de verdade de quatro em quatro anos.

— Legal seria se também envelhecesse no mesmo tempo. Imagina, poder viver quatro vezes mais que o tempo normal aqui na terra?

Kai pensou um pouco.

— Às vezes eu tenho um pouco de medo de envelhecer, mas não acho que gostaria de viver tanto tempo mais que as outras pessoas.

— Por que não?

— Imagina ver quem amo ir embora e eu continuar aqui?

Giovana olhou para ele por um tempo. Ela piscou devagar e voltou sua atenção para a frente antes de responder:

— Nós podemos perder quem amamos a qualquer momento.

Eles continuaram pedalando em silêncio.

— Gio, você me faz ver as coisas de um jeito diferente — Kai falou pouco depois. — Sei que já disse isso um monte de vezes, mas o que seria de mim sem você?

Ela mexeu os ombros em uma dancinha ridícula, fazendo graça. Kai a encarou e seu sorriso diminuiu. Ele não tinha falado na brincadeira. Gio sempre fora importante, mas nos últimos meses havia se tornado essencial.

53

O ÚLTIMO WRAP FOI COLOCADO dentro do pacote com a logo da Sunshine e disposto sobre o balcão da cozinha. Bem, o último que Kai fazia naquela fresca quinta-feira de outubro. A lanchonete continuaria funcionando até as dez da noite. Mas ele saía às sete horas.

— A alegria de quando o relógio marca a hora de ir embora — Luara implicou ao entrar na cozinha e ver Kai tirar o avental com rapidez, olhando-se no vidro do micro-ondas. Ele passou as mãos pelo cabelo e apontou para o freezer.

— Todas as massas para o fim de semana estão prontas. Terminei tudo faz uns trinta minutos. Demorei um pouco mais porque tive que parar várias vezes para preparar os pedidos.

— Desculpe não poder ter ajudado hoje. Mofei naquele consultório. O médico demorou demais.

— Você está bem?

— Sim. Só fui mostrar uns exames.

Kai sabia que Luara e Gabriel estavam tentando engravidar havia algum tempo. Não falavam muito sobre isso, mas andavam precisando se ausentar com frequência para fazer exames e ir a diferentes médicos. Luara abriu o freezer e contou as massas de wraps.

— Algum compromisso agora? Podemos te pagar um extra se puder ficar mais um pouco. Preciso passar os produtos de um freezer para o outro. Amanhã um rapaz vem aqui dar uma olhada para tentar descobrir por que este aqui, às vezes, para de gelar.

Kai checou o relógio. Não queria chegar muito tarde à casa de Giovana.

— É só fazer isso? Eu ajudo.

Em pouco menos de quinze minutos, um freezer estava completamente vazio enquanto o outro quase não fechava. Os dedos de Kai estavam arroxeados e ele esfregou uma mão na outra.

— Obrigada pela ajuda. Você me salvou — Luara sorriu.

— O Kai foi uma das melhores escolhas que a Sunshine fez em muito tempo — Gabriel entrou na cozinha segurando mais algumas comandas, e Kai agradeceu com um aceno de cabeça. Mesmo após tantos meses tentando fazer as coisas do jeito certo, ainda não estava acostumado a receber elogios. Era tão esquisito! Como se isso não tivesse nada a ver com ele.

— Já estão prontos? — o chefe questionou, olhando para os pedidos prontos no balcão.

— Sim. Sanduíches e sucos para a mesa cinco. Wrap e açaí para a oito. Brownie com sorvete para a três.

— Você é uma máquina, cara — Gabriel deu alguns tapas nas costas dele. — Me ajuda a levar nas mesas? O João está no telefone resolvendo umas coisas de família.

— Claro — os dois saíram equilibrando bandejas e encontraram Íris com os cotovelos escorados no balcão.

— Ei! — ela cumprimentou e esperou que eles entregassem os pedidos. — Já falou com a Gio?

— Estou indo lá agora — Kai respondeu. — E você?

— Fui mais cedo.

— Giovana já chegou? — Gab entrou na conversa. — Como ela está?

— Bem, na medida do possível — Íris suspirou.

— Por que não me falou que ia pra casa dela agora, cara? — Gab perguntou a Kai. — A gente não teria te prendido tanto aqui.

— Não se preocupe. Não foi tanto tempo assim.

— Me deem licença. Vou avisar Luara que Gio já está por aqui e marcar de visitá-la amanhã. — Gabriel se retirou, indo para a cozinha.

— Não sei bem o que vou dizer — Kai coçou a sobrancelha. Ele era péssimo nessas coisas. Nunca sabia o que falar para confortar alguém.

— Kai, ela é sua melhor amiga — Íris respondeu. — Você não quer consolá-la?

— Eu só acho que seria melhor se todos vocês também pudessem ir. O Arthur saberia dizer as palavras certas — Ervilha e Arthur tinham viajado com o pessoal do cursinho pré-vestibular para realizar uns simulados de provas no Rio e só voltariam no dia seguinte.

— Mas não é ele que vai lá, Kai. É você. E às vezes nenhuma palavra é necessária. Só o fato de você ir já vai ser o suficiente.

Kai passou a mão pelo cabelo. Era quinta à noite e ele não via Giovana desde domingo, quando ela precisou viajar às pressas para Minas Gerais com a família. Sua avó tinha morrido.

— Eu iria com você, mas fui mais cedo porque preciso mesmo entregar isso agora — Íris ergueu a bolsa, tirou de dentro dela um envelope perolado com detalhes em verde-água e o estendeu a Kai. Ele nunca tinha segurado um papel tão elegante. — Enrolei muito para começar a entregar os convites para minha festa de quinze anos e agora já está super em cima da hora. Minha mãe está quase perdendo os cabelos.

— Opa, comida chique liberada — Kai passou a mão pela barriga.

— Espere só para ver. Estou escolhendo um cardápio divino — ela juntou as pontas dos dedos nos lábios e beijou-os, como os *chefs* fazem. — Ah, e vê se aproveita a festa e tira a Gio para dançar.

— Dançar?

— É, sabe, em festas costuma ter música.

— Eu sei — ele girou os olhos. — Mas por que você acha que a Gio ia querer dançar comigo?

— Pelo mesmo motivo que você ia querer dançar com ela.

Kai franziu a testa.

— Não se faça de besta. Eu percebo como você olha pra ela.

— Como um amigo olha pra uma amiga?

— Como um amigo *apaixonado* olha pra uma amiga.

— Você tá viajando.

Íris pendeu a cabeça e examinou-o com ar maternal.

— Você todo preocupado com ela naquele fatídico dia na ilha, vocês conversando na praia quando descobrimos que seu pai estava envolvido com o contrabando e a reportagem iria ao ar mesmo assim, você brigando com Otto para defendê-la e depois aquele clima todo no chuveirão... Toda a proximidade entre vocês dois nos últimos tempos... Sim, estou viajando. Indo para a Europa neste exato momento.

— Como você se lembra disso tudo?

— Eu era caidinha por você, esqueceu? Analisava cada passo seu quando estávamos perto. E não faça essa cara de desentendido. Eu sei que você sabia.

Kai, meio corado, mirou o chão.

— Mas não liga, eu já superei. Você também deve ter notado isso. Andar com a Gio me fez repensar um pouco a minha, digamos, *obsessão* por garotos.

— Andar com a Gio faz a gente repensar um monte de coisas.

— Pois é. Acho que eu gastava muito mais tempo tentando ser notada pelos meninos do que sendo eu mesma ou buscando ser aquilo que Deus quer de mim — Íris falou aquilo com o queixo erguido, sem constrangimento algum. Kai a admirou por isso.

— Te entendo. Eu passei por uns processos parecidos. Não que eu gastasse tempo tentando ser notado pelos garotos, mas acho que você entendeu.

Íris riu.

— Agora você só precisa ser notado por uma.

— Ela não gosta de mim dessa maneira — ele se pegou dizendo a Íris.

— Você que pensa.

— Íris, a Giovana mal deixa que eu a abrace.

— Ai, e você ainda diz que é amigo dela — Íris inclinou o rosto para cima, revirando os olhos. — Até parece que não sabe que a Gio tem o maior cuidado com o coração. Ela não vai ficar de abracinhos se isso for comprometer suas emoções. E você sabe que esse tipo de proximidade geralmente compromete. Além disso, ela não tinha como ter certeza se seus sentimentos seriam correspondidos.

Ele fez menção de dizer algo, mas as palavras se recusaram a sair. Ele sentia algo por Giovana, sim, mas não entendia muito bem o quê — ou fingia não entender. Afinal, era a Gio, sua melhor amiga. Amigos se sentem especiais ao lado um do outro, não se sentem? E sofrem quando se afastam, não sofrem?

— A Gio te falou isso?

— Não.

— Então como pode ter certeza de que ela gosta de mim?

— Pelo mesmo motivo que eu sei que você gosta dela. E você nunca me contou nada. Aliás, acho que nunca contou nem para você mesmo.

54

A CABEÇA DE KAI ainda parecia um emaranhado de pontos de interrogação quando o som da campainha ecoou por trás do portão. Não demorou muito e a portinhola branca foi aberta.

— Oi, tia — cumprimentou ele, sem jeito. — Meus sentimentos.

— Obrigada, querido — a mãe de Gio sorriu. As olheiras fundas denunciavam a tristeza e o cansaço gerados pela perda. — Não fique aí fora. Pode entrar — ela chamou-o com uma mão, enquanto segurava a portinhola com a outra. Kai quis abrir um buraco no chão e entrar lá dentro. Não fazia a mínima ideia de como agir. Na dúvida, era melhor ficar calado.

— Imagino que queira falar com a Giovana. Ela está aqui atrás. Vem comigo.

Ele acompanhou Lili pela varanda tomada pelo cheiro de comida no forno. Chegaram à parte de trás da casa, onde havia uma pequena lavanderia e dois quartinhos, cada um com uma porta e uma janela. Kai a seguiu até a porta do primeiro quartinho. A janela estava aberta, mas a cortina em voal branco impedia a visão do que havia lá dentro. Lili deu duas batidinhas e abriu a porta em seguida.

— Filha, o Kai está aqui.

— Onde? Aqui na casa ou aqui atrás de você? — ele escutou a voz dela lá de dentro.

— A segunda opção. Posso falar para ele entrar?

Não houve resposta e logo Gio apareceu, parando sob o batente da porta. Ela parecia exausta como a mãe.

— Pela mensagem que você me mandou, achei que demoraria mais a chegar.

— Fiquei com medo de te fazer esperar. Pensei que Gabriel fosse precisar que eu ajudasse um pouco mais. Como você está?

Hum. Que pergunta besta.

Os olhos dela encheram-se de lágrimas. Lili segurou o cotovelo da filha com carinho.

— Chame o Kai para entrar, Gio. Vou trazer um suco pra vocês — e saiu, deixando os dois sozinhos. Gio chegou para a frente e diminuiu a brecha da porta, segurando a maçaneta.

— Tudo bem se você não quiser que eu entre — Kai deu um passo para trás. — Vou morrer de curiosidade? Claro que sim. Mas não tem problema.

Um sorriso sutil brincou nos lábios dela, e Gio ficou um tempinho mirando o piso antiderrapante sob seus pés. Até que empurrou a maçaneta e entrou no cômodo, deixando a porta aberta atrás de si. Kai esperou alguns segundos e, como ela não o impediu, entrou também. Seu queixo foi quase até o chão com o que viu.

Pendurados em fios luminosos pelas paredes, havia inúmeros desenhos e pinturas, dos mais diferentes tamanhos. As paredes, tingidas com um tom fechado de rosa, refletiam a luz amarelada dos cordões. Um abajur estava ligado no canto, perto de um cavalete com uma tela pintada pela metade. Numa mesa colorida perto do cavalete, diversos tipos de lápis, pincéis e bisnagas de tinta. Alguns rascunhos de desenhos também descansavam ali. A penumbra amarelada das luzes artificiais conferia ao lugar uma atmosfera única. Tudo naquele cômodo emanava arte.

— Uau! — A boca de Kai continuava aberta. Começou a andar pelo recinto, analisando de perto os desenhos e as pinturas.

— Você fez todos eles?

— Sim — ela respondeu num sussurro.

— Gio... estou sem palavras — Kai passou os dedos com suavidade na menina sorridente representada em uma aquarela. — São perfeitos. Eu não sabia que você desenhava rostos tão bem. A maioria dos seus desenhos que já vi são de paisagens.

— Comecei a me aventurar nisso no meio do ano.

— E já está nesse nível? — Kai apontou para uma face desenhada pela metade, o sorriso aberto, as rugas ao redor dos olhos. Gio sentou numa banqueta em frente à tela em que devia estar trabalhando quando ele chegou. Uma paleta oval com um buraco na ponta e várias cavidades preenchidas por tintas frescas descansava na ponta da mesa. Kai pegou-a, girando levemente entre os dedos.

— O que está pintando agora? — apontou com o queixo para a tela. Os tons de verde na parte inferior com pontos coloridos salpicados indicavam um jardim. Uma pequena casa branca com janelas vermelhas estava pela metade.

— É a casa da minha avó. Eu passava todas as férias lá quando era criança. Depois que cresci passei a ir bem menos.

Kai parou de mexer com a paleta e fixou a atenção nela.

— Como foram as coisas no velório e tudo o mais? — Teve vontade de engolir de volta o que tinha dito. O que esperava que ela fosse responder?

— Uma droga — *é claro.* — É horrível ver alguém que a gente ama embrulhado dentro daquelas paredes de madeira. Parece tão apertado! Com aquelas flores e tal.

— Mas, tecnicamente, ela não estava mais ali, né?

— Tecnicamente — Gio riu um pouco. — Ela era uma mulher de oração, já estava lá em cima prostrada diante de Jesus desde o último suspiro.

Kai entregou a ela a paleta de tintas e colocou as mãos nos bolsos.

— É tão frágil, sabe? — Gio desfocou o olhar sobre sua pintura inacabada. — A vida não passa de um sopro. Num momento estamos aqui, no outro não mais. Com a minha avó, tivemos tempo de nos preparar, já que ela vinha piorando desde o início do ano. Mas para muita gente não é assim.

Kai abaixou a cabeça. Ninguém gosta de pensar sobre a morte de quem ama. É dolorido.

— Deve ser muito difícil lembrar que ela não está mais aqui... — Ele fitou o pincel na mão de Gio, que voltou a tocar o espaço branco com maestria.

— É e não é. Fico feliz em saber que ela está melhor do que a gente, ao lado de Jesus. E nós só temos memórias boas. O mais triste deve ser quando alguém morre e você não teve tempo de consertar as coisas, ou pelo menos tentar... — ela pressionava o pincel sobre a parte de cima do quadro, pintando um céu alaranjado de fim de tarde. — Veja esta tela. Se eu desistisse da pintura agora, não poderia me desfazer do que já fiz. Não existe removedor que a deixaria branca outra vez. Seria necessário pegar uma nova. Acho que em certas situações da vida da gente acontece mais ou menos assim. Temos que descartar as pinturas antigas para começar a esboçar algo novo. Jesus faz isso com a gente, não é?

As coisas velhas já passaram. Eis que tudo se fez novo.

— Tenho pensado nisso — ela continuou. — Em como ele nos dá segundas oportunidades enquanto ainda estamos aqui. Como ele nos perdoa e nos oferece telas novas todos os dias. E como ele deseja que estendamos essa graça aos outros também.

Kai gastou alguns longos segundos olhando para os desenhos nas paredes. Por fim, disse:

— Desde aquele dia em que me ajoelhei na praia com Arthur, eu sei que fui perdoado. Sei que minha vida mudou de direção. Mas ainda tem coisas dentro de mim que... — ele puxou o ar e soltou devagar. Começou a levantar e abaixar um lápis atrás do outro no pote sobre a mesa, como se realmente estivesse interessado em ver melhor o tom de cada cor. Ainda sem olhar para Giovana, concluiu: — Nem sempre é fácil.

— Perdoar?

— É.

O barulhinho do pincel batendo e passando pelo quadro e dos lápis sendo remexidos foram as únicas coisas que ouviram durante algum tempo.

— Você está pensando no seu pai? — Gio quis saber.

Kai largou os lápis e olhou para ela.

— Como você sabe?

— É meio óbvio pra mim.

— Óbvio como? Eu nem falo nele.

— E acha que seus olhos ou sua postura não traem você quando alguém toca no nome dele? Você é mais transparente do que imagina, Kai — Gio lançou-lhe uma olhadela e continuou pintando.

— Vem cá, eu estou aqui para consolar você. Não sou a pauta hoje.

— Eu sei que é difícil, e ninguém está pedindo que você apague com uma borracha tudo o que seu pai fez — ela prosseguiu, ignorando-o. — Só acho que uma tela nova não cairia nada mal.

— Ele não quer nem falar comigo, Gio. Sequer olhar na minha cara! Não colocou meu nome no rol de visitantes do presídio... Nesse tempo todo, nunca quis. Mesmo se eu quisesse um recomeço, ficaria difícil do jeito como as coisas estão hoje.

— Para sermos perdoados, é preciso perdoar. A regra é simples.

— Muito simples — ele comprimiu os lábios.

— Reclama com Deus, então.

Kai liberou um suspiro. Ele sabia que Gio tinha razão. Sabia o que tinha de ser feito. O Espírito testificava dentro dele. Só precisava ser corajoso. Kai abriu um sorriso cheio de dor. Será que algum dia teria força o suficiente?

55

LILI ENTROU NO ATELIÊ segurando uma jarra de suco de laranja. Ela colocou sobre a mesa e disse a Kai que ficasse à vontade.

— O jantar está quase pronto. Fique para comer com a gente, Kai — ela disse e deixou-os outra vez. Kai agradeceu.

— Pode beber o suco. Estou terminando aqui — Gio agora dava alguns retoques finais na casa. Kai terminava de tomar um copo quando ela concluiu a tela.

Gio desceu do banquinho e juntou as diversas folhas de rascunho que estavam sobre a mesa. Puxou de debaixo dela uma caixa grande de plástico, daquelas onde se pode guardar qualquer tipo de bugiganga, e colocou nela os desenhos inacabados.

— É aí que você guarda o que desistiu de desenhar? — Kai apontou com o queixo.

— Mais ou menos. Só quando o desenho ou a pintura é especial de alguma forma e por algum motivo não consegui desenvolver naquele momento. Ou que eu pense que possa querer retomar algum dia.

— Posso ver? — Kai ficou de joelhos ao lado dela e inclinou-se sobre a caixa. Quando ele puxou um amontoado de folhas, Gio arrancou-as das mãos dele e guardou outra vez. Kai ergueu as palmas abertas. — Tudo bem. Não está mais aqui quem pediu.

Gio soltou um suspiro profundo.

— Agora você vai pensar que tem algo muito terrível ou vergonhoso aí dentro.

— Não estou pensando nada. Os desenhos são seus. Você tem todo o direito de não querer que eu veja.

Amolecendo os ombros em um ar conformado, Gio pegou as folhas de volta e estendeu a ele.

— Só não zombe de mim.

Kai até pensou em recusar outra vez, mas a curiosidade falou mais alto. Um a um ele analisava os rascunhos. Praias, montanhas, coisas abstratas, alguns rostos inacabados... até chegar ao final da pilha e ver algo muito familiar.

— Esse sou... eu? — sussurrou, observando o rosto com linhas retas e cabelo loiro bagunçado. Ele estava de pé na pedra da torre, olhando para o céu com a prancha que ganhara de Arthur debaixo do braço. A bermuda azul e branca idêntica a uma que usava de vez em quando. Não havia nada de inacabado naquele desenho. Todos os traços e cores em seus devidos lugares.

E era lindo.

— Comecei a traçá-lo no dia que meu pai deixou que eu voltasse a falar com você — a voz de Giovana saiu meio sufocada, como se ela não tivesse aberto a boca o suficiente.

— Puxa, e-eu... me sinto honrado. Ficou lindo demais! — Kai ergueu os olhos para ela, que estava com a cabeça abaixada. Mexia com a borda da caixa, depositando toda sua atenção naquele pedaço de plástico. — Meu rosto aqui parece tão... diferente. Como se eu estivesse a ponto de voar.

— Kai, talvez você não faça ideia disso, mas dá para ver em seu olhar quanto você mudou. A paz que transparece em você é algo que vem de dentro, e que só pode ter sido gerado por Cristo — Giovana olhava para ele agora. — Foi isso que eu vi aquele dia na sua casa, quando voltamos a nos falar. Seus olhos cintilavam como mil estrelas ao me falar sobre ter sido resgatado por Jesus.

Ele engoliu em seco e coçou de leve o nariz para tentar espantar a súbita emoção que apertou sua garganta.

— Só não entendi por que meu desenho está na caixa dos rascunhos. Parece finalizado — disse Kai. Gio torceu o cabelo e jogou-o de lado, sem oferecer nenhuma explicação. Ele se colocou de pé e foi até um dos cordões luminosos. Não pediu autorização para afastar dois desenhos e pendurar ali o que Gio havia feito dele.

— Posso fazer uma pergunta? — Kai olhava para sua própria imagem desenhada. Como estava de costas para Giovana, entendeu o silêncio dela como passe livre. — Você fez desenhos dos outros também? Digo, Arthur, Ervilha...

Ela demorou tanto a responder que Kai se virou. Giovana estava movimentando a boca, como se buscasse o que falar, e por fim disse uma única palavra:

— Não.

O coração dele começou a martelar. O que aquilo significava? Será que...? Não, não era possível. As palavras de Íris voltaram com tudo em sua mente. *Ela não tinha como ter certeza se seus sentimentos seriam correspondidos.*

Kai chegou mais perto, parando na frente de Giovana. Com o dedo dobrado, ergueu o queixo dela. Seus olhos sustentaram os dele, mas não havia nada ali que entregasse o que quer que fosse.

Por que raios ela havia feito um desenho dele? Apenas *dele*? Kai engoliu em seco. Tocou os dedos dela com delicadeza e inclinou a cabeça, seus lábios se entreabrindo, as respirações pesadas se misturando. E, então, Kai parou.

Eu não posso estragar tudo. Deus, me ajude a não estragar tudo.

Ele deu um giro e esfregou a mão na nuca, ficando de costas para ela outra vez.

— Posso me considerar um cara sortudo — ele riu, talvez exagerado demais. — O único amigo que foi desenhado pela futura artista nacionalmente conhecida, Giovana Ferraz.

— Ninguém nem sabe que eu tenho um ateliê, que dirá o Brasil inteiro conhecer minha arte — respondeu ela, indo até a caixa de rascunhos. Guardou os papéis em que ele mexera minutos antes e recolocou a caixa debaixo da mesa.

— Eu não entendo por que você nunca contou isso pra gente.

— É um espaço recente. Minha avó mandou dinheiro e eu ajeitei tudo nos últimos meses. Foi o último presente dela — Gio suspirou. — Ela acreditava em mim.

— Eu também acredito.

— Sei disso. Aliás, preciso te contar uma coisa. Só vou ter como saber sobre a bolsa na Belas Artes no início do ano que vem, mas pela fé me inscrevi em um curso de férias que vai acontecer na faculdade em dezembro e janeiro. Minha tia mora em São Paulo e, se eu for aprovada, tanto para o curso quanto para a faculdade, vou morar com ela.

— Acho que já posso te dar os parabéns, porque é óbvio que você vai ser aprovada. Nas duas coisas.

A risada dela quebrou o ar desajeitado que pairava entre eles, mas Kai sentiu o peito afundar. Ele não tinha pensado muito no fato de que Giovana ir para a Belas Artes significava ele ter de ficar longe dela.

A voz de Lili se fez ouvir, avisando que o jantar estava na mesa. Eles saíram do pequeno cômodo com Kai perguntando sobre o que era o curso de férias. Bateram um papo casual, como melhores amigos. O que de fato eram. E aquele breve momento de proximidade que tiveram no ateliê se dissipou como pó no ar, passando como se nunca tivesse existido.

56

SEUS PASSOS CRUZAVAM a varanda sem pressa quando Kai percebeu algo diferente no quintal dos fundos. A luz do refletor brilhava sobre a lateral do barco, e a escuridão da noite deixava todo o resto imerso em sombras. *Aquele que vê mais longe*, estava escrito daquele lado. A garganta dele apertou.

— O quê...? — A pergunta pairou no ar, enquanto ele se aproximava, passando a ponta dos dedos na proa. Kai havia voltado a Apoema alguns dias após a prisão de seu pai para tentar trazer o barco de volta. Chegando à Prainha, não o encontrou. E essa foi apenas mais uma das coisas difíceis de digerir que ele viveu naquela semana.

— Um tal de Bira trouxe o barco pra cá hoje —sua mãe falou, encostando-se no batente da porta da cozinha. — Disse que o encontrou na Prainha um dia depois que seu pai foi preso. Reconheceu que era o barco que tinha sido do seu avô e imaginou que Sidney tivesse deixado lá por ter ido pra cadeia. Bira consertou o problema no motor, levou o barco para Guaíba e deixou lá até descobrir onde a gente morava.

— Ele levou esse tempo todo para descobrir?

— A gente perdeu o contato com todo mundo de lá. Ninguém devia fazer ideia de onde morávamos.

— A gente quem?

— Eu e seu pai. Nós já moramos lá.

— Em Guaíba? A ilha de pescadores?

— É.

— E como eu nunca soube disso?

Eva olhou para baixo.

— Não é uma época sobre a qual seu pai gostava de falar muito. Nem eu. A gente saiu de lá numa situação bem complicada.

— Era lá que meu avô morava?

Eva assentiu.

— O pai disse que o meu avô deu esse barco pra ele. Mas como? Eu nunca vi meu avô. E me lembro de quando o barco chegou aqui. Eu devia ter uns onze anos.

— É que o seu Tião deu bem antes de nos expulsar de Guaíba. Quando viemos para Ponte do Sol, pensamos que ele tinha desistido do presente, já que nos mandou sair de lá com uma mão na frente e outra atrás.

— Expulsar? — Kai franziu o cenho.

— Uma coisa que você precisa saber sobre seu avô é que ele era um homem difícil — Eva suspirou, caminhando para o lado do filho. — Sempre foi muito duro com seu pai. Sidney cresceu apanhando muito, mas ainda assim trabalhava com ele como pescador. Tião juntou dinheiro a vida inteira para comprar mais barcos, empregar pescadores e ter uma velhice tranquila. Mas então, um dia, Sidney acabou perdendo toda a poupança do seu avô em jogos de azar. O homem ficou furioso, e não era para menos. Eu estava grávida de você e tivemos que ir embora numa situação muito difícil, só com as roupas do corpo.

Kai piscou seguidas vezes.

— E por que então o Tião, quer dizer, meu avô, mandou o barco pra cá? Ele mudou de ideia antes de morrer?

— Foi sua avó quem mandou depois do enterro do seu Tião. Ela morreu pouco depois. Foi nessa época que seu pai começou a beber muito. Sua avó tinha mandado recado para Sidney dizendo que Tião estava de cama, muito doente, mas seu pai se recusou a ir, disse que vaso ruim não quebrava. Mas quebrou, sim. E algo dentro de seu pai se quebrou junto quando ele soube. Depois disso, Sidney mudou muito. Parou de surfar, largou a pesca aos poucos e foi trabalhar no condomínio... perdeu a alegria de viver.

Kai lembrou-se do que Giovana tinha dito poucas horas antes. *O mais triste deve ser quando alguém morre e você não teve tempo de consertar as coisas, ou pelo menos tentar.*

Uma corrente de ar passou por eles, fazendo Eva deslizar as mãos pelos braços e entrar em casa. Kai se manteve em silêncio, enquanto a mente trabalhava sem parar. Tudo que sua mãe lhe contara pareceu lançar luz sobre quem verdadeiramente era seu pai e por que ele havia mudado tanto.

Cutucando uma farpa que escapava da lateral do barco, Kai foi invadido pela certeza do que precisava ser feito. Já tinha fugido muito de Deus. E, agora que estava perto, continuaria a fugir da vontade dele também?

Eu fui perdoado. Quem sou eu para não fazer o mesmo?

Pai,

Lembra uma vez que você me levou pra pescar com alguns conhecidos lá para os lados de Paraty e no meio do caminho começou uma tempestade terrível? Eu fiquei com muito medo e você me abraçou enquanto as águas batiam no barco com força. Você não me largou até a gente estar em terra firme.

Ao longo dos anos eu não fiz muita questão de relembrar isso. Sei lá, minha mente de alguma forma bloqueou. Mas ultimamente as memórias borradas daquele dia têm vindo à minha cabeça com certa frequência. Talvez seja porque aquelas imagens são as que eu deveria guardar.

As coisas já foram melhores do que são hoje, pai. E, se isso ajudar de alguma forma, gostaria de dizer que perdoo você por tudo.

Eu sei, você nunca pediu perdão. Mas eu perdoo mesmo assim. Eu queria muito ver você, poder olhar pra você e perguntar se está tudo bem. Mas sei que tudo acontece no tempo de Deus.

Meu coração agora está leve e sei que posso continuar seguindo em frente no caminho que Deus tem pra mim. Falando nele, eu preciso dizer que entreguei minha vida ao Senhor. Ele deu seu Filho para morrer em meu lugar, perdoou meus pecados e me salvou de mim mesmo. O que mais eu poderia dar em troca além de toda a minha vida?

Esse perdão também está disponível pra você. Novas telas em branco sempre são oferecidas por ele. Sua vida pode ganhar uma nova pintura. Só basta crer.

Abraço do seu filho, Kai.

57

KAI OLHOU O RELÓGIO. Daria tempo de se arrumar e ir tranquilo à festa da Íris. Sua roupa já estava na casa de Arthur e de lá eles iriam juntos. O salão de festas ficava dentro do condomínio.

— Fala, meu garoto, podemos trocar uma palavrinha com você? — Gabriel estava sentado ao lado de Luara em uma das mesas vazias da Sunshine naquele fim de dia sem muito movimento, principalmente para um sábado à tarde. Que bom. Pelo menos assim Kai tinha certeza de que Gabriel não se arrependeria de tê-lo deixado sair mais cedo por causa da festa. Um notebook estava aberto na mesa, e Luara abaixou a tela quando Kai puxou uma cadeira.

— Não vamos tomar muito do seu tempo — Gab olhou para a esposa. — Nós precisamos te falar uma coisa. Sabemos que você precisa se aprontar para a festa e Luara achava melhor que eu esperasse segunda-feira, mas não vou conseguir aguentar.

Toda sua atenção estava presa a seus patrões agora. Sentiu a garganta apertar. Puxa vida. Eles iam demiti-lo ali, no meio da Sunshine, às vésperas de uma festa de quinze anos?

— Há algum tempo andamos discutindo um assunto, e agora há pouco cravamos a decisão — Gabriel fez uma pausa, fitando Kai com um olhar solene.

— Fala logo, Gab — Luara interveio. — O menino parece que vai ter um treco nessa cadeira.

Parece? Ah, não importa. Suas entranhas estavam mesmo a ponto de um colapso. Não podia ficar sem seu salário. Mesmo que as coisas tenham melhorado após sua mãe conseguir um emprego, ainda assim era um salário-mínimo. Algumas contas de casa haviam ficado sob a responsabilidade dele.

— Eu e Luara sempre admiramos seu jeito de surfar. É algo que parece ser feito com o coração. E desde que eu soube que você tem vontade de se tornar profissional, conversei com ela e sentimos o desejo de ajudar você a chegar a lugares mais altos. Se desenvolver e tal. O esporte precisa de caras como você, Kai. Mas batemos em um obstáculo, que é a questão financeira. Como te ajudaríamos com um patrocínio se a Sunshine ainda não conseguia gerar um lucro tão grande assim?

Kai havia endireitado o corpo, em estado de alerta. O assunto não tinha nada a ver com demissão, e um peso de dez quilos foi tirado de suas costas.

— Mas desde o último verão temos visto o negócio crescer de um jeito que nunca imaginamos — Luara começou a falar e segurou a mão de Gab. — Não fizemos muitas mudanças radicais porque tentamos ir com calma em tudo que fazemos. Analisar bem as coisas. Mas agora estamos bem perto de fazer uma obra para aumentar e melhorar o espaço da loja. E, com isso, contratar mais alguns funcionários.

— Parabéns. Vocês merecem — Kai sentia alegria genuína pelos dois. Eles cuidavam da Sunshine com tanto amor!

— E finalmente vamos poder fazer algo que sempre quisemos: abençoar as pessoas com nossos recursos — os olhos de Gab brilhavam. — Você já deve estar impaciente com tanta enrolação, então vou dizer de uma vez. A Sunshine vai patrocinar sua carreira no surfe.

Kai não mexeu um músculo. Feito uma estátua, observava o casal à sua frente. Gab e Luara se entreolharam.

— Eu sei que você disse não querer mais seguir por esse caminho, que havia desistido do surfe... — seu chefe prosseguiu. — E sei também que você só tomou essa decisão porque se desiludiu. Super entendo. Não é um esporte fácil para seguir adiante, se não tiver apoio.

— Mas agora o apoio chegou. E nós estamos muito felizes em poder te oferecer isso — Luara sorriu.

— Além do patrocínio, eu troquei uma ideia com um grande amigo meu. Ele mora em Ubatuba e treinou vários surfistas famosos no início da carreira. O cara é fera. Ele topou vir pra cá algumas vezes no mês para te acompanhar.

Kai fixou os olhos em uma ranhura na mesa. *Aquilo era sério?* Sua mente parecia um carro de fórmula um, percorrendo todos os últimos anos de sua vida, as incontáveis vezes em que caiu no mar sonhando em fazer isso de forma profissional, ansiando por uma oportunidade. E agora sua chance estava ali, diante dele.

Deus, eu não mereço.

Um ruído esquisito escapou-lhe e Kai levou a mão fechada à boca. Sua mandíbula se contraiu e ele engoliu com dificuldade, tentando empurrar de volta o choro que já chegava às pálpebras.

— Eu... eu não sei o que dizer — sua voz saiu sufocada.

— Não precisa dizer nada — Luara levantou-se, deu a volta na mesa e sentou ao lado dele. — A sua alegria é a nossa alegria. A sua realização, a nossa.

Ele conseguiria se manter firme até quando?

— Kai, o que vimos nos últimos meses foi de admirar — disse Gabriel. — Você amadureceu. Acompanhamos de perto seu comprometimento. Como você é ávido por aprender e não faz nada de um jeito meia-boca.

Os olhos ardendo outra vez!

— Kai, hoje você para mim é como um filho. Estou orgulhoso de você — Gab olhou dentro de seus olhos ao dizer isso.

E, desta vez, foi inútil tentar segurar as lágrimas.

58

ERA ESTRANHO VER SEU CABELO penteado para trás. O gel que pegara emprestado de Arthur deixava os fios baixos e alinhados. Kai soltou uma risada baixa. Estava parecendo um almofadinha. Ajeitou o colarinho e deu uma última checada em si mesmo antes de sair do banheiro.

Entrou no quarto de Arthur, que terminava de abotoar o punho do blazer. Ele olhou para Kai e sorriu. Era o que andava fazendo o tempo todo desde que Kai contara sobre sua conversa com Gabriel e Luara. Vó Dalva, aos prantos, o puxara para uma oração. Tio Lúcio lhe dera os parabéns e Naná, embora não entendesse muito bem o que aquilo significava, o abraçou com força.

Eles tinham feito muita festa. E talvez fosse por isso que os olhos de Kai ainda ardessem um pouco. A família de Arthur comemorou como se ele fizesse parte dela, e era bem isso que Kai sentia. Ele pensou nos avós que nunca teve, no pai que não via já fazia tanto tempo. Às vezes algumas coisas são tiradas da gente, mas outras são recebidas no lugar.

Seu peito estava feito a Praia da Parada na noite de réveillon: cheio de fogos de artifício. Ele se sentia assim. Vivo, empolgado, cheio de luz.

Então era essa a sensação? Quando algo que se deseja muito — e já se tinha perdido as esperanças — finalmente acontece, o coração parece triplicar de tamanho para dar espaço a tanta alegria? Ele pensou que o surfe tinha acabado em sua vida. Deus havia acabado de mostrar que não seria bem assim.

— Você está bonito, hein, cara — Kai deu um tapinha nas costas de Arthur e se sentou meio jogado na cama dele. — Parece que está indo casar.

— Você acha? — Arthur se olhou no espelho preso na porta do guarda-roupa. — Eu provavelmente estaria à beira de um ataque de nervos se estivesse indo encontrar a mulher da minha vida no altar.

Kai deu risada.

— Ah, os homens românticos... — suspirou. — A mulher que casar com você vai ter muita sorte.

Agora foi a vez de Arthur rir.

— O que você tá querendo? Não tenho dinheiro.

Um travesseiro atingiu em cheio a cabeça de Arthur e ele jogou de volta para Kai, que o segurou antes que fosse acertado.

— Como você acha que ela vai ser? — Kai segurou o travesseiro contra o peito. — A mulher com quem você vai dividir a vida um dia.

Arthur cruzou os braços e se recostou no guarda-roupa.

— Eu não tenho nenhuma lista de características ou qualquer coisa do tipo. Só espero que ela ame a Deus mais do que a mim, tenha bons conselhos, seja alguém com quem eu possa contar a qualquer momento — Arthur ergueu os ombros. — Nada muito incomum.

— E que seja bonita, claro.

— Aos meus olhos, sim — Arthur riu e olhou para a frente, um ar meio sonhador tomando seu rosto. — Quero que ela seja minha amiga antes de ser minha namorada e depois esposa. Acho que a amizade é um ótimo meio de conhecer como o outro verdadeiramente é.

Kai fechou o sorriso aos poucos.

— Você tem razão.

Três toques na porta antecederam a voz de tio Lúcio. Era hora de ir para a festa. Kai colocou-se de pé e saiu do quarto seguido de Arthur.

※

A entrada do salão de festas estava ornamentada com cachos de balões brancos e verde-água. Luzes frias se destacavam entre eles. Na realidade, havia luzes por todo o lugar. Fios de led desciam em cascatas pelas paredes, misturando-se aos painéis floridos e enroscando-se pelas pilastras.

— Nunca fui a um lugar tão chique... — Com os lábios semicerrados, Kai balançou a cabeça, admirado.

Ele passou as mãos pelo cabelo bem penteado e guardou-as nos bolsos da calça preta. Giovana havia encontrado a calça que ele usava numa boa promoção na internet e já fora o máximo que podia pagar. A blusa branca de botões e o blazer vieram do guarda-roupa do tio Lúcio. O tênis era seu velho e surrado Vans, que havia ficado com aparência bastante apresentável depois que Kai criou vergonha e o lavou.

— Vocês chegaram!

Como havia uma pequena aglomeração no hall de entrada, Kai demorou a localizar Gio. Até que a enxergou saindo de uma rodinha de meninas da igreja, vindo na direção dele e de Arthur.

Minha. Nossa.

Ele até se esqueceu da grande novidade que queria contar a ela. Endireitando o ombro, a observou chegar. O cabelo, partido ao meio e cercado por duas pequenas tranças na cabeça, caía em cascatas pelas costas. O vestido lilás, justo em cima, abria-se em um tecido leve até os pés. *Deslumbrante,* uma boa palavra para definir Giovana aquela noite.

Sem olhar direito para Kai, ela abraçou Arthur e, quando se virou para Kai, hesitou. Foi uma pausa de dois, três segundos. Ele demorou um tempo para reagir, mas enfim diminuiu a distância entre eles com um abraço. Foi meio desajeitado. Kai não queria encostar no rosto dela e acabar marcando a maquiagem. E o cabelo de Gio parecia tão alinhado que teve medo de bagunçar. Ele agia como se ela fosse uma flor delicada, que ao menor toque pudesse ter as pétalas desfeitas.

— Ficou legal — Gio apontou para o traje dele. — O blazer parece ter sido feito pra você.

— Graças ao tio Lúcio — ele ajeitou o colarinho da blusa. — Estou me sentindo importante nessa roupa.

— Você também não está nada mal — ela cutucou o braço de Arthur com o cotovelo. Ele riu.

— Nem você.

— Estou me sentindo a própria Rapunzel — ela fez uma mesura, erguendo levemente a saia do vestido com as pontas dos dedos.

— Você está linda — os dois disseram ao mesmo tempo. Mesmo com a maquiagem, foi possível ver o rosto dela enrubescendo.

— E aí? Bora sentar na mesa que minha mãe separou pra gente? — Ervilha chegou, deu um toque nas mãos dos meninos e deixou um beijo na bochecha de Giovana.

Chegando à mesa no meio do salão, misturada entre tantas outras, eles se sentaram. Os garçons já serviam quitutes minúsculos e esquisitos, que pareciam ter saído de alguma das revistas que Kai via nas casas do Village.

— Saudade de estarmos assim, todos juntos — Kai empurrou os braços de Arthur e Ervilha com a mão fechada. Gio, que estava sentada de frente para ele, sorriu. Ele abriu a boca para contar sobre seu patrocínio, mas se deteve. De repente, sentiu vontade de contar à Giovana em particular, em um momento em que pudesse olhar dentro dos olhos dela sem dividir a atenção com mais ninguém.

— Também tô sentindo falta disso — Arthur respondeu. — A escola e o cursinho são duas sanguessugas. É tão estranho que tenhamos vivido um verão tão intenso e agora... mal conseguimos pegar uma onda juntos.

— É a vida adulta chegando — Ervilha jogou na boca alguma coisa que Kai não saberia dizer o que era.

— Vocês já pararam para pensar nisso? Ano que vem cada um indo para um lado, fazendo coisas diferentes... — Giovana comentou com um ar meio melancólico.

Kai já tinha pensado nisso. E tão rápido quanto vinha o pensamento ele já o lançava fora, para debaixo de algum tapete imaginário. Não queria pensar em Giovana indo embora para cursar a Belas Artes. Ou Arthur e Ervilha se mudando para perto de universidades onde conseguissem uma boa nota no Enem. Um garçom encheu seu copo com Coca-Cola e Kai mandou tudo para dentro de uma só vez.

— É meio assustador — Arthur disse. — Mas espero que as coisas não mudem entre nós.

— Não vão mudar — Gio cravou com convicção. — Amigos de verdade sempre acabam encontrando o caminho um para o outro.

Íris estava radiante. O cabelo encaracolado preso em um penteado bonito, o vestido esvoaçante digno de uma princesa. A festa já avançava quase duas horas quando ela abriu a pista de dança coreografando uma música com suas amigas. Kai ainda procurava um momento em que estivesse a sós com Giovana. E, ao mesmo tempo, sentia-se meio que traindo Ervilha. Também queria contar logo para ele.

— Por que você não está lá? — Kai perguntou à Gio, apontando para a pista de dança com o queixo.

— Eu tenho quase dezoito anos na cara. O que ia fazer lá dançando com um monte de garotas de quinze?

— Eu ia gostar de ver você dançando — Kai percebeu tarde demais que tinha falado em voz alta. Sentiu um ardor subir pelo pescoço e tomar o rosto. Ervilha encheu as bochechas com refrigerante, Arthur fixou os olhos no prato de salgadinhos e Gio passou as mãos pela saia do vestido, como se estivesse desamarrotando o tecido já liso.

— Aí, sabem que música é essa? — Ervilha salvou a mesa do constrangimento quando a coreografia terminou e o DJ deu início a uma nova música.

— Wake! — Gio ficou de pé. — Sei os passos como se aquele acampamento tivesse sido ontem.

— Bora dançar? — ele propôs.

— Nem sei se lembro — Arthur coçou a cabeça. Não era novidade, ele detestava qualquer tipo de dança.

— A gente refresca sua memória — Kai levantou-se puxando o amigo, ansioso para se livrar daquele embaraço.

Os quatro se misturaram aos outros na pista e, incentivando Arthur, fizeram os passos junto a uma porção de adolescentes da igreja. Encontrar uma cachoeira no meio da mata não tinha sido a única lembrança positiva que aquele acampamento havia deixado, afinal. Kai colocou-se ao lado de Gio e depois de um tempo percebeu que ela estava na outra ponta, perto de Ervilha.

Dançaram a música. Erraram vários passos. Garantiram boas risadas. Íris se aproximou deles pulando, o sorriso escancarado de quem está curtindo a própria festa. Continuaram por ali, entre ritmos e luzes por um tempo, até o DJ mudar a playlist e um compasso lento tomar o salão. Algumas pessoas saíram da pista e outras começaram a procurar pares. Aquele não era o tipo de música que se dançava sozinho.

— Kai, tire a Gio para dançar! — Íris ordenou. Gio abriu a boca para responder, mas foi interrompida por Naná, que brincava com algumas crianças perto dali. Sua tiara de pérolas estava torta sobre a cabeça e ela colocou as mãos na cintura, sobre o vestido cor-de-rosa armado.

— O Kai vai dançar comigo!

— Vou? — ele arregalou os olhos. O sorriso banguela da irmãzinha de seu melhor amigo se fechou. Kai balançou a cabeça. — Vou! Vou, sim.

Ela bateu palmas e Arthur riu. Meio sem jeito, Kai estendeu a mão, sobre a qual Naná depositou seus dedos pequenos e magrelos. Não que ele tivesse alguma experiência com danças, e ainda mais com crianças, mas fez o seu melhor. Em dado momento, passou o olhar pela pista e deu de cara com Arthur e Gio. Os dois dançavam. Juntos. Kai voltou sua atenção imediatamente para a tiara de pérolas de Naná.

— Até que você não é tão ruim — disse Naná ao toque final da música, dando meia-volta. Kai soltou uma risada vendo-a voltar para seus amiguinhos.

— Foi abandonado?

Ele girou o pescoço e encontrou Giovana sorrindo ao lado dele.

— Não sei se atendi às expectativas.

Kai percebeu pelo canto dos olhos que Arthur agora tirava Íris para dançar e Ervilha convidava uma garota da igreja. Fora os casais namorados e casados, os solteiros na pista pareciam num clima amigável, sem aquela tensão pré-conquista. Ele e Gio estavam parados, lado a lado, no meio de várias duplas dançantes. *Ah, fala sério, ela é minha amiga.*

59

ELE ESTENDEU A MÃO. Gio sorriu com os lábios unidos e colocou-se diante dele, segurando sua mão com delicadeza. Os dedos dela estavam frios. Kai tomou sua cintura e ela levou a mão livre ao ombro dele. Eles não faziam contato visual. E nem conversavam como ela e Arthur faziam minutos atrás.

— Tenho uma coisa para te contar — Kai disse.
— Eu também — ela mirou seus olhos.
— Fala primeiro.
— Pela forma como seus olhos estão brilhando mais que o normal esta noite, por favor, me conta logo.

Ele ergueu o canto da boca em um sorriso.

— Você está dançando com o mais novo surfista patrocinado da região.

O rosto dela foi tomado por completo assombro.

— Quê... como? Me conta tudo!
— A Sunshine vai continuar pagando meu salário, só que por uma função diferente agora.
— Tá falando sério? Gabriel e Luara vão te patrocinar?

Kai sacudiu a cabeça em pequenos e seguidos movimentos de concordância. Ela jogou os braços sobre os ombros dele e o abraçou com força.

— Eu sempre soube que esse dia ia chegar — a voz de Gio, em contato com o blazer de Kai, saiu abafada. Ele mergulhou o nariz no cabelo dela e sorriu. Naquele dia, o cheiro parecia de frutas vermelhas. Quando ela se afastou, suas pupilas estavam dilatadas e brilhavam tanto que pareciam salpicadas de diamantes.

— Sempre acreditei. Mesmo quando você dizia que tinha desistido — ela acertou o braço dele com um soquinho. — Isso quer dizer que ano que vem você vai poder competir no circuito nacional, né?

— Talvez não ainda. Provavelmente vou ficar um ano só me dedicando aos treinos. Gabriel e Luara vão patrocinar meus materiais, pagar meu salário e um treinador também, que aliás já treinou vários campeões no início da carreira.

A boca dela se abriu em um "O" bem grande.

— Você vai deslanchar! Não tenho dúvidas.

— Obrigada por sempre acreditar em mim, até quando nem eu acreditava.

— É para isso que servem os amigos — Gio falou sorrindo. Kai encarou-a por tempo demais, e talvez intensidade demais, e o riso dela morreu.

— Agora preciso te contar a minha novidade — ela correu em falar. A música tinha mudado, o ritmo porém continuava igual. Eles iam de um lado para o outro devagar, seguindo as batidas. O que poderia ser? A nota do Enem sairia em janeiro e só então Giovana saberia sobre a faculdade.

— Lembra que me inscrevi em um curso de férias na Belas Artes?

Sim. Ele lembrava.

— Eu passei.

Kai deu um sorriso de admiração e fez o mesmo que ela minutos antes. Envolveu-a pela cintura e abraçou-a.

— Estava na cara que isso ia acontecer. Parabéns, Giovana! Aquela faculdade será pequena pra você.

— Vou partir daqui a duas semanas. Só o tempo de fechar tudo na escola.

— Já?

— O curso tem duração de dois meses. Começa no início de dezembro.

— E depois você já vai ficar por lá?

— Se eu passar na faculdade, sim.

— É claro que você vai passar. — Seu estômago deu um nó. O que era contraditório, porque ele estava feliz. Genuinamente feliz por Giovana. Mas... duas semanas? Kai sentia que nada mais seria igual depois disso. — Vou sentir tanto a sua falta... — completou, baixinho.

A voz da canção nos alto-falantes tornou-se mais cadenciada e o arranjo atenuou-se, em um ritmo delicado. Giovana chegou mais perto, seu perfume brincando sob as narinas dele. Kai cerrou os dentes e engoliu em seco.

A proximidade deles estava a ponto de virar uma tortura quando Gio balbuciou que precisava ir ao banheiro e saiu depressa, sem olhar para trás. Kai encheu as bochechas de ar e soltou aos poucos, passando a mão pelo cabelo. Voltava para a mesa quando sentiu um tranco no pescoço. Era Ervilha dando quase um mata-leão nele.

— Ei, que susto! — Kai reclamou.

— Não me viu chegando?

— Estou um pouco distraído.

— É, eu sei por onde a sua mente está andando.

— Sabe?

— E não é de hoje.

— Não sei do que você está falando.

Ervilha riu, balançando a cabeça.

— Você tá caidinho por ela, né? Precisa ver sua cara quando a Gio fala qualquer coisa. Ela pode dizer "a cadeira é branca" que você vai olhar pra ela como se tivesse declamado um poema de Vinícius de Moraes.

— Para de graça. De onde tirou isso?

— Ai, ai. Kai apaixonado. Quem diria? E pela Giovana ainda por cima! O lado bom é que você vai continuar andando na linha enquanto estiver com ela.

— Eu não estou com ela.

— E por que está perdendo tempo? Nunca vi você enrolar tanto para pegar uma gata.

O sangue de Kai ferveu.

— Pegar uma gata? É assim que você se refere à Giovana? Só não largo um soco na sua cara porque estamos na festa da sua irmã.

— Ei, cara, fica frio — Ervilha ergueu as palmas abertas. — Foi só jeito de falar.

— Não fale dela desse jeito.

— Desculpa, eu me expressei mal — Ervilha abriu um sorrisinho de canto. — Se eu precisava de mais uma prova de como você está apaixonado...

— Deixa isso quieto, Ervilha. Nunca vai rolar.

— Por que não?

— Sei lá — mas ele sabia, sim.

— Desembucha logo.

Os dois agora estavam perto da mesa. Um garçom passou e cada um pegou um prato de salgadinhos. Kai mastigou um pedaço de uma coxinha de frango por um tempo antes de responder.

— Você consegue imaginar uma garota como a Gio com um cara como eu? O que vou poder oferecer a ela, Ervilha? — Enfiou o restante da coxinha na boca. — Ela é inteligente, madura na fé, cheia de planos e vida. Combina mais com o Arthur.

— Isso é verdade.

Pô, valeu.

— Mas você também tem planos — continuou ele. — E, se Deus quiser, em breve vai ter muito o que oferecer, quando começar a ganhar uns campeonatos aí.

— Não é só de dinheiro que eu estou falando. E eu não sei quando ou *se* vou ganhar campeonatos. Vou trabalhar pra isso, mas é incerto, porque vou estar no início e... — Kai se deu conta de algo e quase engasgou. — Quem te contou?

— Pergunta errada, meu camarada — Ervilha pegou um copo d'água na mesa e estendeu a Kai. — A certa seria "me perdoe por não ter te falado a maior novidade da minha vida assim que te vi hoje?".

— Eu ia te falar, cara. É que eu estava esperando um momento para contar em particular para a Gio e estávamos sempre juntos e...

— Em particular, sei — Ervilha ergueu uma sobrancelha. — Ficar caidinho de amor... será que um dia vou passar por isso? — Ele bateu as mãos sujas de salgado e inspirou fundo. — Kai, toma logo coragem e vai falar com ela. Se declara e vê o que acontece. A Gio nunca vai olhar para sua condição econômica ou algo assim, você sabe disso. Pare de dar desculpas a si mesmo.

Como uma bola qualquer, que só precisa de um mínimo impulso para se movimentar, Kai começou a olhar em volta. Enxergou Giovana do outro lado, passando pela porta de vidro que dava para a parte externa do salão.

— Me deseje sorte.

— Esse é meu garoto — Ervilha deu tapinhas em suas costas.

Kai foi parado por uma pessoa e outra querendo puxar papo no meio do caminho. Ele apenas sorria, sem fazer o assunto render. Meio agitado, esbarrou em algumas cadeiras e quase trombou com um garçom. Quando ultrapassou a porta e seus olhos pousaram sobre ela, parou.

Giovana dava uma risada. E não era para ele.

De costas, Arthur moveu o tronco para a frente enquanto falava alguma coisa. Parecia ser um assunto empolgante ou engraçado. Giovana agora limpava o canto dos olhos com os dedos indicadores. O que ele tinha dito de tão cômico?

A parte externa do salão era coberta por um gramado bem aparado e uma piscina cercada por lounges compostos por sofás brancos e almofadas verde-água. Arthur e Giovana estavam do outro lado da piscina, ao lado de um lounge cheio de gente. Kai começou a caminhar até lá.

Mas então se deteve. Os dois pararam de rir. Pareceram entrar em uma conversa mais séria. E, apesar de haver tantas pessoas por perto, eles só prestavam atenção um no outro. Não era como se houvesse algum clima de romance ali. Ainda assim, Kai sentiu seu coração doer.

Ao observar os dois de longe, achou que passariam facilmente por um casal. E um dos mais bonitos. Fechou os punhos de leve. Será que eles já tinham percebido como combinavam?

"Quero que ela seja minha amiga antes de ser minha namorada e depois esposa."

Era tão nítido. Arthur, o garoto perfeito. Gio, a garota perfeita. Eles tinham tanto a oferecer um ao outro. Os dois eram sensatos, espirituais, sempre cheios de bons conselhos. E Kai? Quem ele era? Um vaso ainda tão sem forma na mão do Oleiro.

"Só espero que ela ame a Deus mais do que a mim, tenha bons conselhos, seja alguém com quem eu possa contar a qualquer momento."

Seu amigo do peito, aquele que esteve a seu lado nos momentos mais difíceis da vida, merecia alguém como Giovana. E Kai não ficaria no caminho para atrapalhar.

Um bolo subiu por sua garganta e ele forçou-o a descer. Não ia se prestar a esse papel. Colocou as mãos nos bolsos e decidiu buscar algum petisco, deixando os dois a sós por mais algum tempo. Mais cedo ou mais tarde eles acabariam descobrindo como eram ideais um para o outro. Se é que isso já não tivesse acontecido.

60

KAI OLHAVA A AMPLITUDE negra do mar que se descortinava a sua frente. A brisa fresca bagunçou seu cabelo ao virar o rosto. Giovana já devia ter recebido mais de trinta abraços naquela noite. As lâmpadas redondas penduradas na parte externa da Sunshine brilhavam sobre o grupo de adolescentes que se despedia dela. Aquele era o último encontro do ano do grupo liderado por Gabriel. E eles aproveitaram para fazer uma despedida surpresa para Gio, com direito a cartinhas, oração de bênção e discursos. Ah, e fotos. Muitas fotos.

O rosto dela estava inchado de tanto chorar. Gio sabia que não voltaria. Por mais insegura que fosse com sua nota do Enem, ninguém tinha dúvida de que uma bolsa cem por cento em Belas Artes pertencia a ela.

Pela primeira vez em um bom tempo, Kai a viu livre, sem nenhum braço em torno dela.

— Então, é isso — disse ele ao se aproximar. — Você vai partir.

— Meu ônibus sai amanhã às seis — ela apertou os lábios.

Os olhos dela fitavam os dele, e Kai teve vontade de poder ler sua mente. No que Giovana estaria pensando? Eles haviam se encontrado tão pouco nas últimas duas semanas. Ela sempre envolvida com os preparativos da partida e ele... bem, era bom começar a se acostumar com a distância, que se consumaria de um jeito ou de outro, ainda que Giovana não fosse embora.

— Vou sentir sua falta — Kai puxou-a para si e apertou os braços ao redor dela.

Giovana ficou ali um tempo, sem dizer nada, até que se afastou e olhou nos olhos dele outra vez. Um fio de lágrima ameaçava cair sobre suas bochechas.

— Quebra tudo nesses treinos, viu?

Ele sorriu e se soltou dela, dando um toque em seu nariz.

— O Senhor guardará a tua entrada e a tua saída, desde agora e para sempre — Kai recitou em tom solene.

Gio estreitou os olhos.

— Isso me parece um salmo.

— E é.

Os olhos dela ficaram úmidos outra vez.

— Amém.

Arthur se aproximou e colocou os braços sobre os ombros de Kai e Giovana. Ele chamou Ervilha e Íris, que estavam ali por perto.

— Vem, vem, vamos orar pela Gio.

Os irmãos olharam para Kai meio na dúvida, mas acabaram se unindo a eles também. Os dois tinham questionado por que ele não se havia declarado para Giovana. A única resposta que tiveram foi que deixassem aquela história de lado. Kai já tinha deixado.

— Prometem que não vão se esquecer de mim? — O queixo de Giovana tremeu.

— E tem algum jeito de isso acontecer? — Arthur fez uma careta, como se ela tivesse dito a coisa mais absurda do mundo. Os cinco então se abraçaram. Arthur orou. E ficaram ali, curtindo a presença um do outro, como se, ao se soltarem, a amizade pudesse se desfazer ao mesmo tempo.

Aquele dezembro seria muito diferente do anterior. E o que seria igual a partir de agora? Uma nova fase começaria na vida de Kai. Na verdade, na vida de cada um deles.

Kai ergueu os olhos para o céu escuro. Havia nuvens cinzentas espalhando seus rastros em cima da lua cheia e camuflando as estrelas. Só se podia ver uma pequena porção delas. Ele fixou os olhos em uma, mais brilhante que as demais. E uma pergunta, que reverberava em sua cabeça havia tanto tempo, passeou mais uma vez por ali.

Que tipo de homem você quer ser?

Oh, Deus, um homem que honre a ti em cada passo que eu der. Esse é o tipo de homem que quero ser.

Desde que o Senhor estivesse a seu lado, conseguiria êxito. E, pelo que aprendera naquele ano, ele nunca deixava de estar.

61

TRÊS ANOS SE PASSARAM.
    A televisão estava ligada. Não dava para ouvir o que a repórter dizia porque o propósito era distrair os clientes com imagens bonitas de um canal de esportes, não transmitir informações relevantes. *Aéreo sinistro*, pensou ao analisar a manobra que se repetia no monitor. Por mais que tivesse visto com os próprios olhos aquela performance no dia anterior, não cansava de admirar o jeito impressionante com que aquele cara conseguia conduzir a prancha. *Um dia eu chego lá.*
    Kai pegou o troco com a balconista e esperou alguns segundos pelo café fumegante. Não era muito chegado à bebida marrom, mas não via outra maneira de deixar os olhos abertos após uma noite desconfortável como a que havia acabado de ter. Nem mesmo o travesseiro macio feito nuvem oferecido pela companhia aérea foi capaz de compensar pelas horas que precisou ficar jogado numa das cadeiras metalizadas e rígidas do aeroporto. Seu corpo se recusou a relaxar. E ele sabia que não era apenas por causa do atraso no voo.
    Como seria quando o visse?
    Não havia formulado essa pergunta em nenhum momento desde a ligação de sua mãe, mas cada nervo de seu corpo parecia fazer esse questionamento. Tentava agir como se não se importasse muito. O fato, porém, era que se importava. Ao longo de todos aqueles quatro anos, sempre havia se importado.

Levou à boca o pequeno copo de papel tampado com uma abertura oval na ponta e já se afastava do balcão quando viu seu rosto surgir no televisor. Ele fitava o céu com os olhos quase fechados e um sorriso escancarava seu rosto enquanto erguia o punho fechado para cima, numa clara expressão de celebração.

A atendente passou os olhos pela tevê e começou a anotar o pedido de um grupo de meninas que acabara de chegar com muitas malas de rodinhas e mochilas coloridas. As vozes enchiam o saguão do aeroporto. A mulher voltou a atenção para o monitor outra vez e em seguida olhou para Kai. Ele sentiu o calor subir pelo pescoço e enganchou debaixo do braço a prancha protegida por uma capa preta e cinza que tinha encostado numa cadeira ali perto. Começou a se afastar quando uma das garotas que fazia o pedido correu até ele e encostou em seu braço.

— Kai Fernandes? É você mesmo?

Ele olhou para trás, encarando a menina, e respondeu meio sem jeito:

— Sim. Sou eu.

Ela se virou para as outras três garotas soltando um gritinho estridente. As amigas se aproximaram, igualmente eufóricas, com os olhos brilhando e todos os dentes à mostra.

— Podemos tirar uma foto? — a primeira pediu. — A gente acompanhou você em todas as etapas do circuito!

— Torcemos muito para que fosse o campeão, mas o terceiro lugar já está ótimo! — falou uma outra, que usava aparelho e não devia passar dos catorze anos.

— Ah, valeu, meninas. Muito obrigado — Kai sorriu. — Vamos tirar a foto, sim.

Elas o rodearam e as duas que ficaram ao seu lado abraçaram sua cintura com ânimo excessivo. Ele agradeceu e meteu o pé dali assim que as meninas voltaram para o balcão, onde a atendente ainda fixava os olhos arregalados em Kai. As pessoas começavam a notar o movimento, e ele não queria chamar mais atenção. Cruzou o saguão e procurou a locadora de carros que já tinha usado uma vez. Seu celular apitou.

Arthur: E aí, já chegou ao Rio?
Kai: Agora há pouco. Só comprei um café e estou indo pegar o carro.
Ervilha: Show. Tem certeza de que não quer que a gente encontre você no aeroporto?
Arthur: Podemos pegar um Uber.
Kai: Não precisa. Rapidinho chego aí.

O sol brilhava forte sobre a avenida Padre Leonel Franca, na Gávea. Apesar da temperatura alta, típica de dezembro, Kai escolheu não ligar o ar-condicionado. Dobrou o braço esquerdo sobre a janela do carro enquanto mantinha o direito esticado, segurando o volante. Os fios dourados de seu cabelo eram lambidos para trás pelo vento e o tom castanho da lente dos óculos escuros dava um ar meio vintage àquela parte da zona sul do Rio, como se ele estivesse dentro de um perfil cult no Instagram.

O vento no rosto despertou-lhe uma memória, transportando-o para o carro do Pitbull numa madrugada das férias de janeiro, quase quatro anos antes. Uma carona aleatória que nunca se repetiu. E, graças aos céus, ele não tinha precisado de outra.

Kai se sentia grato por Deus ter escolhido aquela madrugada, em que havia tomado seu primeiro e único porre, para se revelar a ele de um jeito especial. *Ele me encontrou em meu pior momento. Ele me chamou quando tudo que eu tinha a oferecer era... nada.* Tanta coisa havia mudado desde aquele dia. A impressão de Kai era que se haviam passado décadas.

Diminuindo a velocidade, virou uma esquina e encostou em frente a um prédio antigo. Arthur e Ervilha estavam na calçada, cada um com uma mochila nas costas e uma prancha debaixo do braço.

— E aí, campeão! — Ervilha gritou e seguiu para o porta-malas, pegando a mochila de Arthur e jogando as duas dentro. Kai desceu para ajudá-los a prender as pranchas no teto do carro e recebeu a palma aberta de Arthur na sua. O amigo puxou-o para si e com o braço livre envolveu os ombros de Kai.

— Fala aê, cara, quero saber de tudo! Você arrebentou na final!

— A gente fez até rodízio de pizza com a galera da faculdade para assistir — Ervilha cumprimentou o amigo com um abraço apertado. — A real é que você arrebentou em todas as seis etapas. E vou te falar, eu e Arthur podemos ganhar uma medalha de melhores-amigos-ever, hein? A gente assistiu a todas!

Era dezembro. Desde junho, Kai quase não parava no apartamento que ficava no quarto andar do prédio atrás deles, e que dividia com Arthur e Ervilha. Todo mês acontecia uma etapa do circuito nacional de surfe em um estado diferente. A última, de onde ele tinha acabado de chegar, havia ocorrido no Ceará. Sites e canais de tevê transmitiram ao vivo todas as competições.

— Vocês são feras. Queria ter dado a alegria do primeiro lugar, mas quem sabe um dia.

— Eu não tenho dúvida de que você vai chegar lá — Arthur ergueu sua prancha, acomodando-a no suporte no teto do automóvel junto com a de Kai. — Você acabou de entrar para a elite do surfe nacional, meu irmão, tem noção disso?

— A ficha ainda não caiu. É tudo tão surreal!

— O gosto do sonho realizado... deve ser tipo comer um pote de Nutella depois de um ano sem ingerir doces — Ervilha também acomodou sua prancha sobre as outras. Os três começaram a puxar cordas e garantir que nenhuma escapuliria pelo caminho.

Kai considerou a comparação de Ervilha muito digna. Às vezes, ele sentia que sua vida andava sendo exatamente isso: leve e doce. De vez em quando, lá no fundo, um toque quase imperceptível soava. Era a herança dos dias difíceis dizendo que, de repente, tudo poderia mudar e que aquela alegria toda iria embora.

E então sua mente e seu coração eram refrescados com a lembrança de que o jugo dele é suave e o fardo, leve. Não importava o que viria pela frente, poderia descansar nessa certeza. Mesmo que o mundo desabasse — como tantas vezes já havia acontecido —, ele tinha uma rocha firme sobre a qual firmar os pés.

Os últimos anos não foram só de alegrias, claro. Teve de se esforçar muito, sugar tudo que podia do treinador pago por Gabriel, treinar em cada segundo livre e ir para as competições com fogo nos olhos — e tranquilidade no coração. Isso lhe rendeu alguns títulos em campeonatos e mais patrocínios. Chegou um momento em que seu desempenho cada vez mais avançado pedia um treinador mais qualificado. Foi então que, um ano atrás, havia se mudado para o Rio e começado a dividir o apartamento com Arthur e Ervilha, que já moravam juntos no imóvel do tio Lúcio desde o início da faculdade.

— Isso me fez lembrar a Sunshine — Arthur suspirou. — Aquele wrap de Nutella com morango é coisa de outro mundo. Precisamos ir lá o mais rápido possível quando chegarmos. Que saudade daqueles lanches.

— Eu devo ir amanhã. Tenho muita coisa para conversar com o Gab — disse Kai.

— Ele deve estar se desmanchando de orgulho — Ervilha sorriu. — Assim como todos nós.

Kai agradeceu, desviando os olhos para os carros que cortavam a rua ao lado deles. Nunca se acostumaria com todos aqueles elogios e toda aquela atenção.

— Estou na expectativa por esses dias de descanso. Agora que a temporada acabou, finalmente vai dar para passar mais dias em casa. Minha mãe está cobrando isso — Kai compartilhou, conferindo se tudo estava bem preso. — Vou ficar até início de janeiro e depois volto para recomeçar os treinos. O Felipe é um treinador meio carrasco.

— Você fala como se não fosse cair no mar todo dia na Praia da Parada — Arthur riu e os três entraram no carro.

— Ah, mas lá eu não vou pensar em desempenho. Só quero curtir o mar com vocês, matar a saudade de quando a gente não fazia outra coisa da vida — Kai girou a chave e deu partida.

— Acho bom você não querer humilhar a gente, mesmo — Ervilha cruzou as mãos na nuca e espalhou-se pelo banco de trás.

— Cinto, Ervilha — Arthur nem se deu ao trabalho de olhar para trás antes de ordenar.

— Como você sabia que...? — Ervilha parou a pergunta no ar.

— Ninguém precisa olhar para saber que você não colocou o cinto. Você nunca coloca se não mandarem — Kai deu a seta, entrando em uma avenida movimentada. O trânsito fluía bem.

— Olha quem fala. Você pilotou aquele barco do seu pai sem ter experiência ou algum apreço pela vida — ouviu-se o clique da lingueta do cinto sendo afivelada.

— Pô, você tirou essa lá do fundo do baú.

— Falando no seu pai, como ele está? — perguntou Arthur.

A luz vermelha do semáforo acendeu e Kai parou o carro devagar, mantendo o pé no freio. Encostou o cotovelo na dobra entre a porta e o vidro da janela e coçou embaixo do nariz com o polegar. Ele não tinha comentado nada com os amigos. Não tinha comentado nada com ninguém.

— Ele foi solto — contou.

— Como assim? — Ervilha gritou.

— Já faz uns dias. Minha mãe me ligou contando. Eu estava lá no Ceará — Kai falou sem esboçar emoção.

— Meu pai me disse — Arthur revelou. — Por isso você resolveu ir direto para Ponte do Sol. Jurava que ia querer comemorar por aqui primeiro.

— O pessoal da igreja estava preparando uma festa por causa do seu bronze, mas aí a gente disse que você não ia ficar nem por uma hora em solo carioca. Eles deixaram para fazer quando você voltar.

Arthur olhou para trás.

— Parabéns por estragar a surpresa.

— Ih, é! Foi mal — Ervilha coçou a cabeça. — Até Kai voltar em janeiro já deu tempo de esquecer o que eu disse.

Kai sorriu. A igreja que eles frequentavam no Rio era pequena, mas cheia de pessoas incríveis.

— A pena do seu pai não era maior do que cinco anos? — questionou Ervilha. — E, pelas minhas contas, aquele verão em que ele foi preso foi há quatro.

— Era. Mas o tio Lúcio conseguiu comprovar que ele foi usado por Mariano como laranja.

— Falando no Mariano, será que anda curtindo passar os dias por trás das grades? — Arthur ironizou. — Aquele cara demorou a ser preso, mas pelo menos agora está pagando pelos crimes que cometeu.

— Ele é rico. Vamos ver quanto tempo vai ficar na cadeia — Kai torceu os lábios. A polícia havia encontrado Mariano alguns meses antes, em uma mansão no sul do país.

— E a Chloe, teve notícias dela? — perguntou Ervilha.

— Nunca mais. Sumiu do mapa, como o pai.

— Às vezes fico pensando no desfecho doido que a nossa brincadeira de detetive teve — Ervilha olhou para fora do carro. — Parece coisa de filme que no final seu pai estivesse envolvido com tudo aquilo.

— Nem faz tanto tempo assim, mas tenho a impressão de que se passou uma vida inteira desde aquela época — Kai comentou.

— Também sinto isso — Arthur concordou. — Foi um verão inesquecível.

— E pensar que tudo começou por uma ideia da Gio de nos alegrar após a perda naquele campeonato... — o tom nostálgico perpassou as palavras de Ervilha.

— Se ela soubesse no que daria tudo aquilo, com certeza não teria tido a ideia — Arthur riu.

— Como será que ela está? Faz séculos que não a vejo — disse Ervilha. — O Instagram dela só tem fotos dos quadros que ela pinta, galerias de artes e ângulos esquisitos. Coisa de artista.

— Nós nos falamos semana passada — Arthur respondeu. — A Gio está na correria da faculdade, participando de muitos eventos e mostras artísticas, mas ela disse que também vai passar as férias na casa dos pais.

— Ela vai? — Kai tirou os olhos da estrada por um momento para olhar para Arthur. — As últimas férias que ela passou em Ponte do Sol foram há dois anos. Acho que eu só a vi uma vez depois disso.

— Pelo jeito vamos ter um verão como os dos velhos tempos — Arthur sorriu. — Vai ser bom.

— Só que agora com um monte de gente no pé do Kai. Estou até vendo — Ervilha soltou uma respiração pesada.

— Por quê? — Kai olhou para o amigo pelo retrovisor.

— Você ganhou o terceiro lugar na maior competição de surfe do Brasil e virou subcelebridade! A galerinha vai ficar em polvorosa vendo você na praia.

— Pô, Ervilha! — Kai abriu uma mão. — Subcelebridade?

— Você está com quase quarenta mil seguidores no Instagram, Kai. Faz publi, dá entrevista para vários sites e tem um monte de foto com fã.

Kai girou os olhos.

— Olha aqui, acabei de ver nas marcações do seu perfil. Umas meninas postaram uma foto com você no aeroporto agora há pouco — Ervilha gargalhou, os dedos passando pela tela do celular. — Cara, você tá muito famoso!

O que eles diriam quando soubessem que Kai havia recebido um convite para começar a competir no circuito mundial com tudo pago? A oferta de um novo patrocínio havia chegado com sua participação na final do circuito nacional. E, desta vez, um patrocínio pesado. Empresa internacional. Isso lhe abriria portas inimagináveis.

Por algum motivo, Kai decidiu guardar aquilo para si. Manter entre ele, seu treinador e Deus. No momento certo compartilharia.

62

AS TRÊS HORAS DE VIAGEM passaram como se fossem trinta minutos. Kai colocou os amigos a par de todos os detalhes sobre a final do circuito e quis saber como havia sido a semana de provas dos dois. Eles terminariam a faculdade de engenharia no ano seguinte, mas por enquanto só queriam descansar e aproveitar as férias. Quando Kai os deixava em casa, Arthur e Ervilha o chamaram para um mergulho. Kai ficou tentado, mas negou.

Antes de sair do condomínio, aproveitou para respirar um pouco do ar da Praia da Parada. Para os outros, podia ser apenas um cheiro bom e úmido de sal e maresia, mas para ele tinha aroma de casa. Embora nunca tivesse morado naquele condomínio, havia crescido naquela areia e, durante muitos anos, foi só ali que conseguiu se sentir acolhido e seguro — como se pertencesse a algum lugar no mundo.

Com um toque rápido no meio do volante, Kai buzinou para o segurança e deixou a Praia da Parada para trás. Uma mistura alaranjada e lilás se projetava por trás da cadeia montanhosa que cercava Ponte do Sol, indicando que o dia se aproximava do fim. Após cortar algumas ruas, Kai virou o volante e entrou na antiga travessa que conhecia desde que se entendia por gente. Seu peito se encheu com uma vibração estranha e as mãos começaram a suar. Como seria quando encontrasse o pai? Fazia tanto tempo.

Seus olhos se desviaram para a calçada ao perceber uma movimentação diferente. A penumbra do crepúsculo impedia que ele visse com clareza um vulto que parecia se mexer devagar. Kai passou direto e estacionou em frente ao muro amarelo recém-pintado. Sua mãe havia feito algumas melhorias consideráveis na casa desde que ele começara a enviar boa parte dos prêmios que ganhava com suas vitórias nos campeonatos.

Kai levava a chave ao portão quando se deteve. Seu cenho franziu de leve e ele girou o pescoço em direção ao vulto. Estreitando os olhos, percebeu o corpo magro que levava uma garrafa à boca. Seu estômago foi tomado por uma sensação gelada.

Em vez de entrar em casa, Kai cerrou os punhos e seguiu até o sujeito quase cadavérico sentado na calçada, com as costas encurvadas apoiadas no muro de uma casa. O homem se agarrava à garrafa como se fosse um bote salva-vidas.

— Pai? — soprou com a voz trêmula.

Os olhos fundos de Sidney se ergueram e Kai prendeu o ar. *Ah, meu Deus, o que esses anos na prisão fizeram com ele?* Seu pai abaixou a cabeça e mirou a rua. Os olhos como duas bolas de gude opacas. Kai pensou em perguntar se estava tudo bem, mas seria inútil. A resposta estava na sua cara. Os ossos de Sidney saltavam, o rosto fundo, o cabelo raleado. Kai nunca tinha visto o pai daquele jeito. Observou aquele homem que mais parecia um estranho e, então, estendeu a mão.

— Vamos para casa?

Sidney continuou com as mãos presas à garrafa vazia. Kai guardou as suas nos bolsos após um tempo, mas continuou ali, ao lado do pai, até que Sidney espiou-o por um segundo e disse, com a voz embargada:

— Você vai ficar parado aí?

— Vou.

Com um estalar de língua, Sidney apoiou-se no chão e fez força com as pernas. Não conseguiu segurar o corpo. Antes que voltasse com tudo à calçada, Kai o segurou pelos ombros. Com firmeza, passou o braço do pai pelo próprio pescoço, segurou-o pela cintura e virou-se para casa. Sidney não resistiu.

Abrindo o portão, Kai atravessou a varanda e levou o pai até a sala de estar. Sua mãe certamente não gostaria de ver a calça suja de Sidney sobre o sofá novo, mas aquelas mantas sobre o estofado deviam ter alguma serventia.

Falando em mãe, onde Eva estava? Kai olhou ao redor e tudo parecia excessivamente silencioso. Até o rádio estava desligado. Os olhos de Sidney se fecharam aos poucos e Kai pegou a garrafa de seus dedos sem muita dificuldade. Colocou o frasco em cima da mesa e ouviu a respiração de seu pai se aprofundar.

Agora, sob a luz da sala de estar, Sidney parecia menos assustador. Ele dormiu sentado meio sem jeito, com o pescoço dobrado quase em noventa graus. Kai segurou a parte superior dos braços do pai e o deitou. Descansou a cabeça dele sobre um braço do sofá e esticou as pernas sobre o outro braço, como se ele fosse um boneco de pano. E se sentou na poltrona ao lado. Apoiou os cotovelos nos joelhos e afundou o rosto nas mãos, soltando um suspiro.

— Meu Deus — gemeu. — Isso é bem pior do que eu esperava. Agora que ele se livrou das grades vai se algemar ao álcool outra vez? Quando isso vai ter fim, meu Pai? — Kai levantou a cabeça. O teto liso e branco bem diferente da telha ondulada e manchada que ele vira todas as noites durante quase toda sua vida, ao dormir. A primeira coisa que sua mãe fez quando ele ganhou dinheiro suficiente foi colocar laje em casa.

Seus olhos se voltaram para o pai mais uma vez. Ele não tinha visto nada daquilo. Como deve ter sido voltar para casa e encontrar as coisas tão diferentes? Pelo menos tinham mudado para melhor. Um pensamento atravessou a mente de Kai, e ele o colocou para fora em voz alta:

— Será que você sabe por que minha vida e a da minha mãe mudaram tanto? Ela deve ter te falado — Kai se recostou na poltrona. — Esses dias eu estava lembrando de quando você me colocou numa prancha pela primeira vez. Bom, na verdade não sei bem se foi a primeira vez mesmo. Mas a memória que tenho é essa. Eu de pé naquela bodyboard azul-marinho e você do meu lado, guiando a prancha. Eu tomei um caldo daqueles. Não sei se você lembra. Acho que não. Faz tanto tempo.

O peito de Sidney continuava subindo e descendo, as pálpebras coladas, o cheiro ardente emanando de seu corpo amolecido. Kai passou as palmas abertas pelas coxas e ficou de pé. Antes de apagar a luz deu uma olhada longa em seu pai e seguiu para seu velho quarto. Embora só tivesse carregado Sidney, que pesava como uma pena, suas costas reagiam como se tivesse elevado cem quilos. Emocionalmente talvez tivesse mesmo. Precisava descansar.

O aroma de café tomava o corredor e chegava ao quarto de Kai, que dormira com a porta semiaberta. Bocejou, esfregando os olhos. Ainda estava com a roupa do dia anterior e suas axilas tinham cheiro de vencido. Dormiu tão rápido que nem pensou em tomar um banho. Checou o relógio.

— Caramba, dormi quase doze horas... — e ficou um tempo sentado na cama, os pés descansando no chão e o olhar perdido na parede que ostentava suas medalhas.

— Alguém aí conseguiu tirar todo o sono atrasado esta noite, hein? — Eva entrou no quarto e abriu a cortina. — Estava com tanta saudade de você! Parabéns pela sua vitória, meu filho. Eu assisti a tudo. — Ela sentou-se ao seu lado e apertou Kai com força. Ele sorriu.

— Oi, mãe. Também estava com saudade. Foi mal por não ter esperado você chegar ontem. Estava morto de cansaço.

— Não se preocupe. Esqueci de avisar que ia para uma reunião das irmãs da igreja. Era o fechamento anual do departamento feminino e eu não podia faltar.

Kai abriu a boca em um bocejo.

— Como está o pessoal da igreja? A Luara estava lá ontem? Saudade dela e do Gabriel.

— Estava, sim. Ela que levou a palavra, aliás. Tudo que tem de jovem, tem de sábia. O filhinho deles já vai fazer dois anos, acredita? Como passa rápido — Eva se levantou e começou a tirar as roupas sujas da mochila do filho. — Sabe quem mais estava lá? Aquela sua amiga da época de escola, a Giovana. Foi acompanhar a Lili, que inclusive te chamou para visitá-los nessas férias. Eu disse que você ficaria quase um mês aqui.

Kai abriu bem os olhos, ainda com a sensação de que a pele de seu rosto era feita de borracha, dificultando qualquer mínimo movimento.

— Ah, é?

Há quanto tempo não ia à casa da Giovana? Kai puxou na memória e acabou lembrando-se do dia em que havia conhecido o ateliê dela. Foi o primeiro e último dia em que esteve lá. O desenho dele que ela fizera piscou em sua mente, e Kai teve vontade de vê-lo outra vez. Já tinha se perguntado por que não lhe pedira o desenho. Talvez fosse o medo de que Gio não tivesse mais nada dele para lembrar.

Sentiu um frio na barriga. Um ano e meio pode mudar muita gente, ainda mais quando se está no início da vida adulta. Será que Giovana tinha mudado?

— Vou lavar essa sua mochila — Eva murmurou começando a abrir os bolsos pequenos e tirar tudo de dentro deles. — Ela nunca viu um sabão na vida. Está na hora.

— Não precisa, mãe. Você já trabalha muito, não precisa arrumar mais coisa para se cansar.

Eva estalou os lábios.

— Nem estou trabalhando tanto assim. O patrão contratou mais uma auxiliar e o serviço aliviou bastante.

— Eu não queria que você trabalhasse — Kai disse esfregando a mão na nuca. Eva deu uma gargalhada.

— Meu filho, você já me ajuda tanto! Não quero viver nas suas costas, não. Estou terminando o curso de auxiliar de enfermagem e, se Deus quiser, vou conseguir trabalhar com isso em breve. — Terminou de esvaziar a mochila e já saía do quarto quando Kai perguntou, batendo o celular contra a palma da mão:

— Meu pai está em casa? — tentou soar despreocupado.

Eva girou e cravou os olhos no filho.

— Não. Saiu cedo dizendo que ia procurar emprego.

Kai moveu a cabeça devagar, assentindo.

— Eu disse para ele chegar antes do almoço pra te ver — sua mãe tinha a expressão tensa. — Sidney já devia estar no quarto quando você chegou ontem. Tem dormido cedo desde que chegou do presídio, acho que é o efeito da... — a voz dela morreu.

— Bebida? — Kai suspirou. — Imaginava que talvez ele fosse voltar para o vício quando saísse de lá, mas meu pai está tão acabado que... não sei, desta vez parece diferente.

— Você o viu? — Eva chegou o queixo para trás, a voz estrangulada.

Kai aquiesceu.

— Ele estava jogado na calçada aqui perto de casa, quando cheguei.

— Oh, filho — o rosto dela se contorceu. — Eu devia ter te contado a situação antes, mas esperei para falar pessoalmente. Ontem achei que você chegaria mais tarde e que ele estaria dormindo... Ia procurar uma oportunidade de te falar sobre o estado dele agora pela manhã.

Kai fitou o chão.

— Os anos encarcerados deixaram Sidney meio apático, sem expectativa pela vida. A bebida, que já era um escape para ele, nesses cinco dias de liberdade já viraram uma âncora. Nunca o vi beber tanto. Até me surpreendi que ele tenha dito que ia procurar emprego hoje. Mostrou alguma reação.

O quarto ficou sufocante. Kai foi até a janela para sorver um pouco da corrente de ar que vinha do rio, atrás da casa.

— Ele falou alguma coisa sobre o barco? — Kai quis saber.

— Não — Eva fez uma pausa. — Eu já tinha contado a ele que recebemos o barco de volta em uma das visitas na penitenciária, mas ele não teve nenhuma reação.

63

O ESPLENDOR DO PÔR DO SOL da Praia da Parada sempre seria o seu preferido. Kai havia conhecido muitas praias, de muitos lugares diferentes do Brasil, mas aquela, que ele chamava de casa, superava todas. Deixou as águas mornas do mar para trás enquanto a Serra do Mar, que cercava o condomínio, era emoldurada pelo dourado dos últimos raios de sol do dia.

Havia passado a manhã com a mãe e esperado o pai para o almoço. Ele não havia aparecido. Kai se sentiu um pouco culpado por ter ficado aliviado. Não sabia muito bem o que esperar do pai, embora sua mãe tivesse dito que ele andava mais cordial que de costume.

Saiu no início da tarde para cair no mar com Arthur e Ervilha. Antes, porém, passou na Sunshine e teve de dominar a vontade de enfiar a cabeça na areia quando Gabriel fez todos os clientes na lanchonete o aplaudirem de pé. Alguns meninos, que não passavam dos doze anos, pediram-lhe que autografasse suas pranchas, e Kai assinou sua letra esgarranchada com o sorriso de um lado a outro.

— Você é nossa inspiração — um deles disse envolvendo a cintura de Kai com seus braços magros, e Kai precisou abrir bem os olhos para não permitir que a súbita emoção escapasse por eles.

— Essa galerinha aí assistiu a todas as suas baterias, em todas as etapas do circuito — Gab comentou quando eles se afastaram.

— Aqueles dois ali são lá da igreja e moram no final de Ponte do Sol. Sempre os trago pra cá. Eles amam o surfe, mas têm uma realidade de vida difícil. O de cabelo espetado morou em um abrigo durante um tempo.

— Por quê?

— O pai foi preso por causa do tráfico e a mãe deixava ele e os irmãos sozinhos em casa durante dias. Ela bebia muito e também era usuária.

— Era?

Gab encolheu os lábios. A compaixão gritando no rosto.

— Morreu tem uns três meses. Ele e os irmãos agora estão com a avó, mas vivem em um estado de bastante vulnerabilidade.

Kai encheu o pulmão de ar e soltou aos poucos.

— Qual o nome dele?

— Ivan.

Kai assentiu. Foram interrompidos logo depois por Ervilha, que o convocava para o mar. Kai deixou a lanchonete e curtiu algumas horas nas ondas esverdeadas e agradáveis da Praia da Parada. Enquanto estava lá, percebeu Ivan e os outros garotos surfando perto dele. Quando dava, trocava uma dica ou outra com eles, animados como se ele fosse um campeão mundial.

De forma inconsciente, sua atenção foi atraída para Ivan, que dentre o grupo era o que melhor dominava a prancha. Ele tinha uma expressão focada e um sorriso brilhante quando conseguia fazer uma batida perfeita. Um tanto melancólico, Kai viu a si mesmo naquele garoto. Tão jovem, mas a dor de uma realidade quebrada já disputava espaço com seus sonhos de menino.

Naquele fim de tarde, deixou o mar com os pensamentos ainda voltados para os meninos. Guardou sua prancha perto da Sunshine e avistou Gabriel, que começava a empilhar pedaços de madeira no meio da praia. Foi ajudá-lo. Arthur e Ervilha ainda não havíam saído do mar.

— Ei, quer compartilhar uma palavra com a galera hoje? Os adolescentes estão chegando daqui a pouco. É o último encontro do ano.

— Eu? — Kai deu uma risada. Quando percebeu que Gab não estava brincando, coçou a cabeça. — Sobre o quê? Nunca fiz isso.

— Qualquer coisa que você esteja aprendendo com Deus ultimamente. Ou pode contar sobre como passou a ter fé em Cristo.

— Ah, não sei...

— Vai ser bom para eles ouvirem um jovem que admiram compartilhar sobre a vida cristã.

Admiram? Kai se sentiu tenso.

— Eu não sou exemplo pra ninguém... — ele encaixou alguns galhos secos no meio da pilha, evitando olhar para Gabriel.

— Todos nós somos, Kai. Mesmo que a gente não queira, estamos sempre influenciando quem está à nossa volta. Seja para o bem, seja para o mal. A escolha é nossa. No seu caso, você tem uma área de influência muito mais ampla. Continue com o coração temente a Deus e usando isso com responsabilidade.

Ivan e os outros meninos saíam da água rindo e brincando uns com os outros. Kai ficou os observando por um tempo, enquanto ele e Gab terminavam de ajeitar a estrutura da fogueira.

— Eu pensei numa coisa — disse de repente. Ele e Gab batiam as mãos para tirar os resquícios de sujeira das madeiras. O dono da Sunshine observou-o com curiosidade. — Devem existir muitos "Ivans" em Ponte do Sol. Garotos e garotas desesperados por viver algo diferente, mas se debatendo numa realidade dura e difícil. O esporte, nesses casos, muitas vezes é uma boia salva-vidas. Foi assim pra mim.

Gabriel concordou, esperando que Kai continuasse.

— E se eu pudesse fazer algo além de compartilhar algumas palavras com eles hoje à noite?

— Tipo o quê? — O sorriso de Gabriel foi se alargando.
— Dar aulas de surfe durante o tempo em que estiver aqui. Tipo uma escolinha temporária. E que depois pode se tornar fixa, quem sabe. Posso tentar alguns contatos para conseguir doação de materiais também.
— O herói deles dando aula pessoalmente... isso vai marcar a vida dessa galera — os olhos de Gabriel lacrimejaram. Kai podia ver o orgulho estampado neles. — Que bom que você veio!
Kai se virou por causa da brusca interrupção da conversa. Gab olhava para alguém atrás dele. Ele teve a sensação de levar um soco ardente no estômago. Ficou envolvido com tantas coisas ao longo do dia que sequer cogitou a possibilidade de encontrá-la ali, naquele fim de tarde.
— Oi — Giovana acenou e logo abaixou a mão, segurando uma pequena bolsa que trazia a tiracolo. A alça enganchada em seu ombro cumpria bem esse papel, mas ela parecia segurar o acessório como se sua vida dependesse disso.
Kai hesitou. Enquanto ele se perguntava se devia cumprimentá-la com um abraço, um beijo na bochecha ou talvez só um aperto de mão, Giovana passou os braços por seu tronco.
— Parabéns. Eu sempre soube que você chegaria lá.
Kai sorriu e a abraçou também.
— Obrigado.
Ela se afastou e Gabriel sorriu para os dois.
— Que alegria ver vocês aqui como nos velhos tempos. Kai, a Gio me contou ontem que ela está promovendo um projeto social focado em arte em uma comunidade perto da universidade — Gab falava com uma mão no ombro de Kai e a outra no ombro de Giovana. — Ela pode te ajudar com o seu projeto. Não pode, Gio?
Giovana olhou para Kai com dúvida.
— Posso — falou, alongando as sílabas, o ponto de interrogação estampado no rosto.

— Kai, explica pra ela sua ideia? Depois me contem tudo. Vou apoiar no que precisarem. Agora preciso ir porque tenho que ver como as coisas estão na loja antes que a galera chegue. Já, já volto para acender a fogueira.

— Eu não quero tomar o seu tempo, não se preocupe — Kai guardou as mãos nos bolsos do short tactel úmido e ficou parado feito um poste enquanto observava Giovana. Ela não mudara muita coisa. Parecia exatamente a mesma de sempre, exceto pelo rosto um pouco mais fino. O cabelo continuava longo, os cachos abertos estendendo-se sobre as costas, como um belo manto escuro e brilhante.

— Eu não estou fazendo nada agora — ela estendeu as mãos em volta. — Sobre o que é o seu projeto?

— Uma escolinha de surfe para os garotos de Ponte do Sol durante as férias. E talvez ajudá-los em algo além disso, também.

— Você pretende deixar aberto no estilo só-chegar-e-participar ou fazer inscrições para ter um controle maior?

— Não pensei nisso — Kai fez uma careta.

— A inscrição pode ser uma boa se você pretende ajudar em algo material, tipo cestas básicas e essas coisas. Dá para pegar as informações dos participantes com telefone, endereço etc.

Ele concordou com a cabeça.

— As aulas vão acontecer em quantos dias da semana? E horários? Talvez se houver muitas inscrições dê para dividir em turmas. Vai depender do seu tempo disponível.

— Também não pensei nisso.

Giovana deu uma risada.

— No que você pensou?

— Em nada muito além de "vou fazer uma escolinha de surfe nas férias". — De repente, os dois estavam rindo, como se nem um dia tivesse passado. — Em minha defesa, eu acabei de ter a ideia.

— Tá explicado — Gio apertou o canto dos lábios, naquela expressão sabichona tão característica sua. Kai abriu um sorriso de lado. Ela não tinha mudado nadinha mesmo.

— Como é esse projeto que você tem lá em São Paulo? — perguntou ele.

— Ensinamos desenho e pintura para crianças de uma comunidade. É incrível como eles são talentosos e aprendem rápido — os olhos dela reluziram. — Um garotinho de oito anos venceu um concurso estadual com seus desenhos. Tem noção disso? No início ele era tão tímido... não gostava de mostrar nada do que fazia. Aos poucos fui quebrando aquela insegurança e olha só aonde ele chegou!

As mãos dela agora se movimentavam livremente. Gio falava com tanta naturalidade que Kai sentiu um aperto no peito. Não tinha percebido quanto sentira falta dela durante aquele tempo até ouvi-la falar outra vez.

— Isso me lembra alguém — ele sorriu. — Arthur disse que você tem levado seu trabalho a feiras e exposições, e ainda nem terminou a faculdade. Impressionante.

Ela chutou um montinho de areia.

— Estou trabalhando com ilustração digital, agora. Tenho recebido muitas oportunidades. Em fevereiro, vou começar a ilustrar um livro infantil — Gio falava com sobriedade, como se não fosse grande coisa. Kai pendeu a cabeça, analisando-a.

— Você conseguiu. Está vivendo do que ama. — Ele se sentiu orgulhoso por isso.

— Não sou a única — ela observou-o por um instante. — Eu não entendo muito disso, mas Arthur me contou que você ficou em terceiro no ranking nacional.

Antes que Kai respondesse, foram surpreendidos por Arthur e Ervilha, que chegaram abraçando Gio e fazendo festa pelo inesperado reencontro. Não demorou muito e eles conversavam todos juntos e animados, contando novidades, falando sobre a vida de cada um. E, de alguma forma, era como se tivessem dezessete anos de novo e aquele fosse mais um de seus milhares de encontros à beira-mar, iluminados pela extensão das estrelas no céu.

64

SABER QUE GIOVANA ESTARIA SENTADA a poucos metros dele enquanto falaria sobre coisas espirituais para um grupo de pessoas pela primeira vez era, no mínimo, aterrorizante. Kai tentava pensar no que dizer, sua mente parecendo um caixa eletrônico desgovernado cuspindo versículos aleatórios. Não queria falar algo errado, gaguejar ou parecer bobo.

Quem sabe eu deva pensar menos em mim?, ponderou ao abrir a Bíblia que acabara de pegar no carro. Na penumbra das árvores do calçadão, Kai moveu o livro sagrado a fim de capturar um pouco da luz opaca do poste mais próximo. Passeou por entre as páginas e ouviu o violão soar suas notas na areia. Estava começando. Kai suspirou, fechou a Bíblia e olhou para aquele infinito cravejado de diamantes que o cobria.

— Pai, está contigo.

Desceu o ressalto e caminhou até o grupo, que se organizava em torno da fogueira ao som da melodia produzida por Gabriel. Acomodou-se ao lado de Arthur e Ervilha, pegou um graveto solto e jogou-o de volta à fogueira. Ali ficou com os olhos fixos até Gabriel iniciar a reunião com uma oração.

Quando abriram os olhos, o líder apresentou Kai — o que não tinha nenhuma necessidade, já que todos sabiam quem ele era — e, depois de duas músicas, passou-lhe a palavra. Kai cruzou as pernas sobre a areia e percebeu os olhares curiosos. Pigarreou.

— "Onde está o teu tesouro?" Essa pergunta me veio à mente no mês passado quando, por poucos segundos, eu perdi a bateria que me daria mais pontos e possivelmente garantiria meu segundo lugar na final do circuito nacional. Embora tudo que eu conseguisse sentir naquele momento fosse raiva, a resposta a essa pergunta quebrou minhas emoções em quatro: *aí estará também o teu coração*. As palavras do Mestre me obrigavam a vasculhar dentro de mim atrás de uma resposta. Onde estava meu coração? No meu desempenho e na capacidade de vencer ou em Cristo?

Uma ruga surgiu na testa de Kai enquanto falava. E continuou:

— A mesma pergunta me ocorreu poucos dias atrás quando eu subi no pódio segurando o prêmio do terceiro lugar. E cheguei à conclusão de que, mesmo que seja incrível para qualquer pessoa alcançar aquilo que sempre sonhou, colocar nessa realização a fonte de sua vida pode ser uma grande furada. Porque nenhuma dessas coisas é capaz de trazer salvação. Se as garantias de sua vida estiverem em seus sonhos, o que vai acontecer se eles não se realizarem? Ou se você os alcançar e depois acabar perdendo aquilo que alcançou?

Uma fagulha estalou da fogueira, lançando-se para cima e cortando a noite escura.

— Quando era mais novo, na idade de alguns de vocês, eu costumava achar que minha vida só faria sentido se eu virasse um surfista profissional. Hoje eu sou. Mas o sentido não veio por causa disso. Foi aqui, em meio a esses grãos de areia, bem antes de qualquer título, que eu comecei a entender o que significa viver com propósito. Foi quando Jesus me encontrou.

Fez mais uma pausa e olhou ao redor, a cabeça erguida.

— Sabe, alguns de vocês podem olhar para mim e ver um cara que alcançou algum sucesso na vida. E, sim, isso é verdade. Só que as lutas continuam. E a dor particular, aquela que só Deus e eu conhecemos, também. Aquela expectativa frustrada, aquele alguém que você ama e está se autodestruindo diante de seus olhos... — Kai sentiu a emoção subir pela garganta e se conteve por alguns segundos. — Então, a pergunta ecoa mais uma vez: Onde está o teu tesouro? E esta é a resposta: Está escondido nos céus, onde traça e ferrugem não o destroem e ladrões não o roubam. E qualquer vitória, derrota ou dor é pequena demais perto disso.

Um momento de silêncio ecoou pelo círculo. Era uma quietude reverente e um temor quase palpável. Kai descansou os braços sobre os joelhos dobrados e acompanhou a canção que Gabriel começou a dedilhar.

— Qual é, pastor! — Ervilha apertou a mão de Kai, gracejando no final da reunião. — Mandou bem!

— Como você nunca tinha pregado antes? — Arthur comprimiu as sobrancelhas. — Estava escondendo o jogo?

— Aquilo não foi uma pregação.

— Imagina quando for! — Gio chegou com o sorriso solto. — Mandou muito bem.

O sorriso dele se abrandou, formando uma linha estreita.

— Obrigado, Gio, vindo de você isso vale muito.

Mesmo sob a parca luz da fogueira que já diminuíra muito de tamanho, Kai percebeu o rosto dela enrubescer.

— Ai, minha nossa! Nem acredito que estamos aqui, todos juntos! — Íris surgiu do nada, como uma gazela saltitante. — Giovana! — Ela pulou no pescoço da amiga e as duas rodaram dando gritinhos.

— De onde você saiu? — Ervilha questionou.

— Estava no aniversário de uma amiga, por isso não pude vir à fogueira. A mãe não te falou? Saí de lá agora há pouco — a irmã mais nova de Ervilha abanou a mão em direção aos três garotos. — Vocês eu vejo com uma frequência considerável, mas a Gio... coisa rara. A gente tem que fazer alguma coisa para relembrar aquele verão em que nos aventuramos na ilha.

— Pelo que me lembro você odiou a experiência — Gio alfinetou.

— Mas pelo menos tenho história pra contar — Íris deu de ombros. — E, desde que completei dezoito, estou nessa vibe meio "colecionadora de experiências", então preciso ter histórias para contar aos meus filhos!

A gargalhada foi geral.

— E no que você pensou, Íris? — Arthur perguntou.

— Ouvi umas meninas comentando lá na festa que foram passar o último final de semana em Trindade... — ela enrolou uma mecha do cabelo nos dedos. Os outros se entreolharam.

— Lá tem ótimas ondas — Kai ponderou.

— E uns campings irados — acrescentou Ervilha.

— Bem, eu tinha pensado em ficarmos em pousada.

— E as histórias para contar aos seus filhos? — Gio sorriu. — Eu topo acampar.

— Eu também! — os meninos responderam quase ao mesmo tempo.

Íris liberou um suspiro resignado.

— Lá vamos nós de novo... — E, no mesmo segundo, pegou o celular e começou a planejar o que eles fariam no próximo final de semana.

⚔

O vento úmido adentrava a janela, movimentando a cortina de renda branca. Sabiás erguiam o coro afinado, empolgados para o novo dia que despontava. Na mesa da cozinha, as opções eram fartas. Pão de batata, torta de queijo, bolo de laranja, bananas e maçãs, manteiga, leite, café, achocolatado. Kai escolheu uma banana.

— Mãe, não precisa colocar uma mesa dessas só porque eu estou aqui — disse ele, terminando de descascar a fruta.

— É claro que precisa. Você fica tão pouco em casa.

— Eu sempre fiquei pouco em casa. Até quando morava aqui.

— Não é a mesma coisa — ela torceu os lábios, e Kai riu.

— Aonde o pai foi? Não o vi quando cheguei ontem. Aliás, não o vi ontem em nenhum momento... — Falar sobre Sidney era trazer tensão ao ambiente. Sua mãe sentou-se na cadeira a seu lado, liberando o ar com força.

— Sidney não veio para casa ontem.

Kai ficou olhando para ela.

— Você não disse que ele tem chegado cedo em casa desde que saiu da prisão?

Eva assentiu em silêncio, as marcas de expressão ao redor dos olhos cansados contraindo-se um pouco. Kai se levantou.

— Vou atrás dele.

Eva segurou-o pelo punho.

— Não vai, não.

— Mãe...

— Ele pode estar jogado em qualquer calçada de qualquer lugar da cidade.

— Por isso preciso ir.

— Você não tem que passar por essa situação, Kai. Não é sua responsabilidade.

Ele se abaixou e falou na altura dos olhos dela:

— É o meu pai, mãe — mexeu o pulso ainda segurado por ela. — Por favor.

Eva soltou-o e Kai seguiu para a porta. Antes que passasse pelo batente, ouviu a mãe dizer:

— Começou na igreja um projeto para dependentes de álcool há alguns meses. Eles se reúnem toda semana. Tentei convencer Sidney a ir, mas adivinha?

Kai esperou um momento. Eva não disse mais nada e ele pegou a chave do carro alugado, deixando a cozinha.

Seus pés alternavam entre embreagem, freio e acelerador numa condução lenta, mas determinada. Kai estava vestido com roupa leve e tênis de corrida, porque ia se exercitar no calçadão da praia. Pelo jeito, porém, sua maratona aquela manhã seria outra. Quase meia hora se passou entre uma esticada de pescoço e outra até que o viu. Um dos poucos bares abertos àquela hora da manhã, forró berrando nas caixas de som e Sidney largado numa cadeira lá dentro.

Kai estacionou e entrou no lugar, que cheirava a urina velha.

— Pai — disse, parando ao lado do homem.

As garrafas vazias em cima da mesa de plástico encardida anunciavam como havia sido a noite. Os olhos opacos de Sidney não focavam lugar nenhum. Kai não esperou que ele respondesse. Segurou os ombros do pai como na noite em que havia chegado e ergueu-o da cadeira. Só o corpo dele parecia estar presente ali; a mente voava bem longe.

— Qual é, Sidney, vai embora sem pagar?

Kai ouviu o dono do bar gritar por trás do balcão. Seu pai tateou os bolsos da calça e, com as mãos meio trêmulas, pegou a carteira que guardava uma nota de dez reais. Kai suspirou, resignado, e deixou o pai sozinho no meio do bar, temendo um pouco que ele pudesse cair, e voltou até o balcão. Perguntou ao homem o valor da dívida e arregalou os olhos ao ouvir a resposta. De sua própria carteira, sacou duas notas de cinquenta reais e entregou-as ao dono da espelunca fedida.

Voltando ao pai, conduziu-o até o carro. Antes que chegasse em casa, Sidney já roncava. Foi um pouco trabalhoso tirá-lo do banco do carona e conduzi-lo para dentro de casa.

— Chega, me larga — Sidney falou como se tivesse a língua torcida, despertando de seu estado de torpor. — Não sou criança, me deixa! — Ele movimentava os braços, tentando se desvencilhar. Kai não soltou. Conduziu o pai pelo corredor de casa. Sua mãe já tinha saído para trabalhar. Eram só os dois ali.

O cheiro dele era horrível. Kai empurrou a porta entreaberta do banheiro com o pé e, sem deixar o pai, girou a torneira do chuveiro.

— Entra aí — ordenou.

— Eu não quero tomar banho! — gritou Sidney em resposta.

— Mas vai. — Não tinha como deitá-lo na cama naquele estado. O odor azedo contaminaria o quarto inteiro. Sidney chacoalhou os braços e tentou fugir uma última vez antes que fosse forçado para debaixo da água gelada.

— Vou buscar uma roupa limpa — Kai saiu, deixando o pai parado sob o chuveiro, recebendo o fluxo intenso de água. Poucos minutos depois ele voltou e a cortina que dividia o box do restante do banheiro estava fechada e o aroma de espuma de sabonete enchia o ambiente. Kai depositou a roupa em cima da tampa fechada do vaso sanitário e saiu.

Entrou em seu quarto, que ficava quase em frente ao banheiro, e sentou na cama. Dobrou os cotovelos sobre os joelhos e afundou o rosto nas mãos. Ficou assim até ouvir o barulho da porta e saber que seu pai tinha saído do banho. Foi à cozinha e despejou numa xícara de vidro o café que sua mãe deixara na garrafa. Seguiu para o quarto dos pais e deu três toques antes de entrar.

Sidney já estava largado sobre a cama, os olhos cerrados, a respiração pesada. Kai observou o pai e já se virava para deixar o quarto quando decidiu voltar e sentar no lado oposto do colchão. Colocou a xícara sobre a mesinha de cabeceira e passou os dedos pelo couro cabeludo. Uma mistura de dor e agonia tomava seu peito. Até onde aquele vício levaria seu pai? Era como assistir a seu definhar. Abriu as mãos e ergueu-as, antes de deixá-las cair sobre as pernas com um lamento pesado.

— Eu não vou ficar questionando por que ele é assim ou por que eu não tenho um pai normal, como meus amigos. Já fiz muito isso. Eu sei que as dificuldades estão aí para nos fazer crescer — falou baixinho. — A questão é que depois desses anos todos eu não sabia o que esperar, mas isso... isso é bem pior que tudo que pensei. Será que algum dia vou ter meu pai de volta? — Era como se uma lâmina transcorresse seu peito com toda calma do mundo. Doía tanto. — Renova a minha fé, meu Deus. Às vezes é tão difícil!

O meu poder se aperfeiçoa na fraqueza. Kai ouviu o eco manso e sereno sussurrar em seu peito. Lembrou que tempos atrás, quando tudo parecia tão nebuloso e desesperador, Gabriel lhe dissera isso. *Minha graça é suficiente para você. Regozijo-me nas fraquezas. Quando sou fraco é que sou forte.* As palavras das Escrituras iam e vinham em sua mente agora. Na época, sua mente tinha dado um bug. Como a fraqueza poderia aperfeiçoar alguma coisa?

Agora ele entendia.

Era a fraqueza que o fazia depender de Deus. Perceber quanto era fraco, de forma um tanto contraditória, o fortalecia. Conduzia-o aos pés do Senhor. Fazia-o clamar para que o Senhor fizesse o que ele não era capaz de fazer.

— As minhas fraquezas deixam mais nítida a tua força, Senhor. É através delas que o teu poder se aperfeiçoa em mim — Kai sibilou ao se levantar. — Me ajuda, Pai.

65

O CÍRCULO CINTILANTE SE ERGUIA alto no céu sem nuvens e espalhava seus raios de calor quando Kai chegou à praia. Não desistiu da corrida. Precisava aliviar a tensão que aquele início de dia trouxera. Com os fones de ouvido tocando sua playlist preferida, começou a movimentar as pernas pelo calçadão da Praia da Parada. O suor já molhava quase toda a parte de trás de sua camiseta quando viu uma silhueta conhecida trotar a certa distância. Não diminuiu o ritmo até ficar a poucos centímetros dela. Giovana foi parando aos poucos e abriu um sorriso comedido.

— Não sabia que você gostava de correr — Kai se deteve com as mãos na cintura.

— Comecei ano passado. É aquela coisa, né? Alimentação equilibrada e exercícios físicos garantem uma boa saúde hoje e quando eu for velha.

Kai sorriu, o afago da saudade massageando seu peito. Giovana pegou a garrafinha de água que carregava com uma cordinha atravessada no tronco e deu um gole.

— Preciso continuar.

— Posso acompanhar você? — antes que Kai terminasse a pergunta sentiu a ansiedade queimar o peito. E se ela aceitasse só por educação?

— Estou indo para onde você acabou de vir. Se você não se import...

— Não me importo.

Recomeçaram a corrida lado a lado e em silêncio. O sol banhava o corpo brilhante de suor dos dois jovens, e a brisa fresca vinda do mar despistava o calor. Percorreram duas quadras e Giovana reduziu a velocidade até encontrar um dos bancos de concreto com a base escurecida pelo limo. Ela sentou e puxou o ar, soltando-o lentamente. Kai continuou de pé, tranquilo como se tivesse corrido dez centímetros.

— Seus anos no esporte te deixam com uma larga vantagem sobre mim — ela disse apontando o indicador para ele. Kai deu risada.

— Você foi muito bem.

Ela entornou mais um pouco de água na garganta e estendeu a garrafa a ele, que aceitou um gole. Gio apoiou-se no banco sobre as duas palmas abertas. Seus braços estavam esticados e o corpo, inclinado para trás. Um vento um pouco mais forte lambeu os cabelos dos dois.

— Aquilo que você disse ontem... foi sobre o seu pai, não foi? — perguntou ela, após um tempo.

— Quando? Na fogueira?

— É. Sobre ver alguém que você ama se autodestruir.

Kai olhou para as mãos e balançou a cabeça.

— Arthur me contou que ele saiu da cadeia. As coisas não estão indo bem? — Gio arrumou a postura e, com as mãos, protegeu os olhos do sol.

— O vício no álcool é uma maldição — Kai murmurou. — E tá pior que antes.

— Sinto muito — ela apertou os lábios.

— A gente costumava pegar onda aqui quando eu era moleque — Kai apontou para o mar com o queixo. — Ele me ensinou a surfar, sabia?

— Você me contou. Numa das vezes em que fomos todos juntos ao rochedo.

Kai estreitou os olhos em dúvida.

— Aquela vez que vocês ficaram dando mortais no mar e eu desenhando na pedra. A gente nem tinha ido à Apoema ainda — ela explicou.

— Minha nossa. Você lembra o que a gente conversou aquele dia? Faz tanto tempo.

— Eu lembro de tudo que a gente já conversou, Kai.

Ele olhou para ela, que virou o rosto, levantando-se em seguida.

— Vamos voltar? — Gio perguntou, já caminhando na mesma direção em que chegaram. Os dois recomeçaram a corrida e, mais uma vez, sem trocar palavra.

Kai percebeu que suas mãos estavam suadas. E não era por causa da corrida. *O que você está pensando, cara? Para com isso.*

— Pode me ajudar com as fichas para as aulas de surfe? — pediu ele. — Vou marcar às segundas, quartas e sextas pela manhã. Se tiver muitas inscrições, vejo o que faço.

— Claro. Quando chegar em casa eu digito um modelo e te mando.

— Valeu. Quer carona para casa? — Kai apontou para o carro. Eles finalizaram a corrida frente à Sunshine.

— Não precisa. Vim de bicicleta.

Sem que combinassem, entraram juntos na lanchonete.

— Que honra ter a presença ilustre de vocês aqui já pela manhã — Gabriel escancarou o sorriso e, virando-se, gritou na direção da cozinha: — Luara, olha só quem está aqui.

O movimento estava fraco. Só uma mesa era ocupada por duas mulheres e Gab ocupava outra, mexendo em um notebook. Kai e Gio o cumprimentaram com um abraço. Logo Luara apareceu e deixou um beijo no rosto de cada um.

— Estou aqui resolvendo algumas coisas para a contabilidade e Luara veio checar o andamento da cozinha — Gab explicou. — E vocês?

— Acabamos nos encontrando no calçadão por acaso — Kai deu uma olhada rápida para Giovana.

— O acaso é um ótimo cupido.

Kai sabia que tinha ficado vermelho. Assim como Giovana, que estava da cor de um pimentão. Luara virou-se para o marido com uma expressão de reprimenda. Ele sorriu, sem se importar nem um pouco.

— Kai, hoje a nossa funcionária está fazendo as massas dos wraps, quer matar a saudade? — Luara ofereceu, contornando a falta de modos do marido.

— Só se eu puder comer um no final.

— Claro que pode! — A mulher enganchou o braço no de Giovana e a puxou em direção à cozinha. — Vem também.

Os dois lavaram as mãos e colocaram as toucas oferecidas por Luara. O aroma da cozinha era uma mistura de massa crua, frutas frescas e brownies assados. Kai e Gio inspiraram ao mesmo tempo. A cozinha estava diferente. Maior e mais bem equipada.

— Lourdes, estes aqui são Kai e Giovana. O Kai trabalhou com a gente há alguns anos.

Ambos sorriram para a senhora, que esticava as bolinhas de massa com um rolo, fazendo um círculo fino e uniforme.

— Ainda lembra como faz? — Luara apontou para o balcão. Kai deu a volta e a cozinheira chegou para o lado, abrindo espaço para ele. Com rapidez, como se fizesse aquilo todo dia, Kai abriu as massas. Um novo pedido chegou e Kai perguntou se podia montar.

— Fique à vontade — Luara respondeu enquanto atendia uma ligação no celular. Ela saiu da cozinha com o aparelho no ouvido e Kai começou a pegar os ingredientes.

— Quer me ajudar? — propôs a Giovana, que parecia uma estátua, parada no mesmo lugar desde que entraram. Ela foi para perto dele.

— Pode ser.

— Coloca os morangos no liquidificador. Vou cortar as laranjas.

Com todos os ingredientes dentro do copo, ela girou o botão. As frutas e a água viraram uma coisa só em segundos. Enquanto Gio aguardava o suco terminar de bater, Kai encheu a massa de wrap com frango desfiado e palmito; dobrou-a e levou ao forno. Ao fechar a tampa, notou que Gio o observava.

— Que habilidade — disse ela.

— Deve ser tipo andar de bicicleta. Nunca se esquece — ele deu de ombros. — Pode desligar o liquidificador. É só colocar neste copo aqui.

— Coloca você. Sou meio estabanada.

— Para com isso, é só despejar aí dentro. O copo é largo, não tem erro. Vou segurar pra você.

Gio olhou para cima fingindo impaciência e fez o que ele disse. No final, sua mão tremeu e um pouco de suco foi derramado na parte externa do copo, atingindo a mão de Kai com o líquido denso e rosado.

— Ai, desculpa! Bem que eu avisei! — Ela olhou em volta procurando algo com que limpar a sujeira. Kai deu uma risada.

— Errar um copo com a boca deste tamanho é um péssimo problema de coordenação.

— Não disse?

— E como você consegue fazer desenhos tão milimetricamente perfeitos? Não faz sentido. — Kai percebeu que o tremor na mão dela aumentara. Gio pegou guardanapos e limpou com cuidado o resto de suco na mão dele. Kai fitou suas mãos tão próximas e levantou os olhos ao mesmo tempo que Giovana. Os dois sustentaram o olhar até ouvirem um pigarro.

— O garçom veio buscar o pedido — Lourdes falou.

Giovana quase deu um salto para trás.

— Claro, claro — Kai pegou o prato com o wrap e o copo de suco e levou para o rapaz que esperava na porta. Eles se despediram da cozinheira e encontraram Luara e Gabriel perto do balcão.

— Deu tudo certo? — Gab apertou o ombro de Kai.

— Foi como se eu tivesse saído daqui ontem.

— Fez o lanche de vocês? — Luara perguntou. — Hoje é por conta da casa.

— Ah, não precisa — Gio balançou as mãos em negativa. — Estou indo embora. O horário está apertado, prometi a minha mãe que a ajudaria com o almoço — ela se despediu e, antes de sair, voltou-se para Kai: — Nós poderíamos montar a ficha da escolinha juntos, o que acha? Você poderia ir lá em casa hoje, se estiver com algum tempo livre.

Kai gaguejou.

— Eu marquei de surfar com Arthur e Ervilha hoje — evitou olhar para ela quando finalmente conseguiu responder.

— Ah, tudo bem, tudo certo — Gio se despediu outra vez e deixou a loja a passos rápidos. Kai ficou parado, olhando para a porta por onde ela havia saído e ouviu um suspiro.

— E então? — Gabriel indagou sem tirar os olhos do notebook. — Se sentindo feliz depois de negar um convite que você estava doido pra aceitar?

— Eu realmente marquei de surfar com Arthur e Ervilha.

— E encontrar dois caras barbados é melhor que ver a sua garota?

Kai fitou Gabriel sem reação.

— A Gio não é minha garota. De onde você tirou isso, Gab?

— Então vai criar coragem para falar com ela quando? Essa sua cara de cachorro abandonado está de dar dó.

— Falar o quê? — ele uniu as sobrancelhas, frustrado.

— Você é quem sabe. Um amor eu já tenho, você precisa correr atrás do seu.

Kai puxou uma cadeira ao lado de Gabriel e desabou sobre ela.

— Está tão na cara assim?

Gabriel suspirou.

— Tenho um olho bom para essas coisas. Desde quando você trabalhava aqui eu percebia. O que está te fazendo esperar tanto tempo?

Kai olhou para as mãos. Depois de um tempo em silêncio, Gabriel colocou uma mão sobre o ombro dele.

— Coloque isso diante de Deus. E seja corajoso.

Luara chegou com o lanche que ela havia saído para fazer, e Kai encheu a boca com o wrap de carne desfiada com palmito para não ter de responder nada.

66

KAI CHACOALHOU A ÁGUA do cabelo. Arthur veio logo depois. Os dois subiram em silêncio pela areia. Ervilha continuava no mar.

— Você está bem? — perguntou Arthur. — Parece meio aéreo a tarde toda. É por causa do seu pai?

— Busquei ele em um bar hoje cedo — seu peito apertou com a lembrança.

— Me diga se eu puder fazer algo por vocês além de orar — Arthur pressionou de leve o pescoço de Kai e os dois chegaram à ducha.

— Vai fazer alguma coisa hoje à noite? — Kai entrou no jato d'água.

— A Gio chamou para lanchar na casa dela. Você não vai?

Kai apertou os lábios. Não era só por causa do pai que estava pensativo a tarde inteira. Ele realmente achava que, após três anos, pudesse ver Giovana apenas como uma amiga de novo. Tinha conseguido esconder bem de si mesmo o que sentia por ela nas poucas vezes em que haviam se encontrado ao longo daqueles anos. Mas agora parecia diferente. Ele não conseguia olhá-la sem imaginar como seria se... *Argh! Minha cabeça vai explodir*.

— Um bom lanche pra vocês — ele saiu da ducha. — Ela não me chamou.

— Você viu seu celular hoje à tarde?

— Ficou na mochila na Sunshine.

— Tá explicado — Arthur abriu os olhos com exagero. — Por que você acha que a Giovana ia chamar só a mim para um lanche, sendo que todos nós estamos aqui?

— Sei lá — Kai evitava olhar para Arthur, que desligou a torneira e passou as mãos pelo rosto, tirando o excesso de água. Kai começou a se afastar em direção à Sunshine e parou, girando devagar para olhar Arthur mais uma vez.

— Posso te perguntar uma coisa? — Seu coração sacudiu dentro do peito. Ele não conseguiria mais viver naquela dúvida. — Você gosta de alguma menina?

— Por que essa pergunta assim, do nada?

— Porque... — Kai alisou o cabelo para trás. Como ia dizer aquilo? Não tinha pensado muito antes de perguntar. — Ah, deixa pra lá.

— Começou, termina.

Kai se concentrou em uma árvore cujas folhas se moviam devagar sob o vento fresco do fim de tarde. Já tinha esperado tanto. Se não tocasse no assunto agora, talvez nunca mais o fizesse. Inspirou o ar, tomando coragem.

— Por acaso você tem interesse em alguma garota do nosso convívio? — *Que pergunta mais patética.*

Arthur abriu a boca, a confusão estampada em seu rosto. Porém, não precisou de mais do que três segundos para que sua expressão desanuviasse, dando lugar a um olhar divertido.

— Eu não gosto da Giovana, Kai.

— Não disse que...

Arthur fitou-o com carinho.

— Estou conversando com uma garota da aliança universitária. Nós temos muitos interesses em comum e somos amigos desde que entrei na faculdade.

— O quê? — Kai piscou. — Mas você e a Gio estão sempre

trocando mensagens e e-eu estava esperando o momento em que vocês contariam para todo mundo que estavam namorando.

— De onde você tirou isso?

— Você nunca gostou dela?

— Estaria mentindo se dissesse que nunca pensei nisso — Arthur suspirou. — Mas foi lá atrás, antes de cada um ir para seu canto.

Kai se lembrou da festa da Íris. Dos dois conversando. Da escolha que tinha feito.

— Eu pensava que a esta altura vocês já estariam namorando... — sua voz saiu baixa, enquanto seus olhos vasculhavam a areia como se procurassem algo importante ali. — Sempre achei que você seria melhor pra ela do que eu.

Arthur riu, incrédulo.

— Por que você nunca me perguntou isso antes?

— Eu achava que vocês iam acabar percebendo. Não queria ficar no caminho.

— Pelo amor de Deus, Kai. Há quanto tempo você acha isso?

Ele parou o olhar sobre a grama ao lado da ducha.

— Nós somos melhores amigos. Por que nunca me falou sobre o que sente por ela? — Arthur perguntou com a voz mais baixa, pesarosa. Kai suspirou e piscou repetidas vezes.

— Você sempre abriu mão das coisas por mim. Sempre me emprestou suas melhores roupas quando eu estava na sua casa. Me deu a sua prancha nova e competiu com uma inferior no *Sea Wave*. Sempre esteve aqui por mim. Para qualquer coisa que eu precisasse. Você pediu a seu pai que fosse o advogado do meu sem receber nada! — Seus olhos ficaram úmidos. — Se eu dissesse que gostava da Giovana, você deixaria o caminho livre para mim. E eu não podia correr esse risco. Eu queria que você namorasse com a melhor garota possível. E, na minha cabeça, só existia uma.

Arthur cruzou os braços e olhou para Kai com um ar paternal.

— "Sempre achei que você seria melhor pra ela do que eu"... Nunca ouvi bobagem maior que essa. Além do mais, você deveria ter falado com a Giovana sobre seus sentimentos. Não é como se ela tivesse que escolher entre nós. Existe um mundo de caras melhores que a gente por aí.

— Obrigado por me lembrar disso — Kai ironizou. — Eu não estava falando que ela só tinha duas opções. Você entendeu o que eu quis dizer.

Arthur soltou um riso, mas logo ficou sério.

— Kai, continue se esforçando em ser o melhor que puder para o Senhor. No final, é isso que vai tornar você o cara que a Gio merece. O cara que vai amá-la como Cristo amou a igreja.

O melhor que puder ser para o Senhor. O peso daquelas palavras bateu no peito dele com força.

— Não que o meu melhor seja muita coisa, mas acho que Jesus vai continuar me ajudando, né? — Kai deu uma risada, sentindo o peito leve. Arthur passou o braço pelo pescoço dele e riu junto.

— O Ervilha sabia?

— Ah, sim. Ele me incentivou lá trás a me declarar pra ela. Ele e a Íris, na verdade. Mas depois eu disse que tinha superado.

Arthur balançou a cabeça.

— Eu não acredito que a gente mora no mesmo apartamento e você deixou para me contar isso na ducha da Sunshine — Arthur balançou a cabeça. — Você é inacreditável.

— Acabei de mandar no grupo a lista dos itens necessários para nosso camping — Íris ergueu os olhos do celular. — Levem a sério porque passei horas formulando isso, ok?

Todos ao redor da mesa na sala de jantar acessaram seus celulares.

Camping em Trindade 🔺 ☀ 🌊
Íris: Segue lista dos itens necessários:
- Barraca (eu e Gio vamos dividir uma. Vocês três se virem.)
- Travesseiro e lençol
- Toalha de banho
- Produtos de higiene pessoal (nada de bafo!)
- *Repelente!*
- Protetor solar (mas isso vocês já estão carecas de saber!)
- Muita alegria porque este final de semana vai ser o máximooooo ✨ ✨

— Você passou horas elaborando isto aqui? — Ervilha apontou para a tela. — Quem é que vai esquecer a escova de dente, Íris?

— Você, por exemplo, que já não faz bom uso dela quando está em casa, imagina em um camping.

— Fala sério — Ervilha bufou.

— Não me faça pedir confirmação para os meninos.

Os outros deram risada da cara de eu-vou-matar-você que Ervilha fez para a irmã.

— Gio, a comida estava muito boa, mas precisamos ir — Arthur levantou-se. — Amanhã acordamos cedo. Vamos sair às seis da matina, hein, galera. Não se atrasem.

Todos foram se despedindo e Kai começou a juntar os pratos.

— Me passa os deste lado — pediu a Arthur. — Vou lavar a louça.

— Ah, se você vai lavar eu posso secar e guardar — Íris pegou as duas travessas com restos de torta de frango com alho poró.

— Não precisa. Podem ir — respondeu Kai. — Você deve ter muito o que ajeitar para amanhã ainda. Minha mochila eu apronto em dois minutos.

— Minhas coisas estão prontas desde manhã cedo, querido.

— Você não disse que ia fazer sanduíches naturais para levar? — Arthur interveio.

— Já fiz.

— Mas o Ervilha disse que eram poucos. Você sabe como a gente come muito.

— Eu disse? — Ervilha franziu a testa. Arthur arregalou os olhos para ele. — É, eu disse, sim.

Íris ficou um tempo olhando para os dois e então voltou os olhos para Kai, que seguia para a cozinha levando os pratos. Giovana ia logo atrás com as jarras vazias de suco.

— Ah, verdade. Acabei de me lembrar! Vamos, então.

Lili e Paulo surgiram na sala e despediram-se deles, que em dois minutos já tinham sumido pelo portão.

— Fala aí, meu campeão! — Paulo, que desde que Kai chegara não poupava elogios ao terceiro lugar dele no ranking nacional, entrou pela cozinha. Giovana jogava os restos dos pratos no lixo e Kai começava a lavá-los. Trabalhavam em silêncio. — Você não vem aqui em casa há tanto tempo, e agora que veio está lavando a louça? Deixa que eu dou um jeito nisso.

— Fomos nós que sujamos, sr. Paulo — Kai continuou lavando. — Fica tranquilo.

Ele insistiu um pouco mais até que Giovana garantiu que a mão de Kai não cairia por lavar a louça. Paulo então desistiu e saiu da cozinha, rindo.

— Ai, ai, quando o fã encontra o ídolo... — Gio estalou a língua.

— Até parece — Kai girou os olhos.

Os dois não falaram mais nada até a pia estar limpa e todas as louças guardadas. Kai secou as mãos em um pano de prato e apontou para a porta.

— Bom, já vou indo — suas palavras saíram sóbrias e equilibradas, mas a verdade é que por dentro tudo parecia fora de ordem. Durante o jantar, evitou olhar para Giovana. Tinha medo de que, se o fizesse, pudesse entregar de bandeja o que estava em seu coração. Pela primeira vez em três anos, sentia que talvez uma porta pudesse ser aberta. Sua barriga ganhava novos calafrios a cada vez que pensava isso.

— Acompanho você até o portão — ela cruzou as mãos nas costas e eles caminharam, tão quietos quanto antes. Era como se uma barreira invisível se forçasse, incômoda, entre eles.

Kai não queria ir embora, mas não sabia o que dizer para ficar.

— Eu sinto saudade — a voz dela quase fez Kai dar um sobressalto. Eles pararam em frente ao portão fechado e ele fixou os olhos em Giovana, esperando. — Lembra quando você vinha aqui em casa estudar? Ou quando me trazia no quadro da sua bicicleta depois da escola?

Kai abriu um meio sorriso.

— E quando eu conheci seu ateliê? Eu lembro muito bem desse dia.

— Fiquei com vontade de me enfiar em um buraco e nunca mais sair de lá — ela sorriu, colocando uma mecha atrás da orelha.

— Você ainda tem seu ateliê aqui? Ou levou tudo pra São Paulo?

— Eu deixei meio que uma galeria pessoal. Ainda tem vários desenhos pendurados nos varais. Gosto de entrar lá e ficar olhando para eles toda vez que venho aqui.

— Posso ir lá ver? Tenho saudade dos seus desenhos.

Gio começou a balançar a cabeça em concordância, mas de repente parou.

— É melhor deixar para outra oportunidade.

— Prometo não demorar — ele cruzou os dedos, garantindo sua palavra. Ela liberou um suspiro e negou mais uma vez. Kai ergueu uma sobrancelha, o sorriso se abrindo. — Por acaso o desenho que você fez de mim está pendurado no mesmo lugar de destaque que eu deixei há três anos e por isso não quer que eu entre lá?

 Giovana fitou-o sem piscar. Seu rosto enrubesceu e o sorriso de Kai se desfez.

 — Está mesmo lá? — perguntou em um sussurro.

 Gio puxou o ar com o nariz e soltou pela boca.

 — O que você acha? — Ela não olhou para ele.

 Os pelos na nuca de Kai se arrepiaram.

 — Nós quase não nos falamos durante esse tempo, então não achei que...

 — É claro que não nos falamos — o tom dela era duro. — Você sumiu nesses três anos.

 — Você também sumiu.

 Ela piscou seguidas vezes.

 — Eu tive a sensação de que nossa amizade escorreu pelos meus dedos.

 — Você e Arthur permaneceram próximos — Kai engoliu em seco.

 — Ele continuou agindo como sempre agiu comigo. A gente sempre se atualiza da vida um do outro. Ele me conta os detalhes da sua vida também. Essa foi a forma que eu encontrei de saber sobre você e ficar tranquila de que tudo estava indo bem — os olhos dela começaram a brilhar mais que o normal. — Então, sim, a resposta é que o seu desenho continua lá, no mesmo lugar onde você o pendurou, junto com outras memórias empoeiradas de uma época que nunca mais vai voltar.

 — Eu sou isso pra você? Uma memória empoeirada? — Kai não pretendia que seu tom soasse tão magoado.

 — Eu nunca quis que fosse — ela abraçou os próprios braços, evitando olhar para ele.

 — Por que você não pergunta pra mim os detalhes da minha vida?

Gio apertou a si mesma um pouco mais.

— Durante todo esse tempo eu saí do caminho porque não queria atrapalhar você e o Arthur.

Giovana começou a contestar, mas então parou. E a compreensão tomou o rosto dela por completo. Os olhos dela cravaram-se nos dele, intensos e vivos.

— E não passou pela sua cabeça perguntar se existia algo para ser atrapalhado?

— Desculpe — Kai sentiu seu rosto arder. — Eu achava que vocês acabariam percebendo como combinavam.

Ela apertou os lábios e balançou a cabeça.

— Você é um bobo — Gio abriu o portão e segurou-o para que Kai passasse. Ele ficou alguns segundos parado, até perceber que o bico nos lábios dela e o rosto crispado não eram um convite para que ele continuasse ali.

— Até amanhã — disse ele, já na calçada.

— Até — ela fechou o portão.

67

OS PONTEIROS MARCAVAM QUASE dez horas quando Kai estacionou em frente de casa. Entrou pensando na conversa que tivera com Giovana. Repassava pela décima vez tudo que ela tinha falado quando um tilintar de talheres chamou sua atenção. Abriu a porta da cozinha e seu pai estava sentado à mesa, jantando àquela hora da noite. Ele parou de mexer na comida e olhou de soslaio para Kai.

— Boa noite.

Sidney não respondeu. Kai seguia para seu quarto quando, antes de deixar a cozinha, uma cancela imaginária baixou diante dele detendo-o. Seu pai parecia lúcido. E essa era a primeira vez que o encontrava assim desde que havia chegado. Desde aquela conversa no quintal dos fundos quase quatro anos antes, na verdade.

Eles nunca tinham conversado depois disso. E Kai sentiu o peso de tudo aquilo pressioná-lo. Apertou os cantos dos olhos fechados com os dedos por um momento. *Senhor, está em tuas mãos.*

Virou-se e andou até a mesa. Sidney continuou ignorando-o, como se ele fosse um dos móveis da cozinha. Kai apertou os punhos e engoliu com dificuldade, sufocando a vontade de despejar tudo sobre seu pai da mesma forma como sua mente despejava sobre ele.

— Precisamos conversar — foi o que disse, contido.

Sidney raspou o garfo sobre o prato com lentidão e levou o que restava de comida à boca.

— Sobre?

Kai mordeu o lábio inferior e respirou fundo, a frustração bem audível.

— Por que está se escondendo da vida desse jeito?

— Essa cozinha não parece um esconderijo.

— A cozinha não. Mas as noites no bar, as garrafas vazias, você jogado nas calçadas por aí... isso sim tem sido um esconderijo. E um dos piores.

— Besteira — Sidney murmurou com rispidez.

Kai puxou uma cadeira e se sentou.

— Eu nem consigo imaginar como deve ter sido horrível passar tanto tempo em um lugar como a cadeia. Mas isso, esse vício, começou bem antes. E, sabe, ele está acabando com a sua vida — seus dedos tremiam. Não fazia ideia do rumo que aquela conversa tomaria.

— Não tem como acabar com uma coisa que já teve fim.

Kai piscou, perplexo.

— Você está aqui. Em carne e osso. E ainda tem muita coisa pela frente.

Sidney soltou uma risada irônica.

— Eu descobri sobre seu pai — Kai lançou. Esperou pela reação dele, que contraiu a mandíbula e não disse nada. — Você vai deixar isso continuar determinando toda a sua vida? Algo que aconteceu há tanto tempo vindo como um lastro de destruição por todos esses anos?

— Meu pai não tem nada a ver com isso.

Kai balançou a cabeça.

— Uma vez, estávamos na praia eu, você e minha mãe. Ela lhe disse que não comprasse o picolé que eu tinha pedido porque já íamos para casa almoçar. Você comprou mesmo assim. E nós saímos correndo para que ela não brigasse. Depois de detonar os picolés, caímos no mar, os dois numa prancha só, como costumávamos fazer. Minha mãe brigou mesmo assim, mas eu achei a nossa "fuga" a coisa mais incrível do mundo — Kai fez uma pausa. — Essa é uma das últimas lembranças boas que tenho de você antes daquela conversa na noite anterior a sua prisão. O seu pai morreu nos meses seguintes. E nós nunca mais brincamos juntos.

— Você não entende.

Foi a vez de Kai rir. Uma risada seca, dissonante.

— Ah, entendo. Como eu entendo! Sofro as consequências dessa mágoa entre vocês desde aquela época. — Seu coração retumbava, frenético, no peito. Nunca havia falado com o pai daquela forma, tão crua e aberta. — É um saco colher as consequências das nossas ações? Sim, é. Não tem outro jeito. Mas Cristo levou sobre si na cruz o peso da culpa para que a gente não precisasse levar.

— Tinha um pessoal que ia na cadeia todo mês — disse Sidney, olhando para o outro lado. Kai esperou que ele continuasse. — Eles falavam coisas como essas que você acabou de dizer.

— E você acreditava nessas coisas?

— Talvez — Sidney encostou os cotovelos na mesa e afundou a cabeça nas mãos, bufando. — Comecei a prestar mais atenção no que eles diziam depois que li sua carta.

Kai baixou os olhos. Não sabia que ele tinha lido. Sempre acreditou que o pai tivesse ignorado a carta, assim como o ignorava.

— Por que nunca me deixou te visitar? — sua pergunta saiu num volume tão baixo que Kai se perguntou se Sidney tinha ouvido.

— Aquele não é lugar para um filho ver o pai. É uma desgraça.

— Eu é que deveria ter decidido isso.

— Não queria que você me visse daquele jeito! — Sidney falou um pouco mais alto e a compreensão desabou sobre Kai, fazendo-o engolir em seco. Então era isso? Seu pai sentia... vergonha?

— Pai, eu não teria me importado em...

— Eu ouvi você ontem. E escutei no dia que você me pegou lá na calçada, quando chegou em casa.

Kai congelou, observando o pai, sem piscar.

— Você disse que não sabia se eu lembrava de quando te ensinei a dominar uma prancha. Eu lembro. Só que tem coisas que ficam mais bem guardadas lá atrás, no passado — a voz dele começou a sair embargada. — Você nunca vai ter aquele pai de volta.

Kai tentou ser forte. Mas àquela altura? Ele realmente achava que conseguiria? Quando percebeu, as lágrimas já marcavam, em silêncio, sua pele dourada. A surpresa veio ao perceber que ele não era o único. Seu pai fungou, e a face dele se contorceu. A luta interior gritando.

— Me perdoa, filho. Eu nunca vou poder ser quem você quer que eu seja — o peito de Sidney começou a sacudir com a força do lamento. Ele cruzou os braços e encostou a mão fechada na boca, como se tentasse impedir, a qualquer custo, que o choro escapasse. Kai não prestou atenção em nada que ele disse além de "filho". Qual tinha sido a última vez que o pai o chamara assim?

Kai levantou-se e o abraçou. Sidney continuou sentado, e a mão que antes segurava os lábios agora detinha o braço do filho. Kai via as próprias lágrimas caindo sobre o cabelo ralo do pai.

— A esperança existe, pai. Mesmo que você não consiga enxergá-la hoje. Esperança que se vê não é esperança.

Passando as costas da mão embaixo dos olhos, Kai se afastou. Antes de deixar a cozinha, virou-se uma última vez:

— Minha mãe disse que na igreja tem um projeto para dependentes químicos.

Como ele não respondeu, Kai saiu. Antes de entrar no banheiro, viu que a porta do quarto dos pais estava entreaberta, a luz acesa e sua mãe sentada na cama. Ela lhe abriu um sorriso e seus olhos estavam vermelhos, assim como os dele e os do pai.

68

A RODOVIA RIO-SANTOS ESTENDIA-SE em curvas ladeadas, na maior parte, pelo mar de um lado e pela mata atlântica de outro. No alto-falante do carro tocava Mumford & Sons — escolha incontestável de Íris, que ganhou a batalha contra o rock de Giovana — e eles conversavam sobre tudo e sobre nada. Giovana, Íris e Ervilha espremiam-se no banco de trás com as bolsas que não couberam no porta-malas.

— Quando você disse que era para trazer apenas o necessário, pensei que a regra valia para todo mundo — Ervilha resmungou. — Vocês duas enfiaram metade de Ponte do Sol dentro deste carro.

— Ai, Ervilha, achei que esse assunto já tivesse sido superado — Iris rebateu.

— Diminui o ar aí, Kai, por favor. Tô suando aqui — ele pediu fazendo bico, quase sumindo debaixo de dois sacos de dormir e uma bolsa. As meninas riram entre si. Kai espiou Gio pelo retrovisor e ela olhou de volta. Os dois desviaram o olhar ao mesmo tempo. O clima entre eles estava estranho. A barreira incômoda ainda mais forte. Kai se perguntava se tinha estragado tudo.

Pouco mais de uma hora havia se passado quando ele tirou o pé do acelerador ao descer pelo Morro do Deus me Livre. Dali era possível ver a Praia do Cepilho, que os recepcionava com uma vista de tirar o fôlego. A praia em formato de ferradura, com larga faixa de areia, era famosa pelas ondas perfeitas para o surfe. E, claro, era ali que os meninos já queriam ficar.

— Não, gente! Precisamos ir ao camping primeiro para conseguir o melhor lugar para colocar as barracas — Íris determinou.

Um grande coro de "Ahhh!" foi pronunciado pela ala masculina, e Kai seguiu pela estrada, chegando em poucos minutos a Trindade, uma vila de pescadores à beira-mar, cercada por formações montanhosas, tão pequena quanto charmosa.

Ao chegarem ao camping e acertarem tudo com o proprietário, Íris e Gio pegaram suas bolsas e bateram em retirada atrás de um lugar que ficasse de frente para a praia. O terreno misturava areia e grama. Havia árvores por todo canto.

— Aqui é perfeito! — Gio abriu as mãos em um espaço vazio em frente à cerca que separava o camping da praia. Um portãozinho de madeira marcava a passagem entre um e outro. Colocaram as mil e uma bolsas no chão e separaram os sacos com as barracas.

— Eu ajudo vocês — Kai se aproximou das meninas enquanto Arthur e Ervilha abriam a que os três dividiriam. Gio evitou olhar para ele. Ela e Íris estenderam o tecido da barraca e Kai procurou pelas varetas e espeques.

— O que são essas coisas? — questionou Íris.

— O que faz a barraca ficar de pé.

As duas bateram o tecido e checaram repetidas vezes o saco de onde veio a barraca.

— O que foi, gente? — Arthur perguntou.

— As varetas da nossa barraca não estão junto com as coisas da barraca de vocês, não? — Gio perguntou. — As duas são do Ervilha.

Eles procuraram dentro das mochilas, dentro do carro. Até que Íris e Gio soltaram uma bufada frustrada quase ao mesmo tempo.

— Você esqueceu os acessórios essenciais da barraca que emprestou pra gente, Ervilha — Íris passou a mão pelo rosto.

— Foi mal! Eu não...

— Você não checou antes? — Gio questionou, e Kai percebeu que ela tentava ser cordial. Ervilha coçou a cabeça. Ele não precisou responder.

— Tudo bem, vocês ficam com a nossa — Kai disse.

— E a gente vai dormir onde? — Ervilha arregalou os olhos.

— Em qualquer lugar, cara — Arthur falou. — O que não dá são as meninas ficarem ao relento.

Ervilha foi surpreendido por um pacote que Íris jogou em suas mãos. Ele quase deixou cair.

— Vocês reclamaram da quantidade de coisas que nós duas trouxemos, mas aí estão: exatos três sacos de dormir. Um para cada um.

— Isso é melhor do que eu estava imaginando — Kai sorriu. — Vamos guardar as coisas dentro da barraca e aproveitar o dia, galera.

Pouco tempo depois, os cinco se refrescavam nas águas rasas e claras da Praia do Meio. Arthur e Ervilha decidiram saltar do conjunto de pedras que separavam as duas pequenas baías que compunham a praia.

— Vocês vão cair de cara na areia. A água está batendo na minha cintura! — Gio ergueu-se na água.

— Eu acabei de nadar até ali, você não viu? A água perto da rocha é mais funda. E não tem pedras submersas — Arthur justificou.

— Bora, Gio! — Íris começou a escalar, seguida por Kai.

— Até você, Íris? Está realmente empenhada em ter o que contar para os netos, né?

Íris sorriu e colocou as mãos em fissuras na rocha para se equilibrar melhor, seguindo os outros dois. Kai parou e girou para trás.

— Você ainda tem medo do mar?

— Não tenho medo do mar. — Gio cruzou os braços. — Olha onde eu estou agora.

— Aí não conta. Parece uma piscina. Vem com a gente, eu te ajudo a subir.

— Prefiro ficar aqui.

Kai estreitou os olhos por causa do brilho do sol batendo na água cristalina.

— Você sempre teve medo.

— Não tive — Gio respondeu, afetada. Depois olhou para o horizonte. — Tá, tive.

Kai olhou para Ervilha, Arthur e Íris, que já estavam na ponta da pedra, rindo e tirando fotos antes de começarem a sessão de pulos. Com um impulso, fez seu salto ali mesmo, na água rasa que batia daquele lado da formação rochosa, e voltou até Giovana.

— Kai, eu te conheço. Você está morrendo de vontade de pular dessa pedra — ela disse ao vê-lo se aproximar. — Não me importo de ficar aqui sozinha. Aliás, acho que vou ler um livro na areia.

— Qual livro?

— *Jane Eyre*.

— É sobre o quê?

— Uma menina órfã que mora com parentes malvados que a maltratam e, aos dez anos, é enviada pela tia para uma escola barra instituição de caridade barra lugar horrível para uma criança viver.

— Parece triste.

— É genial. Em vários momentos eu penso em como a Jane pode ser tão corajosa e enfrentar a vida com tamanha resiliência.

— Às vezes, quando você passa por uma vida de dor, a única opção que tem é resistir.

— Ou desistir. Uma letra muda tudo — Gio afundou mais um pouco na água, cobrindo o corpo até o pescoço. — Não sei se, como ela, eu permaneceria firme diante do frio intenso, da fome, do desespero de viver sozinha.

— Tem coisas que só tem como saber quando você passa por elas — Kai mergulhou e moveu os braços para a frente, indo para a parte mais funda. Voltou à superfície batendo o cabelo.

— Você escolheu a letra "r" em vez da "d" — Gio falou um pouco alto, para que ele pudesse ouvir. Kai voltou para perto dela.

— Acho que não escolhi, não. Se o Senhor não tivesse se apresentado a mim no meio daquele furacão, é bem provável que eu tivesse sido engolido por ele.

— É lindo ver como você permaneceu.

Ele sorriu.

— Parece que fizemos as pazes.

— É, parece — ela moveu com lentidão os braços estendidos sobre a água, formando pequenas ondulações. Kai sustentou o olhar de Giovana até ela redirecionar sua atenção para o corpo de Arthur cortando o ar até a água, a alguns metros dali.

— Senti muito sua falta... — ele chamou a atenção dela de volta. Gio virou o pescoço para ele com rapidez e ficou mais corada, e não foi por causa do sol. Ervilha e Íris voltaram, ofegantes e eufóricos. Arthur dava braçadas dentro da água vindo também ao encontro deles.

O dia seguiu tranquilo, como um abraço de nostalgia e proximidade. Durante a tarde, voltaram para a Praia do Cepilho, no início da vila, e Íris e os meninos pegaram onda enquanto Gio, na areia, dividia o tempo entre desenhar e ler *Jane Eyre*.

À noite, de banho tomado e com a familiar sensação de pele úmida e queimada do sol, saíram à procura de um lugar para jantar. A vila estava cheia e os restaurantes movimentados. Encontraram um de frente para o mar, em um local aberto, com mesas ao redor das árvores e um espaço com sofás onde uma galera conversava, animada.

Entre hambúrgueres artesanais, batatas fritas e chás gelados, a noite seguia agradável. Giovana deu uma gargalhada de algo que

Íris disse. Kai percebeu que ficara tempo demais observando-a ao sentir um chute na perna por baixo da mesa.

— Superou, hein? — Ervilha balbuciou sem som. Kai olhou feio para ele. Precisava de um chute? Sua perna agora estava doendo.

Kai esfregou a mão sobre o local e levantou-se para ir ao banheiro. Não olhou antes de sair da mesa e trombou com um cara que vinha no sentido contrário. Sentiu um líquido gelado escorrer pela frente de sua blusa e ouviu o xingamento estrondoso que o sujeito soltou.

— Pô, foi mal, desculpa, eu não vi... — Kai começou a se desculpar, mas o outro sequer prestava atenção. Só lançava uma coletânea das piores obscenidades que alguém pode dizer em público, chamando os olhares curiosos de todos em volta.

— Essa blusa é nova! — ele olhava para a mancha vermelha com ira. Não parecia embriagado, embora o líquido tivesse a cor e o cheiro de um dos que Kai experimentara anos antes, na festa na casa de Bernard. A camisa de Kai também era nova, mas deixou pra lá.

— Se quiser compro uma pra você — Kai ofereceu.

— Tá de sacanagem com a minha cara?! — O rapaz abriu as mãos e empurrou o peito de Kai, que quase se desequilibrou.

— Ow, ow, ow — Arthur e Ervilha se levantaram, a postos.

Sua vontade, bruta e incontestável, gritava dentro dele. Alguns anos antes e Kai enterraria um soco na cara daquele sujeito, sem dó. Mas ele não era mais aquele.

O cara o empurrou uma segunda vez e Kai deu passos para trás, se afastando a uma distância considerável. Dois rapazes chegaram nesse momento e se colocaram na frente do encrenqueiro, tentando tirá-lo dali. Kai, Arthur e Ervilha levaram um susto em igual proporção. Otto estava ali, em carne, osso e músculos.

— Isso só pode ser brincadeira — Ervilha riu sem humor.

— Esse idiota sujou minha blusa inteira e ainda tá tirando uma com a minha cara!

O outro tentava acalmar o cara enquanto Otto fazia a barreira para que ele não avançasse para cima de Kai. Os garçons chegaram e pediram que ele se retirasse.

Otto olhou para os três brevemente e cumprimentou-os com um aceno de cabeça. Eles responderam à saudação com igual cortesia e seriedade. Todos estavam sérios.

— O que ele está fazendo aqui? — Ervilha cochichou, incrédulo.

— Passando o final de semana — Otto respondeu, a expressão inalterada, e Ervilha baixou os olhos, sem graça. Quando Otto e o outro rapaz conseguiram, junto com os garçons, convencer o encrenqueiro a deixar o restaurante, Kai encheu a bochecha de ar e soltou aos poucos, os nervos ainda um pouco agitados.

— Que loucura — Íris ainda estava com os olhos esbugalhados, assim como Giovana.

— Não sei o que é mais doido. Um cara aleatório querer arrumar briga com o Kai ou o Otto estar aqui no mesmo final de semana que a gente — Arthur jogou uma batata frita fria na boca.

— E tinha que estar envolvido na confusão — Ervilha balançou a cabeça.

Kai já havia trombado com Otto em vários campeonatos. Ele também vinha ganhando destaque no esporte, mas os dois nunca trocaram mais do que um cumprimento rápido. Essa situação deixava Kai um pouco incomodado. Era como se aquela briga entre eles tivesse acontecido havia quatro semanas, e não quase quatro anos atrás.

— Mas ele não estava envolvido — Gio disse. — Otto veio segurar o cara.

Kai esticou o pescoço e olhou em volta. Tinha um camping do outro lado do restaurante e ele viu que Otto seguia para lá. Sozinho. Onde estava o valentão? Kai não o viu por ali.

— Vou ver se consigo chegar ao banheiro desta vez — Kai deixou a mesa dos amigos, foi até o final do restaurante e entrou pelo mesmo caminho que viu Otto passar.

Sentia aquela força irrefutável tomar seu bom-senso. E ele precisava obedecer. Não era a melhor hora. Mas sabia que, se deixasse para depois, talvez desistisse.

— Ei, Otto! — chamou ao vê-lo de pé perto de uma barraca que parecia a entrada de um hotel. Otto se virou rápido e assustado. Não havia quase ninguém circulando por ali, e seus olhos caíram sobre Kai no mesmo momento.

— Veio pegar umas ondas no Cepilho? — Kai tentou soar amigável.

— Aham — Otto demorou um tempo para responder. — Olha aqui, Kai, eu não tive nada a ver com aquela loucura do Gilvan, tá? Ele foi caçar outro lugar para beber e daqui a pouco vai arrumar mais confusão e...

— Eu sei, cara. Na verdade, eu queria te agradecer.

Otto ergueu uma sobrancelha.

— Você foi lá impedir o tal Gilvan de dar um soco no meio da minha cara. E isso me lembrou que estou te devendo um pedido de perdão faz tempo.

— Ah, não vem com essa.

— Eu sei que deixei você com a cara arrebentada por um tempo, naquela época. Desculpa. Aquela não era a melhor forma de resolver as coisas.

— Por que está voltando com isso agora? — Otto indagou.

— Por que não agora?

Otto respirou fundo.

— Eu fui um idiota, não tiro sua razão — respondeu quase sem abrir a boca. — E eu também te deixei com uns hematomas. Foi mal.

Kai deu alguns passos à frente, estendendo a mão aberta.

Otto demorou alguns segundos, mas finalmente pegou a palma estendida, e os dois deram um aperto de mão rápido e sincero.

— Parabéns pelo título. Eu acompanhei pela internet — Otto voltou com a mão para o bolso.

— Obrigado. Ano que vem te encontro lá.

— Espero que sim.

Kai virou-se e seguiu pelo mesmo caminho em que havia chegado. Alguns metros à frente, quase passando para o restaurante, ele percebeu uma silhueta conhecida caminhando de costas para ele.

— Gio?

Ela parou, girando o corpo devagar.

— Desculpa, Kai, eu não queria ter escutado nada, e nem vim aqui xeretar — ela parou de forma brusca. Seus ombros caíram. — Tá bom, eu xeretei, sim, mas é porque eu vi você vir pra cá logo depois do Otto e fiquei preocupada...

Kai deu uma risada.

— Pensou que eu tivesse vindo arrumar mais briga?

— Desculpa — ela começou a girar um anel em seu dedo.

— Não tem problema. Meu histórico não ajuda.

— Seu histórico já foi apagado. Há muito tempo.

Kai sorriu e, sem dizer mais nada, eles voltaram para a mesa, recebidos pelos olhares atentos dos amigos.

69

O BARULHO DO MAR sempre havia funcionado como um sonífero natural, mas desta vez Kai não conseguia pregar os olhos. Acordado havia trinta minutos, por mais que mantivesse os olhos fechados não era capaz de retornar à terra dos sonhos. O vento frio trazido pelo mar era bloqueado pelo saco de dormir que envolvia seu corpo. Ervilha e Arthur dormiam à sua esquerda, e ele escutava um leve roncar ultrapassar o volume das águas batendo contra a praia. Seus corpos estavam confortáveis sobre a areia macia. Os três, sem barraca, haviam escolhido dormir na praia, bem ao lado da cerca de limite do camping, onde as meninas dormiam.

Kai levantou o pulso e verificou o relógio. Eram 4h32. Embora ainda estivesse escuro, a luminosidade trazida pelo luar banhava toda a baía. Ele se ergueu sobre os cotovelos para dar uma olhada em volta. Estava tudo vazio, a não ser por uma única pessoa sentada à beira-mar.

Kai esfregou os olhos. O que a Gio estava fazendo ali, sozinha, àquela hora? A lua, imponente e cheia, estendia seu rastro prateado sobre as águas escuras e o corpo dela, encolhido, estava na mesma direção que o trilho de luz. Era uma cena bonita e triste ao mesmo tempo. Tão melancólica.

Com cuidado para não fazer barulho e acordar Arthur e Ervilha, Kai se esgueirou para fora do saco de dormir. Passou as mãos pelo cabelo e caminhou devagar, com a câmera do celular aberta, registrando o momento. Gio moveu a cabeça e olhou por sobre o ombro, tendo um leve sobressalto.

— Desculpa, não queria te assustar — Kai apontou para o lado dela. — Posso?

Gio concordou com a cabeça.

— Imaginei mesmo que o cenário estivesse digno de foto — disse ela.

— Vou te encaminhar as que tirei.

Ela pegou o celular e, depois de receber as imagens, desligou a tela outra vez. Os dois ficaram um bom tempo apenas contemplando o espetáculo da natureza.

— Conversei com meu pai ontem — Kai contou.

— Sério? E como foi? — o tom de voz dela soou tão interessado que foi quase como receber um abraço.

— Abri meu coração, e ele também. Do jeito dele, mas abriu — Kai envolveu os joelhos com os braços, a expressão serena assim como o oceano diante deles. — Não sei o que esperar daqui em diante, mas estou esperançoso. Deus se move na vida da gente, Gio. Nós é que muitas vezes estamos tão preocupados com nosso umbigo que não conseguimos perceber.

— Uau! Pastor mesmo — Gio sorriu baixinho. Kai também riu. — Isso é precioso demais, Kai, ver a resposta das nossas orações diante dos olhos.

— Eu tive medo, sabe? Quando minha mãe contou que meu pai tinha saído da cadeia, temi pensando em qual Sidney eu encontraria aqui fora. Mas o medo maior era que a minha esperança morresse. E a verdade é que eu ainda não tenho como saber o que vai acontecer com ele, mas vou continuar me agarrando ao meu Deus, porque às vezes a fé é como saltar no vazio.

Gio estendeu o braço e segurou a mão de Kai. Pego de surpresa, ele virou a palma para cima devagar e seus dedos se entrelaçaram. Ouviu seu coração nos ouvidos, batendo veloz, sem trégua.

Tirou o olhar das mãos unidas e colocou-o sobre Giovana, que o observava com seus olhos cor de café refletindo o brilho cintilante do luar. E, ali, no rosto dela, Kai entendeu que a porta havia sido aberta.

— Eu sou apaixonado por você... — ele sussurrou, a voz rouca pelos sentimentos agitados dentro de si. — Desde a época em que você me ensinava química e eu te carregava no quadro da minha bicicleta.

Giovana piscou algumas vezes.

— E você sumiu nesses três anos por que pensou que eu e Arthur...?

— É — Kai abaixou o rosto.

— Demorei muito a admitir — ela soprou baixinho. — Neguei para mim mesma durante muito tempo, mas a verdade é que meu coração se partiu quando percebi que o que sentia por você era maior do que deveria sentir por um amigo.

— Se partiu?

Ela apertou a boca em uma linha fina, um sorriso triste surgindo.

— Foi na pista de dança na festa da Íris. Eu queria tanto te abraçar e não soltar mais. Estava ficando insuportável. Então, naquele momento, eu não tive saída a não ser admitir que gostava de você.

O peito de Kai vibrou. *Ela gostava de mim. Ela gosta de mim?*

— Eu lembro que você me deixou plantado na pista, sozinho — Kai riu.

— Talvez esse sentimento seja mais antigo do que eu consiga admitir, mas, de qualquer forma, você sempre esteve muito distante. Primeiro porque não era convertido. Eu nunca me permitiria mergulhar numa paixão por um garoto que não amasse a Deus. E você, definitivamente, não amava. E, depois, quando você se encontrou com ele de verdade, eu achava que aquela alegria que eu sentia ao ver você era só por acompanhar de perto sua mudança e crescimento. Mas, naquele dia na festa, eu tive que admitir meus sentimentos e tomar a decisão de me afastar de você. Eu sei que isso aconteceria naturalmente com a distância, mas não ia conseguir continuar sendo sua amiga sem me defraudar. Meu coração doeria demais.

Kai ofegou para recuperar o fôlego que havia sido arrancado de seu peito.

— Eu estava indo me declarar quando vi você e Arthur.

— A gente estava conversando sobre o último filme dos Vingadores! — ela ergueu a mão livre para o céu e girou os olhos.

— Como você lembra o assunto?

— Eu lembro de tudo sobre aquela noite, Kai — a voz dela ganhou um tom desolado. — Eu me obriguei a te esquecer durante todo esse tempo. Mas desde que te reencontrei nessas férias... — Gio não concluiu a frase. Kai puxou suas mãos unidas e depositou no dorso dela um beijo suave, quase como um toque de flor.

— Gio, você já acolheu minhas lágrimas, ouviu meus problemas e me ajudou a enxergar além deles. O seu coração é sólido e cheio de bondade. Isso ficou nítido pra mim quando te vi depois de todo esse tempo. Sua fé, seus valores... não é como se você vivesse flutuando por aí vendo no que a vida vai dar. Eu penso em você e me imagino passando o resto da vida ao seu lado, tranquilamente. E, olha, quando a gente encontra alguém assim, ou no meu caso reencontra, tem que ser muito burro para deixar passar — Kai tinha olhos intensos e vivos ao observá-la. Gio estava petrificada, sua mão unida à dele parecendo ter saído de um refrigerador. — Para mim, sempre existiu só uma garota. E ela é você.

Os lábios de Giovana se abriram e seus olhos esbugalhados continuaram observando-o em silêncio.

— Quer namorar comigo? — Kai prendeu a respiração. Tinha sido muito apressado? E se ela negasse? O que ele...

— Sim. Eu quero.

Seu coração explodiu feito fogos de artifício. De todas as cores, tamanhos e formas. O sorriso escancarou em seu rosto, e Kai sentiu vontade de dançar. E foi o que fez. Pulou da areia, ainda segurando a mão dela, e a puxou para perto de si. Gio tinha a surpresa e a alegria estampadas no rosto. Kai colocou a mão livre na cintura dela, e Gio circulou seu ombro. O murmurar suave do mar os embalava. Desde sempre. Kai descansou o lado do rosto na cabeça dela e inspirou sem pressa.

— Não tem cheiro de chocolate ou chiclete. Agora parece... lavanda?

Kai sentiu que ela sorria.

— Sim. Gostou?

— É equilibrado e suave. Combina com você.

Gio descansou a cabeça no peito dele, suspirando. Ficaram um tempo assim, até que Kai a afastou e, olhando para ela, segurou seus braços e disse:

— Vou falar com seu pai amanhã — sua voz ficou tensa. — Será que ele vai aprovar?

— Desde que você pedalou o bairro inteiro equilibrando um pneu na bicicleta, meu pai virou seu fã.

— Exagerada.

— É sério! O que eu disse lá em casa não foi brincadeira. Meu pai nunca se oferece para lavar a louça e ontem quis lavar no seu lugar. Ele assiste a *todas* as suas participações em campeonatos.

— Ah, é? — Kai esticou o canto da boca em um sorriso. — E como você sabe se não mora mais com ele?

— Porque o senhor Paulo faz questão de me falar que te viu na tevê. *To-das as ve-zes.*

— Deus, o Senhor está comigo mesmo, hein? — Kai jogou a cabeça para trás, soltando uma risada. E depois segurou a mão de Gio outra vez. — Vamos assistir ao nascer do sol lá de cima?

Ele apontou para a pedra onde Ervilha, Íris e Arthur haviam pulado no dia anterior. O sol ainda não havia despontado, mas já mandava os raios para anunciar sua chegada.

— Vai nascer a qualquer momento, é melhor a gente correr.

— Vou chegar primeiro — Kai saiu em disparada e Gio foi atrás.

— Não é justo! Você é muito mais rápido do que eu — ela protestou, mas o alcançou rapidamente. Os dois gargalhavam.

Kai chegou à rocha, subiu primeiro e estendeu o braço, ajudando Gio a escalar. Alcançaram o alto da pedra quando a borda dourada e incandescente brotava no horizonte, derramando seus raios cintilantes por toda a baía. Os dois se acomodaram e Gio descansou a cabeça no ombro dele, enquanto assistiam ao rastro luminoso do luar na água ser substituído pelo do sol.

— O que você estava fazendo sozinha na praia às quatro e meia da manhã? — Kai quis saber.

— Você não vai acreditar.

— Me conta e eu decido se acredito ou não.

Gio levantou a cabeça e os dois se afastaram um pouco, olhando-se de frente.

— Eu estava falando com Deus sobre você.

As sobrancelhas de Kai se ergueram. Gio continuou:

— Minhas emoções andavam muito confusas desde que te encontrei na fogueira. Eu tentava agir como se tudo estivesse normal, mas a verdade é que meu estômago ia no pé cada vez que você me olhava. Depois da nossa conversa de ontem então... Despertei na madrugada após sonhar com você e isso foi o fim da picada! — ela abriu as mãos e olhou para cima. — Pedi ao Senhor, sei lá, pela centésima vez, que tirasse esses sentimentos de mim. Não obtive resposta e também não consegui voltar a dormir. Pensei que, se eu tomasse um pouco de ar puro, ajudaria. Estava pedindo a Deus algum sinal, qualquer coisa, que indicasse que você era o cara certo. Quando ouvi um barulho, olhei pra trás e ali estava você!

Mesmo com as olheiras de quem havia dormido pouco, as faces rosadas e o banho de luz matinal deixavam Giovana com um brilho diferente, especial.

Kai levou as costas dos dedos ao rosto dela, acariciando sua pele com delicadeza.

— Então você sonhou comigo, é? — Havia riso em sua voz.

— De tudo que eu falei, isso foi mesmo o que mais chamou sua atenção? — Ela cruzou os braços.

— Sou curioso.

Ela virou para a frente de novo e começou a puxar os fios de sua bermuda.

— Sonhei que eu estava vestida de branco e andava por um caminho gramado que nunca tinha visto. No final, esse caminho me levava à Praia da Parada, onde várias pessoas estavam sentadas em cadeiras enfileiradas com uma passagem no meio. Entre as duas fileiras, do outro lado, estava você — Gio não olhou para ele quando terminou de falar.

Kai fitou a imensidão iluminada diante deles.

— Você gosta de viajar, Giovana? — perguntou ele, segundos depois, em tom solene. Ela aprumou o corpo.

— Por quê?

— Não contei a ninguém, mas recebi um convite para competir fora do país ano que vem. Tudo pago por minha nova patrocinadora — Kai sorriu ao ver Gio soltar um "oh!" de assombro. — Eu vou me dedicar ao máximo para fazer uma boa campanha lá fora, e pretendo ir para onde Deus quiser me mandar. E eu preciso saber se você estaria disposta a me acompanhar. Não quero que você largue a sua vida ou coisa assim, e sei que você precisa terminar a faculdade, mas imagino que na sua profissão você consiga trabalhar de qualquer lugar do mundo... — Kai parou ao perceber o brilho transparente tomar os olhos de Gio.

— Isso é o que eu estou pensando? — a voz dela tremeu um pouco.

— Não sei o que você está pensando. Mas, Gio, eu não pedi você em namoro só por pedir. Eu quero você e quero pra sempre.

Uma lágrima cruzou o rosto de Giovana e Kai se aproximou devagar, depositando um beijo sobre o fio molhado em sua bochecha. Ela olhou dentro dos olhos dele e Kai pôde sentir sua respiração quente roçar a pele dele. Segurou a nuca dela com uma mão, encerrando a distância entre eles com um beijo suave e delicado, assim como tudo naquele momento.

— Você disse uma frase agora há pouco que eu guardei aqui — ela colocou a mão sobre o lado esquerdo do peito ao afastar-se dele. — Que a fé, muitas vezes, é como saltar no vazio. O futuro pra mim é esse vazio. Posso planejar, mas não faço ideia do que realmente vai acontecer. Só que, tomando as decisões certas segundo o conselho do Senhor, posso saltar com segurança, crendo que ele vai me amparar durante o percurso e no destino final.

O vento começou a soprar um pouco mais forte, vindo na direção de Gio e lambendo seu cabelo levemente para trás. Kai, de costas para o vento, teve os fios agitados de um lado para o outro. Gio passou as mãos sobre eles e, segurando o rosto de Kai com as duas mãos, disse:

— Sim, Kai. Eu amo viajar.

Ele deu uma risada e se colocou de pé, levando-a consigo. Envolveu Gio em um abraço apertado, um abraço com gosto de sonho realizado. Gio se afastou um pouco e Kai notou que ela olhava para o mar abaixo deles. A superfície espelhada refletia o dourado do sol, e era quase como se fossem uma coisa só.

— Quer pular? — perguntou ele, certo da resposta negativa. Gio deu dois passos à frente e virou-se com expectativa e temor misturados na face.

— Eu estou me sentindo tão feliz que certamente seria capaz de fazer isso agora — ela suspirou sorrindo, ainda com os olhos lá embaixo.— O mar sempre me pareceu tão grande e infinito que eu não conseguia imaginar meu corpo, tão pequeno, solto no meio dele. Parecia apavorante. Ainda parece. Eu senti ciúme quando vocês começaram a ensinar Íris a surfar. Ela parecia tão livre no meio daquela água toda, ao lado de vocês. E eu, a medrosa, não tinha coragem de deixar a água passar da altura do peito.

Na época, Kai havia imaginado algo assim. Porém, sempre achou Giovana tão acima desse tipo de coisa. Riu ao pensar nisso. Ela era uma garota com sentimentos como qualquer outra.

— Você confia em mim? — Kai estendeu a mão. Ela olhou por um momento, ponderando, e então encaixou sua palma com firmeza na mão dele.

— A fé, muitas vezes, é como saltar no vazio.

Sorriram um para o outro antes de correrem até a ponta e, com um impulso, despencarem pelo ar. Gio gritou até que seus corpos perfurassem a água gelada, com as mãos já soltas. Ela bateu as pernas em desespero e Kai segurou seu braço, puxando-a para cima. Ambos se projetaram para fora d'água, juntos, Gio engolindo o ar e tirando o cabelo do rosto.

— E então? Valeu a pena? — Kai perguntou. Gio ainda se esforçava um pouco para não afundar. Ele estendeu o braço para que ela segurasse.

— Para a primeira e última vez na vida, foi ótimo — ela se agarrava a ele como se fosse um bote salva-vidas. Kai riu. — Vamos voltar para a praia? A água está congelando meu sangue.

— Vou comprar um café bem quente pra você. Se não tiver, trago o casaco. Tenho um na mochila.

— Eu até trouxe um cardigã, mas é claro que vou preferir seu casaco.

Deixaram o mar abraçados, as roupas pingando, os rostos reluzindo com alegria. Kai percebeu que Ervilha e Arthur passavam parafina nas pranchas. Eles haviam combinado de pegar onda logo cedo naquele sábado. Sentiu o olhar dos dois sobre eles.

— E aí, tudo bem? — perguntou.

— Não tanto quanto vocês dois — Ervilha gracejou, e Arthur deu um cutucão na costela dele. Giovana ficou da cor de um tomate.

— Vocês viram a gente? — sua voz tinha um tom meio estridente.

— Nós e todo mundo que está na praia. A pedra fica ali, Giovana — Ervilha apontou para o rochedo de onde eles pularam, a alguns metros de distância. — Eu sei como é isso. Quando o clima é de romance, o mundo ao redor simplesmente desaparece e só existe a pessoa amada — ele mandou beijinhos ao ar, e Gio olhou em volta.

— Quase não tem ninguém aqui. Ervilha está pegando no pé de vocês — Arthur riu. — Mas, olha, gostei do salto no mar, Gio. Vivi para ver isso.

— Ela foi muito corajosa — Kai entrelaçou os dedos deles e beijou o alto da cabeça dela.

— Ah, já vão começar de romancinho perto da gente? Não vão entrar em um mundinho particular e excluir a gente, como a galera por aí faz com os amigos depois que começam a namorar, não é?

— Ai, Ervilha, larga de ser um mala! — Íris surgiu, atravessando o portão. — Podem ficar juntinhos à vontade, viu, eu não aguentava mais ver a tortura que vocês dois estavam passando sem assumir logo esse amor. — Ela envolveu os dois com os braços. — Parabéns, amigos, que o Senhor abençoe e frutifique a união de vocês.

Eles agradeceram e também receberam as felicitações de Arthur e Ervilha. Abraços daqui, abraços de lá, e Gio pediu licença e correu até a barraca em que dormia com Íris. Retornou em poucos segundos com uma folha enrolada em forma de pergaminho.

— Ervilha, você falou sobre excluir vocês da nossa vida, mas como poderíamos? Como *eu* poderia? Logo agora que passamos dias tão incríveis juntos e eu fui relembrada de como é estar com vocês. Quando estamos todos juntos, eu sinto que a vida é bonita e empolgante. Que posso ser eu mesma sem medo de falar besteira ou de parecer a chata. Sei lá. Na faculdade e nas correrias da vida adulta as coisas, às vezes, podem ser quadradas demais. Só que com vocês... não é assim. Enquanto vocês surfavam ontem, lembrei de algo que eu disse há muito tempo, na festa de quinze anos da Íris. E resolvi colocar isso no papel...

Giovana estendeu a folha enrolada e Ervilha a pegou. Ao esticá-la de modo que todos pudessem ver, um lindo desenho em lápis apareceu. Era a exata cópia da tarde do dia anterior. Uma garota sentada na areia e quatro pessoas surfando nas ondas em frente a ela. Sobre o céu, estava escrito: *Amigos de verdade sempre acabam encontrando o caminho um para o outro.*

70

A CANÇÃO ENTOADA PELO CORO forte e unido da igreja chegava ao fim. Havia algo sublime nos hinos antigos. A riqueza das letras, o equilíbrio dos arranjos... Kai gostava deles. E, sempre que os ouvia na igreja, cantava-os em forma de oração.

Então minh'alma canta a ti Senhor
Grandioso és tu, grandioso és tu!

Abriu os olhos e Giovana estava ao seu lado, sorrindo após a última nota ser tocada. Ele passou o braço pelo ombro dela enquanto recebiam a bênção do ministro, encerrando a escola dominical. Ao som do "amém", todos concordaram em uníssono e começaram a se movimentar para ir embora. Kai virou-se para sair do banco em direção ao corredor principal do templo, logo atrás de Giovana, e precisou olhar duas vezes para ter certeza do que estava vendo. Ou, melhor, quem estava vendo.

Giovana pendeu a cabeça levemente para trás e olhou para ele. Kai segurou a mão dela e apertou. Não podia acreditar. Na ponta do penúltimo banco da igreja, quase do lado de fora da porta lateral, estava Sidney. Seu pai.

Kai queria correr até ele. Abraçá-lo e dizer que estava muito feliz por vê-lo ali. Pela primeira vez na vida. No entanto, foi impedido pelas dezenas de pessoas que se atulhavam pelo caminho, cumprimentando, conversando e rindo.

— Kai, vamos almoçar lá em casa hoje? — Paulo, seu futuro sogro, surgiu ao seu lado. Lili vinha logo atrás e tinha um sorriso gigante, emoldurado pelo batom rosado. Os dois haviam recebido muito bem o namoro entre Kai e Gio. E o novo casal não quis esperar. Assim que chegaram de Trindade, no sábado à tarde, Kai — após tomar um banho e colocar uma roupa apresentável, claro — foi até a casa de Gio e teve uma longa conversa com Paulo e Lili, que culminou em uma oração de mãos dadas em família. Ele se sentiu abraçado pelo céu.

Kai voltou a atenção para a entrada do templo e seu pai não estava mais lá. Procurou pela mãe e a encontrou no canto direito, ao lado de uma mulher que falava sem parar. Percebeu que ela também olhava em direção ao local em que seu pai estivera poucos segundos antes.

— Obrigado, tio Paulo, mas preciso ir pra casa. Mais tarde vou lá, pode ser?

— Vou preparar um café da tarde caprichado — Lili piscou e Kai sorriu. Já podia prever sua nova família dando-lhe de presente uns quilinhos a mais. Eles se despediram e Kai conseguiu chegar até sua mãe, acompanhado por Gio.

— Você sabia que ele viria hoje? — Kai perguntou a ela, após pedir licença à senhora tagarela.

— Não. Estou tão surpresa quanto você. Oi, Gio, não tinha te visto de perto hoje ainda — Eva abraçou Giovana e deu-lhe um beijo em cada bochecha. Kai tinha levado a namorada para casa depois da bênção dos pais dela e Eva comemorou a união, dizendo que esperava que isso tivesse acontecido anos antes. Sidney estava dormindo nessa hora.

— Será que ele foi pra casa?

— Não sei, filho. Preciso ficar na igreja para o ensaio do coro das mulheres, daqui a uma hora e meia mais ou menos chego lá.

Kai foi para a entrada do templo, olhando para os lados, assim como Gio. Após verificar que Sidney não estava mesmo por ali, Kai encostou os lábios na testa de Giovana, despedindo-se.

— Preciso encontrá-lo.

— Deus abençoe vocês — respondeu ela. — Quando for lá em casa mais tarde precisamos ajeitar as coisas para a escolinha de surfe.

— Estou contando com isso — Kai sorriu e atravessou a rua, onde havia estacionado o carro. Dirigiu ao longo do bairro observando as calçadas com atenção, mas não o viu pelas ruas em que passou. Resolveu ir direto para casa. Sua mãe dissera que nos dias em que Kai esteve fora, seu pai mal saiu de casa.

Ao entrar na varanda, deparou com Sidney tirando a lona de cima da embarcação abandonada no quintal. Aproximou-se devagar e parou com as mãos nos bolsos. Seu pai subiu no convés e entrou na pequena cabine, passando a mão sobre as coisas, observando tudo.

— Precisa de uns reparos, né? — Kai caminhou ao lado da proa, passando a mão sobre a tinta envelhecida.

— A parte mecânica deve estar ferrada — Sidney saiu da cabine. — Como você conseguiu pilotar esse barco sozinho com dezessete anos?

— Me pergunto a mesma coisa até hoje — Kai pensou um pouco. — Acho que as suas aulas de direção foram boas.

Sidney desceu do convés e abaixou-se, começando a cutucar a superfície do barco. Vários e pequenos pedaços apodrecidos de madeira e restos de massa de calafetar despencaram no chão.

— Aqui embaixo tá muito deteriorado — analisou ele. — Um barco de madeira não pode ficar muito tempo sem manutenção.

— Perdão por não ter cuidado pra você.

— Não era sua obrigação. Você estava nadando em outras águas. Literalmente — Sidney fez um gesto com a boca que Kai interpretou como um quase sorriso. Seus ombros, até então tensos, relaxaram. — Debaixo do tanque tem uma lata de massa e uma espátula. Pega pra mim, por favor. Ah, e um pano velho também.

Kai fez o que ele pediu. Seu pai, depois de identificar as frestas e furos daquele lado do barco, começou a limpá-los.

— Isso aqui vai tapar os buracos — Sidney explicou, pegando a lata de massa. — Quer passar?

Até então Kai só observava o que o pai fazia, e levou um breve susto com a oferta de Sidney.

— Ah, sim, claro. Já trabalhei com calafetação lá no Village — Kai pegou a espátula e, sem se importar por estar vestido com roupas novas, começou a trabalhar. Seu pai verificava o outro lado da embarcação. De volta para onde estava Kai, começou a passar o pano sobre as letras em verde escuro escritas na proa.

— *Aquele que vem do mar* — leu ele, e sua voz indicava que sua mente estava longe dali, passeando por épocas antigas, que não voltariam mais. — É o significado do seu nome.

Kai girou o pescoço e vincou as sobrancelhas.

— Minha mãe sempre disse que Kai significava "oceano".

— Também — Sidney ainda olhava para a frase estampada na madeira. — Escolhi o nome do barco por sua causa. Meu pai me deu quando sua mãe estava grávida. Eu sempre quis que você vivesse no mar.

— Parece que seu desejo se concretizou.

Sidney pegou outra espátula e começou a trabalhar ao lado de Kai. Depois de alguns minutos ouvindo apenas os ruídos das espátulas sobre a madeira, seu pai disse, ainda focado no trabalho, sem olhar para ele:

— Eu assisti à final do circuito. A batida que você fez no último minuto foi perfeita.

Kai parou de movimentar a espátula por um momento, mas depois continuou, o bolo se formando na garganta.

— Obrigado.

Pedaços de massa, que mais pareciam chiclete quando em contato com a espátula, grudaram em seus dedos. Estava um pouco sem prática. Kai foi até o tanque lavar as mãos e, no caminho, parou ao ouvir seu pai dizer o que mais havia desejado desde sempre — por mais que nunca tivesse admitido em voz alta.

— Estou orgulhoso de você — Sidney fitava-o com os olhos caídos de tristeza. — Sei que não tenho nenhuma participação nisso, mas fico feliz pelo homem que você se tornou.

Kai não foi capaz de dizer nada. Só assentiu e foi para o tanque, os olhos ardendo como fogo. Mas Sidney não havia acabado. Ainda não.

— Eu conversei com o pastor hoje. Vou começar a frequentar aquele encontro para dependentes, esta semana.

Um ruído baixo e gutural, vindo lá do fundo da alma, escapou pela boca de Kai, junto com as lágrimas que estouraram suas defesas. Terminou de lavar as mãos mal enxergando o que fazia. Tudo estava embaçado. Limpou os restos de água e massa de qualquer jeito e correu até o pai, abraçando-o com força.

Aquele era o momento pelo qual ele esperava.

Aquele era o momento pelo qual ele orava.

Aquele foi o momento em que, pela graça de Deus, ele teve o pai de volta.

AGRADECIMENTOS

Começo este texto com lágrimas nos olhos. Há tanto para agradecer! A escrita de um livro nunca foi tão intensa, desafiadora e demorada para mim quanto foi com *No final daquele dia*. Tantas mudanças estavam acontecendo — no meu entendimento a respeito do meu chamado com a escrita, no meu coração, no meu ventre. Olho para trás e vejo a mão zelosa de Deus me suprindo a cada momento. Como sou grata a ti, Senhor! Ver esta história pronta é saber que o Senhor agiu em mim, apesar de mim.

Iniciei a escrita da história do Kai e sua turma quando nem sabia que estava gerando um bebê, e terminei quando minha filhinha completava seus dois anos. Foram muitos dias acordando durante a madrugada para escrever, aproveitando as sonecas e cada momentinho que sobrava para dar vida a esses personagens. Ufa! Foi bem intenso. Sei que Melinda ainda não entende muito bem esse negócio da mamãe ser "esquitôla", mas fica aqui registrado para o futuro: Filha, eu agradeço tanto a você por ser minha parceirinha, por dividir a mamãe com os livros e por ter se virado para mim esta semana com um joinha no dedo, dizendo: "Pode esquever, mamãe" quando eu precisava terminar a última leitura do livro editado. Te amo!

Depois do Senhor a pessoa a quem eu mais devo minha gratidão, sem dúvidas, é ao Hugo, meu marido, meu amor. Ele me apoia tanto que constrange meu coração. Ele acredita em meu ministério e trabalho mais do que eu mesma. Amor, obrigada por abrir mão de mim em tantos momentos para que eu pudesse escrever. Obrigada pelas manhãs de sábado e pelas tardes de folga quando você saía para passear com Melinda para que eu pudesse trabalhar. Obrigada por ser o melhor que eu poderia ter.

Agradeço ao meu pai e à minha mãe pelo apoio incondicional em todas as áreas da minha vida. Louvo a Deus porque, assim como na história de Sidney, o Pai no céu encontrou meu pai em meio ao vício no álcool e o tirou de lá. Eu era muito pequena na época, mas todos sempre me contaram sobre a ação de Deus que transformou a vida dele e, consequentemente, de toda a família. Pai, obrigada por ter permanecido.

Um agradecimento especial à Ariela, minha sobrinha, por ter vindo após a escola duas vezes por semana aqui para casa durante meses a fim de cuidar da Melinda a fim de que eu pudesse escrever. Obrigada por sempre ser tão amorosa e cuidadosa. E um obrigada de coração cheio para minha sogra, dona Rosângela, que está sempre na torcida por mim. Você é incrível.

Todo o meu amor para minha amiga do peito, Queren Ane, por ter lido *No final daquele dia* em um fim de semana ao mesmo tempo que eu lia *Meu sol de primavera*. Enviamos nossos livros para a Mundo Cristão ao mesmo tempo, recebemos o "sim" e assinamos contrato no mesmo dia. Nossas estradas sempre estiveram interligadas, não tem jeito. Obrigada por me deixar gastar seus ouvidos com os *plots* desta história, pedindo ajuda, conselhos e orientações. O livro ficou melhor por sua causa! Obrigada por ser meu suporte em oração e no chamado.

Às minhas outras amigas do ministério Corajosas: Thaís e Maria. Vocês são um presente pelo qual nunca deixarei de agradecer a Deus. Obrigada por lerem a história do Kai, vibrarem comigo e me ajudarem a melhorar as coisas. Minha vida com certeza ganhou mais cor depois que vocês também se tornaram minhas parceiras de ministério e de vida.

Obrigada, Thalita Lins, que lê em primeira mão tudo que escrevo desde meu primeiro livro. Amo você, amiga!

Não poderia deixar de fora minhas queridas Enza Cerqueira e Renata Lopes, por terem lido e se apaixonado pela história do Kai. Obrigada pelos toques e sugestões. Aproveitei tudo! E a Renata, em especial, por todas as dicas em relação ao surfe. Se não fosse você, eu provavelmente teria cometido alguma gafe ao narrar sobre o esporte. Obrigada!

Surfando nessa mesma onda (perdão pelo trocadilho, não aguentei), preciso agradecer a meu cunhado Rômulo Diniz por ser uma das minhas principais fontes de pesquisa em relação ao mundo do surfe. Foram tantas perguntas para o único surfista da família durante os almoços de domingo. Valeu mesmo!

À amada equipe da Mundo Cristão: meus sinceros agradecimentos. Vocês são meu sonho de autora desde a adolescência. Estou muito honrada em estar com vocês e agradeço muito todo o carinho neste livro. A meu editor, Daniel, por acreditar na história do Kai. É bacana demais trabalhar com você (e com toda a equipe!).

E, se você conseguiu chegar ao final destes agradecimentos, obrigada, de coração por ter lido estas mais de quatrocentas páginas. Oro para que *No final daquele dia* lhe traga esperança ao coração e, de alguma forma, o aproxime do Criador. Ele é o motivo pelo qual escrevo. E depois são vocês, meus leitores. Alguns de vocês estão comigo desde quando eu escrevia em blogs — e uma coisa assim tem muito valor. Obrigada, mil vezes.

SOBRE A AUTORA

Arlene Diniz é formada em Serviço Social, pós-graduada em Missão Urbana e escreve livros com o objetivo de espalhar o amor e a Palavra de Deus, e também de encorajar pessoas, principalmente adolescentes, a verem a vida por uma perspectiva diferente. Escreve em blogs desde os 15 anos, e há quase uma década tem desenvolvido trabalhos voltados para adolescentes. Arlene mora em Paraty, no Rio de Janeiro, com seu marido, Hugo, e a filhinha deles, Melinda. Coescreveu *Corajosas: Os contos das princesas nada encantadas* (2023), publicado pela Mundo Cristão, e é também autora de outros livros de ficção cristã juvenil. Viagens com a família, dias nublados, brigadeiro de panela e fazer nada com os amigos estão entre suas coisas preferidas do mundo.

Esta obra foi composta com tipografia EB Garamond
e impressa em papel Pólen Natural 70 g/m² na gráfica Imprensa da fé

Compartilhe suas impressões de leitura,
mencionando o título da obra, pelo e-mail
opiniao-do-leitor@mundocristao.com.br
ou por nossas redes sociais